Encyclopédie de la
photographie numérique

LE GUIDE COMPLET POUR CAMÉRAS NUMÉRIQUES, IMPRIMANTES, SCANNERS ET LOGICIELS D'IMAGERIE

Catalogage avant publication de la Bibliothèque et Archive Canada

Daly, Tim, 1964-

   Encyclopédie de la photographie numérique

   Comprend un index.

   Traduction de: Encyclopedia of digital photography.

   ISBN 2-89000-666-2

   1. Photographie numérique - Encyclopédies. 2. Photographie numérique - Appareils et matériel. I. Titre.

TR267.D3414 2005   775'.03   C2004-941576-X

POUR L'AIDE À LA RÉALISATION DE SON PROGRAMME ÉDITORIAL,
L'ÉDITEUR REMERCIE :

    Le Gouvernement du Canada par l'entremise du Programme d'Aide au
        Développement de l'Industrie de l'Édition (PADIÉ) ;
    La Société de Développement des Entreprises Culturelles (SODEC) ;
    L'Association pour l'Exportation du Livre Canadien (AELC).

Pour l'édition originale
Édition : Anna Southgate, Corinne Masciocchi, Olivier Salzmann
Conception et réalisation artistique : Ian Hut, Sharanjit Dhol, Richard Dewing

Copyright © 2003 Quintet Publishing Limited

Traduction et réalisation : SOLAR - ACCORD, Toulouse

Pour la présente édition
Copyright © Ottawa 2005 Broquet inc.
Dépôt légal — Bibliothèque nationale du Québec
1e trimestre 2005

ISBN 2-89000-666-2

Imprimé en Chine par Midas Printing International Ltd.

Encyclopédie de la
photographie numérique

LE GUIDE COMPLET POUR CAMÉRAS NUMÉRIQUES, IMPRIMANTES, SCANNERS ET LOGICIELS D'IMAGERIE

TIM DALY

 **Broquet**

97-B, Montée des Bouleaux, Saint-Constant, PQ, Canada J5A 1A9,
Tél. : (450) 638-3338 **Fax :** (450) 638-4338
Internet : http://www.broquet.qc.ca
Courriel : info@broquet.qc.ca

Sommaire

Introduction

La photographie argentique aborde son troisième siècle d'existence, alors que la photographie numérique n'en est encore qu'à ses balbutiements. Mais les progrès technologiques sont tels que les photographes disposent aujourd'hui d'outils réellement sophistiqués. L'équipement ne cesse de gagner en qualité et, parallèlement, les prix baissent, mettant les appareils photo numériques à la portée de la plupart des budgets.

La photographie numérique, qui échappe aux contingences de la chimie, a poussé très loin les limites des effets créatifs. La technologie semble avoir trouvé son point d'équilibre et des standards se sont mis en place ; le photographe peut se concentrer sur sa tâche essentielle : réaliser de belles images.

L'image numérique est la création artistique la plus polyvalente jamais inventée. Imprimées, envoyées par Internet à l'autre bout du monde, chargées sur un site web pour l'illustrer, les images font maintenant partie intégrante de nos systèmes de communication.

À une époque où la gestion de l'information est une tâche que doivent accomplir la plupart des employés, la photographie numérique ne concerne plus uniquement les créatifs. Des amateurs sont capables de réaliser des images dont la qualité est suffisante pour permettre de les inclure dans des présentations et des supports de communication interne ou externe. Dans un avenir proche, l'échange d'images numériques sera aussi courant que l'envoi de SMS ou de courrier électronique.

L'Encyclopédie de la photo numérique s'adresse aux photographes de tout niveau. Elle doit vous permettre de réaliser de belles images grâce à l'utilisation du matériel le plus récent. En fin d'ouvrage, un glossaire définit les principales notions techniques abordées. Une connaissance préalable des appareils photo ou des ordinateurs n'est pas nécessaire.

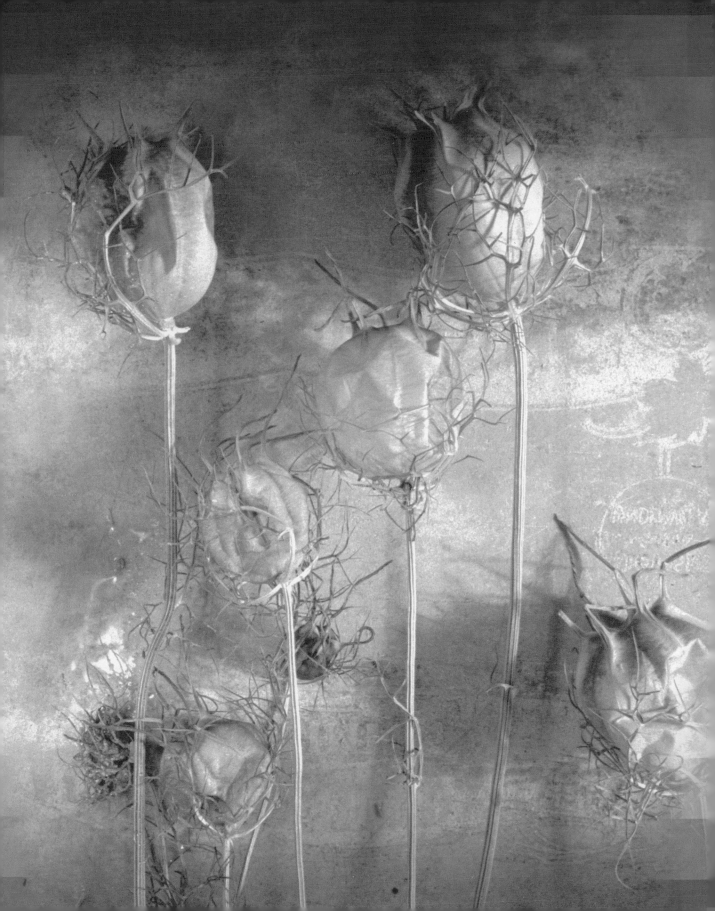

1 Appareils photo numériques

Anatomie d'un appareil photo numérique

Comment un photographe pourrait-il faire de bonnes photos sans connaître les fonctions de base de son appareil ?

Objectif　1

Le capteur optique, CCD (Charge-Coupled Device), est plus petit qu'un film 35 mm, les longueurs focales d'un appareil numérique sont donc plus courtes. Ainsi, un zoom 8-24 mm sur un appareil numérique correspond à un zoom 35-115 mm sur un appareil argentique. Seuls les appareils reflex (SLR) et les compacts haut de gamme autorisent des objectifs interchangeables.

Zoom numérique　2

De nombreux appareils photo numériques ont une fonction zoom qu'il ne faut pas confondre avec le téléobjectif des appareils classiques. L'image créée avec un zoom numérique est en fait agrandie par un logiciel.

Flash　3

Les flashs intégrés permettent d'effectuer des prises de vue dans la plupart des situations à luminosité réduite. Mais, moins puissants que les flashs externes, ils ne donnent de bons résultats que dans un rayon de 5 mètres.

Déclencheur　4

Les appareils numériques ont le plus souvent un déclencheur électronique. Ce type de déclencheur actionne l'obturateur sans que l'on entende le « clic » familier des obturateurs mécaniques ; par conséquent, il peut être difficile de juger si la photo a bien été prise.

Capteur　5

Les appareils photo numériques utilisent un capteur optique (CCD) au lieu d'un film. Ces capteurs transforment les ondes lumineuses en pixels et peuvent créer des images numériques de diverses dimensions de pixel. Les appareils « mégapixels » génèrent des images constituées de plus d'un million de pixels.

Support de stockage　6

Après la prise de vue, l'image doit être enregistrée et stockée pour de futures impressions. Des cartes mémoire effaçables remplissent ce rôle ; il en existe toute une gamme avec diverses capacités de stockage.

Connexion à un ordinateur 　7

Pour retoucher les images, les données doivent être transférées sur un ordinateur. Plusieurs types de connexion sont disponibles, qui sont de la plus lente à la plus rapide : SCSI (Small Computer System Interface), USB (Universal Serial Bus), et FireWire.

Écran à cristaux liquides (LCD) 　8

La totalité des appareils ont maintenant un écran dorsal à cristaux liquides qui permet de voir l'image telle qu'elle a été capturée. La plupart sont débrayables et certains sont orientables. L'écran LCD donne également accès à des menus et des fonctions et intègre plusieurs options de visionnement d'images dont le plein écran (image unique), la planche index et le diaporama.

Sortie vidéo 　9

Avec un port de sortie vidéo ou jack RCA, un appareil photo numérique peut être connecté à un téléviseur, ce qui permet de regarder les photos en famille. La plupart des appareils ont maintenant cette fonction. La sortie vidéo est compatible avec les procédés PAL (Phase Alternating Line) et NTSC (National Television Standards Commitee), ou PAL seulement.

Alimentation 　10

Les appareils photo numériques sont gourmands en énergie, ils épuisent très rapidement les piles standards si le flash et l'écran LCD sont activés en permanence. Il est conseillé aux utilisateurs de choisir un modèle équipé de batteries rechargeables. De nombreux appareils possèdent en option un adaptateur qui permet de les brancher sur le secteur, ce qui est indispensable quand on transfère les images sur un ordinateur.

Son et vidéo

Certains appareils offrent la possibilité de créer des films courts de qualité suffisante pour être visionnés sur un ordinateur. Des sons peuvent être enregistrés pour accompagner les images d'un mémo vocal.

Viseur optique

La plupart des appareils ont une simple fenêtre de visée pour cadrer et composer les images.

Voir aussi Cartes mémoire *p. 34-35* / Connexion à un ordinateur *p. 36-37* / Utiliser un flash *p. 52-53* / Maniement et entretien de l'appareil *p. 62-63* / Capture, stockage et transfert *p. 74-75*

Réglage des fonctions : qualité de l'image

Il est essentiel de connaître tous les facteurs qui influencent la qualité d'une image numérique.

Norme ISO   [1]

La vitesse ISO (International Standards Organization) est un terme utilisé en photographie traditionnelle pour indiquer la sensibilité d'un film à la lumière. Les films sont traités avec des émulsions photosensibles qui sont prévues pour être efficaces, des films les plus rapides aux plus lents, avec une lumière vive (ISO 50), normale (ISO 100) ou faible (ISO 800). Chaque fois que la valeur ISO double, on peut diviser par deux la quantité de lumière nécessaire pour que la couche photosensible réagisse de façon satisfaisante. Lorsque la valeur ISO est réduite de moitié, de 400 à 200 par exemple, deux fois plus de lumière est nécessaire. La meilleure qualité d'image est obtenue en utilisant la valeur ISO la plus faible. Les appareils numériques basiques ont une valeur ISO fixe, 200 en général, les appareils haut de gamme ont une gamme de valeurs ISO étendue, ce qui permet d'effectuer des prises de vue avec les éclairages les plus divers.

Effets indésirables d'ISO   [2]

Le « bruit » est un défaut de qualité de l'image numérique, conséquence négative du choix d'une sensibilité ISO élevée dans des conditions de faible luminosité : des erreurs de pixel sont engendrées, c'est ce qu'on appelle le bruit. Le capteur crée des pixels rouges et verts pour compenser le manque de données. Un nombre élevé de ces pixels entraîne une perte évidente de la qualité et de la netteté de l'image. Ces mouchetures sont plus visibles dans les zones sombres de l'image numérique. L'effet peut être réduit, mais jamais supprimés complètement, grâce à l'utilisation de filtres dans un logiciel de retouche d'image professionnel, comme Adobe Photoshop. Pour éviter l'effet de bruit, lorsque la luminosité est faible, bon nombre de professionnels réalisent les prises de vue en argentique et scannent ensuite le film avec un scanner spécial film.

Une valeur ISO élevée entraîne la présence de « bruit ».

La qualité est meilleure avec une valeur ISO moins élevée.

Formats de fichier

Les appareils numériques haut de gamme peuvent stocker les images numériques directement en format TIFF (Tagged Image File Format). Ce format, qui est très largement utilisé dans le monde de l'édition et de l'imprimerie, peut être lu par la plupart des logiciels de mise en pages et de retouche d'images. Le format TIFF comporte des options de compression ; néanmoins, la plupart des fichiers TIFF ne sont pas compressés et occupent beaucoup de mémoire. Autre inconvénient de ce format, le délai assez long entre chaque prise de vue, pendant lequel l'appareil est occupé à traiter et à stocker les données. La différence entre une image TIFF et une image JPEG « qualité maximale » est très peu visible (voir ci-dessous).

Voir aussi Qu'est-ce qu'une image numérique ? *p. 72-73* / Formats de fichier *p. 86-87* / Compression *p. 88-89* / Choisir un format d'enregistrement *p. 90-91*

Compression

La taille des volumineux fichiers engendrés par les images numériques peut être réduite grâce un processus de compression appelé JPEG. Développé par le Joint Photographic Experts Group, ce procédé utilise des séquences mathématiques astucieuses pour échapper à la nécessité d'instructions distinctes pour chaque pixel. Les images compressées occupent beaucoup moins de place sur les cartes mémoire amovibles, ce qui augmente le nombre de photos stockées. On peut en général régler le taux de compression sur les appareils. Le réglage qualité maximale correspond à des images de qualité élevée ; avec un taux de compression faible, le réglage normal conserve une qualité acceptable avec une perte de données plus grande et le réglage qualité faible correspond au plus fort taux de compression. Il faut savoir que la perte de données est irréversible, même avec un logiciel de retouche d'images. Le format JPEG qualité maximale est devenu le format de référence pour des impressions de bonne qualité.

Le format TIFF assure une très bonne qualité d'image.

Le format JPEG provoque une perte de détails irréversible.

Réglage des fonctions : couleur

Plus besoin de visser des filtres sur l'objectif : les appareils numériques bénéficient d'une gamme d'outils intégrés pour gérer la lumière et la couleur.

La lumière artificielle peut causer une altération des couleurs.

RÉGLAGE DES PARAMÈTRES	
vitesse	1/60
ouverture	f 4
exposition +/-	0,0
longueur focale	40 mm
mode exposition	auto

Les réglages sont sélectionnés sur l'écran LCD.

Balance des blancs [1]

Les films sont conçus pour fonctionner dans un registre spécifique : lumière naturelle ou lumière artificielle. Les couleurs peuvent être altérées si les prises de vue sont effectuées sous une lumière artificielle avec un film lumière naturelle. Les appareils numériques ont une fonction Balance des blancs qui rééquilibre les couleurs lorsque la source de lumière est artificielle. La fonction Balance des blancs automatique convient à la plupart des situations, y compris la lumière du jour. Quant aux photographes professionnels, ils ont tout intérêt à utiliser un appareil permettant le contrôle précis de la température des couleurs selon l'échelle de Kelvin (K) pour les tâches requérant une grande précision colorimétrique.

Espace colorimétrique [2]

Un espace colorimétrique correspond à une palette de couleurs. Chaque espace colorimétrique est défini par un nombre spécifique de couleurs. La plupart des appareils numériques et périphériques de qualité – imprimantes, scanners, moniteurs – peuvent être réglés pour générer des images numériques gérées dans un espace colorimétrique commun. Ceci permet d'éviter un changement significatif des couleurs d'origine lors du transfert d'images d'un périphérique à un autre. L'espace colorimétrique RVB (rouge, vert, bleu) correspond à la palette de couleurs utilisée par la plupart des appareils ; les appareils les plus perfectionnés utilisent l'espace colorimétrique Adobe RVB (1998), dont la gamme de couleurs est plus étendue. Des logiciels de retouche d'images professionnels comme Adobe Photoshop permettent le traitement d'images conçues sous différents espaces colorimétriques. Si les images numériques manquent de couleur ou d'éclat, il faut vérifier les préférences couleur du logiciel de retouche d'images utilisé pour voir comment les fichiers sont interprétés.

Taille et résolution de l'image

La taille de l'image exprimée en pixels correspond à sa résolution. Les appareils numériques permettent de choisir la qualité de la résolution, c'est-à-dire la taille de l'image. Il est inutile de créer une image de 1800 x 1200 pixels, si elle est destinée à illustrer une page Internet ou à être envoyée par e-mail, une taille de 640 x 480 pixels serait plus adaptée. Plus la taille des images est réduite, plus on peut en stocker dans une carte mémoire. En contrepartie, les images de petite taille, donc de faible résolution, ne seront pas de qualité satisfaisante pour un tirage qualité photo. Si l'image doit être utilisée à la fois sur Internet et pour une impression, il est conseillé de choisir la plus grande taille possible et de créer une deuxième version plus petite en redimensionnant l'image sur Photoshop ou un autre logiciel de retouche d'images.

Netteté 3

La netteté d'une image peut être améliorée en activant le filtre netteté qui comporte en général deux réglages : netteté normale ou élevée. Ce filtre fonctionne en accentuant les contrastes des contours des formes. Cette fonction ne doit être utilisée que pour des impressions directes ou pour des images destinées à être visualisées sur un écran. Si les images doivent être retouchées par la suite, des erreurs de pixels, appelées artéfacts, deviendraient apparentes. Pour obtenir des images de qualité destinées à être reproduites, il vaut mieux désactiver le filtre netteté de l'appareil et utiliser le filtre accentuation de Photoshop.

Voir aussi La couleur : harmonie et conflits *p. 58-59 /* Résolution *p. 78-79 /* Pixels et format d'impression *p. 82-83 /* Accentuer la netteté *p. 190-191*

Trop de netteté rend l'image artificielle.

Une netteté bien réglée permet de voir tous les détails.

Option netteté désactivée : l'image manque de contraste.

Réglage des fonctions : effets spéciaux

En plus des réglages de base, les appareils numériques disposent de fonctions qui permettent d'obtenir des effets créatifs.

Monochromie 1

La plupart des appareils photo numériques autorisent des prises de vue monochromes ou en mode sépia pour créer des images en noir et blanc. Mais, attention, le résultat sera bien meilleur si vous convertissez des images RVB en monochromie avec un logiciel de retouche d'images. Ces derniers proposent différentes façons de transformer une image couleur en image monochrome, tout en laissant la possibilité de conserver l'image originale.

Contraste 2

Le contraste peut être défini par la quantité de noir profond et de blanc pur dans une photo. Sous certaines conditions météorologiques, par exemple une journée brumeuse, la lumière naturelle est peu contrastée, présentant des nuances de gris, mais aucun noir ni blanc profond. De telles conditions donneront des photos dénuées de tons et de couleurs fortes.

Option contraste renforcé.

Option contraste normal.

Option contraste désactivée.

La plupart des appareils numériques ont une fonction de réglage du contraste. Mais, malgré l'intérêt de cette fonction, de bien meilleurs résultats peuvent être obtenus avec un logiciel de retouche d'images.

Une fois qu'une option a été prédéfinie à la prise de vue, vous ne pouvez plus faire marche arrière ; en revanche, si vous retravaillez l'image avec un logiciel, vous conservez toujours la possibilité de revenir à la photo originale si vous n'êtes pas satisfait du résultat.

Compensation d'exposition 3

Depuis plusieurs années, la fonction compensation (ou correction) d'exposition est présente sur les appareils photo argentiques de qualité, et les professionnels n'hésitent pas à y avoir recours, particulièrement pour les diapositives couleurs. Cette fonction permet à l'utilisateur de s'affranchir délibérément de la valeur d'exposition établie par l'appareil. Lorsqu'on sélectionne une valeur + (surexposition), l'image est légèrement plus lumineuse ; lorsqu'on sélectionne une valeur – (sous-exposition), l'image est légèrement plus sombre. Si vous hésitez

quant au choix de l'exposition, effectuez plusieurs prises de vue, chacune avec une valeur d'exposition différente. Ce processus, appelé « bracketing », est utilisé par les professionnels pour multiplier les chances de réaliser une prise de vue satisfaisante.

Réglages prédéfinis pour impression directe

Avec l'apparition d'appareils connectés directement à une imprimante, vous avez la possibilité d'imprimer vos photos sans les transférer sur un ordinateur pour les retoucher. Les réglages prédéfinis pour l'impression directe peuvent être extrêmement utiles pour améliorer la qualité des photos, mais la plupart des logiciels de pilotage des imprimantes permettent de traiter une série d'images en lot, avec contrôle de la couleur, du contraste et de la netteté.

Voir aussi Mesurer l'exposition *p. 40-41* / Photographier en lumière naturelle *p. 50-51* / Le noir et blanc *p. 60-61*

Exemple de réglage idéal des paramètres

ISO : pas plus de 200
Balance des blancs : auto
Format d'enregistrement : JPEG qualité maximale
Espace colorimétrique : RVB (ou Adobe 1998)
Filtre netteté : désactivé
Filtre contraste : désactivé
Taille de l'image : la plus grande
Compensation d'exposition (+/–) : réglée sur 0 ou désactivée

| Surexposition + 1. | Surexposition + 1/2. | Exposition normale. | Sous-exposition – 1/2. | Sous-exposition – 1. |

Les compacts « prêts à déclencher »

Malgré ses capacités limitées, compensées par un faible coût, l'appareil numérique premier prix reste un outil fort utile.

Un appareil dont la résolution ne dépasse pas 640 x 480 est suffisant pour des images utilisables à l'écran.

Caractéristiques

Dans la gamme premier prix, des appareils dits basse résolution sont capables de fournir, en général, des images de 640 x 480 pixels (0,3 mégapixel). Les images de cette taille ne conviennent que pour un affichage à l'écran ou une page web ou encore pour une impression en petit format et de qualité médiocre. Le nombre de pixels est insuffisant pour que les courbes ou les formes complexes soient respectées. Les lentilles de l'objectif, le plus souvent en plastique, ne permettent pas de saisir la finesse des détails et des contrastes. Les zooms sont rarement proposés dans cette tranche de prix, l'utilisateur doit donc s'approcher ou s'éloigner physiquement du sujet pour arriver à une composition satisfaisante. La focale est en général fixe, ce qui ne permet ni de choisir un point focal ni de choisir la profondeur de champ. Certains appareils peuvent être utilisés en tant que webcam de basse qualité ; ainsi des images de basse résolution, 320 x 240 pixels, sont prises toutes les quelques secondes et transférées directement vers un ordinateur en réseau. Ces appareils sont plus souvent compatibles avec Windows qu'avec Macintosh et rarement avec les deux.

Utilisation

Ce type d'appareil est prévu pour être utilisé lorsque la qualité de la prise de vue n'est pas une priorité, pourvu que les détails importants soient visibles. Ces images sont destinées à être envoyées par e-mail ou à illustrer des pages web et on a tout intérêt à les retravailler avec un logiciel de retouche d'images. Ces appareils peu chers sont parfaits pour initier les enfants à la photo numérique, mais ne peuvent être en aucun cas un outil capable de stimuler l'inventivité des photographes exigeants.

Fiche technique

Stockage des images
Ces appareils possèdent souvent une mémoire intégrée, plutôt qu'une carte mémoire amovible. Il n'y a pas de possibilité d'augmenter la mémoire, les photos doivent être transférées régulièrement sur un ordinateur et effacées de la mémoire.

Prévisualisation
Pour réduire les coûts et limiter l'utilisation des piles, peu d'appareils disposent d'un écran LCD ; toute vérification ou édition de photos sur le terrain est donc impossible.

Réglages personnalisés
L'exposition est en général automatique, ne laissant aucune place à une intervention sur la vitesse d'obturation ou l'ouverture du diaphragme. Ces appareils sont limités à une utilisation dans les conditions idéales d'une journée ensoleillée. Les prises de vue avec des contrastes extrêmes ou une lumière insolite peuvent se révéler décevantes.

Alimentation
Il s'agit en général de piles alcalines jetables, plutôt que d'accus rechargeables, et le raccord au secteur est rarement prévu. Le coût d'utilisation peut s'avérer élevé ; en effet, certaines opérations comme le transfert des images sur ordinateur sont gourmandes en énergie.

Viseur
Peu d'informations sont affichées dans le viseur à l'exception d'un simple voyant qui indique l'insuffisance de lumière pour la prise de vue.

Flash
Si toutefois il y en a un, le flash est peu puissant, avec peu ou pas de réglage d'intensité et un dispositif anti-yeux rouges pas toujours présent.

Fonctions
Peu de fonctions sont proposées, au-delà de l'option forte, moyenne ou faible compression de l'image.

Logiciels
Au grand maximum, un logiciel de pilotage de base est inclus dans le kit ; les images ne peuvent pas être éditées ou transférées sur un ordinateur individuellement.

Voir aussi Anatomie d'un appareil photo numérique *p. 10-11* / Connexion à un ordinateur *p. 36-37* / Maniement et entretien de l'appareil *p. 62-63* / Poste de travail petit budget *p. 112-113*

Les compacts milieu de gamme

De moins en moins chers et de plus en plus perfectionnés, les appareils milieu de gamme sont parfaits pour découvrir la photo numérique.

Caractéristiques

Dotés d'un boîtier et d'une optique de meilleure qualité, ces appareils ont des possibilités plus étendues que les prêts à déclencher. Leur capteur de 2 à 3 mégapixels permet une impression de qualité jusqu'au format A 4 (21 x 29,7 cm). Équipés d'un zoom, allant du demi-grand angle jusqu'au téléobjectif assez long, ces appareils offrent pratiquement toutes les fonctions essentielles pour effectuer des prises de vue aussi bien à l'intérieur qu'à l'extérieur. Différents modèles proposent une série de fonctions supplémentaires pour attirer les acheteurs potentiels, comme la possibilité de créer des vidéo-clips MPEG (Motion Picture Experts Group) ou d'ajouter des mémos sonores, un retardateur, ou encore un boîtier étanche. Il existe suffisamment de modèles dans cette gamme de prix pour satisfaire les exigences diverses de la plupart des utilisateurs.

De forme érgonomique et équipé d'un zoom optique, l'Olympus Camedia permet de générer des images de plus de 2 millions de pixels.

Au dos, les réglages sont facilement accessibles et l'écran à cristaux liquides (LCD) a une taille confortable.

Utilisation

Ces appareils permettent de réaliser des images d'une qualité suffisante pour la communication interne ou les sites Web, pour présenter des maquettes ou simplement pour réussir de belles photos de familles. Les résultats sont comparables à ceux obtenus avec un 35 mm de bonne qualité. Retouchées sur ordinateur et imprimées sur une imprimante à jet d'encre, les photos n'auront rien à envier à celles faites avec un appareil classique.

Fiche technique

Stockage d'images

Les images sont stockées sur une carte mémoire amovible, il est donc possible de se procurer une carte supplémentaire, ou de plus grande capacité, afin de ne pas être obligé d'attendre d'être rentré chez soi pour transférer ses images sur un ordinateur.

Prévisualisation

Les photos peuvent être visionnées dès qu'elles ont été prises sur l'écran LCD couleur situé au dos de l'appareil. Différents modes d'affichage permettent de visualiser les photos en vignettes ou sous forme de diaporama. Les clichés jugés médiocres peuvent être effacés de la carte mémoire, ce qui libère de la place pour effectuer des prises de vue de meilleure qualité.

Affichage en temps réel

Cette fonction très appréciée permet de cadrer et de composer la prise de vue sur l'écran LCD, comme sur le viseur d'un caméscope. Inutile de porter l'appareil à l'œil, vous cadrez la scène sur l'écran et vous appuyez sur le déclencheur juste au bon moment.

Réglages personnalisés

Plusieurs modes de prise de vue sont disponibles : portrait, action, paysage ou gros plan. À chacun correspond une présélection de l'ouverture et de la vitesse d'obturation. Les appareils les plus perfectionnés offrent la possibilité de choisir manuellement l'exposition en jouant sur l'ouverture et la vitesse d'obturation. Cette option est destinée aux photographes ayant une certaine expérience des 35 mm reflex.

Fonctions

Ces appareils ont une fonction compensation d'exposition et des réglages présélectionnés tels que netteté, balance des blancs et compensation de contraste. En plus du format JPEG, les plus perfectionnés permettent d'enregistrer en format TIFF non compressé, mais le temps d'enregistrement est beaucoup plus long et les fichiers sont volumineux, environ 7 Mo par image.

Mise au point

Avec un autofocus, en appuyant à mi-course sur le déclencheur, on peut effectuer la mise au point sur le point focal que l'on a choisi. En maintenant le déclencheur à demi enfoncé, on peut recomposer la prise de vue (c'est très utile pour réaliser une composition décentrée). Les appareils les plus performants possèdent une fonction macro pour les gros plans sur les petits objets ou les détails et la recherche d'effets spéciaux.

Tableau de bord

L'écran LCD offre un accès aisé à toutes les options sélectionnées et prédéfinies à l'aide d'une gamme de touches de navigation et de cadrans. Pour des utilisateurs peu accoutumés à la manipulation d'appareils électroniques, la maîtrise des différentes fonctions peut prendre un peu de temps. Les meilleurs appareils se caractérisent par la facilité d'accès des réglages les plus couramment utilisés.

Voir aussi Anatomie d'un appareil photo numérique *p. 10-11* / Connexion à un ordinateur *p. 36-37* / Maniement et entretien de l'appareil *p. 62-63* / Poste de travail budget moyen *p. 114-115*

Les compacts haut de gamme

Destinés essentiellement aux photographes expérimentés, les compacts numériques haut de gamme ont des fonctions proches de celles des reflex traditionnels.

Caractéristiques

Cette gamme d'appareils rassemble des modèles conçus pour supporter les mauvais traitements liés à l'usage professionnel. Équipés d'un capteur CCD de 4 à 6 mégapixels, ils permettent de réaliser des photos plus grandes et de meilleure résolution que celles faites avec un modèle milieu de gamme, d'une qualité convenant à l'édition.

Utilisation

Ce type d'appareils simplifie la tâche des photographes professionnels, qui peuvent ainsi échapper à la lourdeur du processus lié à la photographie argentique. Le contrôle manuel de l'ouverture et de la vitesse d'obturation, une sensibilité ISO étendue et l'option balance des blancs font partie des fonctions permettant

Le Nikon 5700 permet d'effectuer la visée au travers de l'objectif, comme un reflex.

Cet appareil au design ergonomique facilitant l'accès aux principales commandes dispose d'un bon écran LCD.

d'affronter certaines difficultés techniques. Leur grande adaptabilité est le point fort de ces appareils, mais une connaissance approfondie des techniques de la photographie traditionnelle est essentielle pour exploiter au maximum toutes leurs possibilités. Les modèles les plus performants sont équipés d'une griffe porte-flash sur laquelle on peut fixer un flash externe plus puissant que le flash intégré.

Fiche technique

Stockage d'images

La plupart des appareils de cette gamme acceptent la carte mémoire Microdrive d'IBM (capacité 1 Go) et possèdent un port FireWire qui permet de transférer rapidement les images sur un ordinateur. En plus des formats JPEG et TIFF, les images peuvent être enregistrées au format RAW, un format haute résolution générant des fichiers très compacts, mais qui, jusqu'à il y a peu de temps, exigeait que l'on utilise le driver du constructeur. Comme les ordinateurs, les appareils de cette gamme sont dotés d'une mémoire vive assurant le stockage temporaire de données, ce qui permet de prendre plusieurs photos en l'espace d'une seconde.

Prévisualisation

La prévisualisation s'enrichit de l'affichage d'informations telles que l'heure et la date de la prise de vue. Les présélections sont enregistrées avec chaque image et il est possible de s'y référer ultérieurement.

Réglages personnalisés

Dans cette gamme, l'ensemble des réglages peuvent être effectués manuellement pour répondre à l'attente des photographes qui cherchent des résultats précis ou des effets spéciaux. Les meilleurs appareils sont équipés de modes complémentaires de mesure de la lumière – mesure matricielle (multizones), mesure sélective (SPOT) – pour compléter le système standard de mesure pondérée avec prépondérance au centre.

Fonctions

On retrouve dans les caractéristiques de ces appareils des fonctions qui rappellent celles des appareils argentiques telles que priorité à l'ouverture et priorité à la vitesse d'obturation.

Les objectifs

En plus d'un zoom très utile, de nombreux appareils sont livrés avec des bonnettes ou un certain nombre d'objectifs interchangeables. Les bonnettes sont des accessoires qui se vissent sur l'objectif pour étendre les possibilités d'un grand angle ou la portée du téléobjectif, avec, il faut le noter, une légère perte de netteté.

Téléobjectif interchangeable.

Objectif pivotant

Uniquement disponible sur un type d'appareil (Nikon), l'objectif pivotant offre au photographe la possibilité de tester différents angles de vue tout en contrôlant le résultat sur l'écran LCD. Le grand intérêt de l'objectif pivotant est d'éviter au photographe d'avoir à se mettre dans des positions peu confortables pour réaliser certaines prises de vue.

Un objectif rotatif bien utile pour les prises de vue difficiles.

Voir aussi Anatomie d'un appareil photo numérique *p. 10-11* / Connexion à un ordinateur *p. 36-37* / Maniement et entretien de l'appareil *p. 62-63* / Poste de travail professionnel *p. 116-117*

Fonctions multimédia

Mettant à profit les progrès technologiques en compression vidéo et audio, les fabricants d'appareils numériques ont intégré des fonctions très ingénieuses pour attirer les créateurs de sites Web et autres adeptes du multimédia.

L es techniques de compression ne s'appliquent pas uniquement à la photographie numérique ; elles sont également utilisées pour le son et la vidéo. L'Internet haut débit a de plus en plus d'utilisateurs, friands de musique et de vidéo qu'ils vont chercher sur les sites web.

Clip vidéo visionné sur Quicktime.

Fonction vidéo

La plupart des appareils numériques offrent la possibilité de filmer un clip vidéo. Ces clips, de faible résolution (en moyenne 320 x 240 pixels), conviennent pour être visualisés sur un ordinateur plutôt que sur un écran de télévision. Il ne faut pas confondre cette fonction vidéo avec les images de haute résolution filmées par un caméscope. La plupart des appareils numériques peuvent enregistrer de 12 à 16 images par seconde. Ces images sont par la suite séquencées dans un format de fichier d'animation vidéo tel que MPEG ou Audio Vidéo Interleave (AVI). Ces clips vidéo souffrent d'un effet saccadé perceptible, dû au nombre limité d'images enregistrées par seconde. La longueur du clip dépend essentiellement de la capacité de la carte mémoire ; malgré l'efficacité du système de compression MPEG, un seul film peut occuper plusieurs mégaoctets. Une fois transférés sur ordinateur, ces fichiers vidéo peuvent être modifiés et même montés à l'aide d'un logiciel d'édition vidéo.

Fonction webcam et time-lapse

La plupart des appareils numériques, même les moins chers, peuvent être utilisés en tant que webcams. Les webcams tournent une séquence d'images basse résolution avec un certain délai, réglé par l'utilisateur, entre chaque prise de vue. Les images sont ensuite envoyées automatiquement vers un serveur et elles s'affichent tour à tour sur une page web. La fonction time-lapse utilise un processus similaire, mais sans le téléchargement. Elle permet des prises de vue en haute résolution, qui peuvent être séquencées en diaporama à l'aide de l'un des nombreux logiciels existants.

Annotations sonores

Presque tous les appareils numériques sont équipés de microphones intégrés. Ceux-ci peuvent être utilisés pour ajouter une bande sonore aux clips vidéo ou pour agrémenter les prises de vue de commentaires personnels. Ces mémos sonores sont un moyen pratique d'enregistrer des références qui faciliteront le catalogage et l'archivage.

Transfert sans fil

Quelques appareils haut de gamme offrent
la possibilité de transférer des images directement
vers un serveur web ou *via* un téléphone portable
compatible. Ce type de transfert peut être lent
et coûteux s'il y a beaucoup d'images, mais il peut
se révéler très utile selon les circonstances.

Lecteur MP3 2

La révolution numérique a également des
répercussions sur la musique, avec l'avènement de
systèmes de compression de son efficaces comme le
format MP3. Les lecteurs MP3 utilisent des supports
enregistrables amovibles pour le stockage des fichiers
musicaux. Il existe même des appareils numériques
pouvant enregistrer de la musique.

Prises de vue panoramiques

Une autre invention remarquable est la photo
numérique panoramique. Des prises de vue couvrant
un angle de 360° sont assemblées à l'aide d'un logiciel.
Lors du visionnement soit grâce à un logiciel tel que
Quicktime, soit sur un navigateur Internet, on peut
faire défiler les images vers la gauche ou vers la droite
ou encore zoomer. Des images panoramiques plus
précises peuvent être créées à partir d'images fixes
auxquelles QTVR (Quicktime Virtual Reality) ajoute
du relief. Cette fonction est très employée par la
publicité sur Internet.

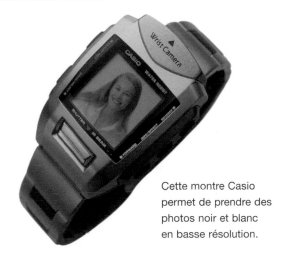

Cette montre Casio
permet de prendre des
photos noir et blanc
en basse résolution.

Voir aussi Quicktime VR *p. 160-161* / Logiciel de catalogage
(iView) *p. 162-163*

L'appareil numérique Fuji FinePix 40i permet d'écouter de la musique au format MP3.

Les reflex numériques

Doté d'objectifs interchangeables et de modes de contrôle entièrement manuels, le reflex à visée optique est de loin l'appareil photo numérique le plus cher.

Caractéristiques

Tous les boutons de contrôle sont à portée du pouce et de l'index afin que le photographe puisse effectuer ses réglages tout en gardant l'œil fixé sur le viseur. Le boîtier de l'appareil est suffisamment résistant pour supporter une utilisation professionnelle, et objectifs et accessoires sont d'excellente qualité.

Utilisation

Il s'agit d'un très bon outil pour tout photographe averti qui refuse de sacrifier sa créativité sur l'autel de la commodité. Même s'il coûte dix fois plus cher qu'un appareil numérique premier prix, on peut considérer qu'un professionnel amortira cet achat en un an d'utilisation. Grâce à son capteur de 6 mégapixels, cet appareil permet de réaliser des images dont la définition est suffisante pour des impressions d'excellente qualité : photos de studio, édition et photojournalisme.

Fiche technique $\boxed{1}$

Stockage des images

La plupart de ces appareils utilisent les mémoires amovibles CompactFlash ou Microdrive pour stocker les volumineux fichiers images. L'utilisation de l'adaptateur PCMCIA est en perte de vitesse. Une grande capacité de mémoire intégrée leur permet de ramener au minimum le délai entre les prises de vue – condition essentielle pour le sport et le photoreportage.

Prévisualisation

Avec un appareil reflex, l'image visualisée correspond à celle qui sera capturé par l'objectif : il n'y a pas de décalage entre l'aperçu de l'image et la photo finale. Les

Sur le Nikon D100, la prévisualisation est complétée par un histogramme.

Le Nikon D100 vu d'en haut.

meilleurs appareils sont munis d'un réglage dioptrique qui permet de régler l'optique à sa vue, évitant le port de lunettes. Sur l'écran LCD, en plus d'un assortiment très complet de modes d'affichage et d'une fonction zoom très utile pour contrôler la mise au point, les zones de surexposition s'affichent ainsi qu'une représentation graphique de la luminosité de l'image sur un histogramme, ce qui est très utile pour le professionnel. Un photographe expérimenté saura évaluer les valeurs des hautes lumières, des tons moyens et des basses lumières, et saura décider s'il faut modifier l'exposition.

Réglages personnalisés

Comme sur un reflex argentique de bonne qualité, l'ouverture, la vitesse d'obturation et la compensation d'exposition sont réglables manuellement. Trois options sont en général disponibles pour une mesure précise de la lumière : le système standard de mesure pondérée centrale, la mesure matricielle, qui calcule une valeur moyenne à partir d'environ cinq points de l'image, et la mesure sélective (SPOT). La mesure sélective ne doit être utilisée que lorsqu'une petite section de l'image seulement est importante, par exemple, le visage d'une personne dans un portrait fait en extérieur.

Fonctions

Des réglages de précision permettent de pousser la sensibilité ISO à 1 600, voire au-delà. La balance des blancs peut être personnalisée pour correspondre aux valeurs exactes de température des couleurs et aux sources de lumière. En plus du RVB standard, d'autres espaces colorimétriques tels que Adobe RVB (1998) peuvent être proposés en option.

Objectifs

Les boîtiers des reflex numériques sont basés sur des modèles déjà existants, reflex argentiques Nikon et Canon par exemple, et sont donc compatibles avec les objectifs utilisés sur ces modèles. Comme le capteur est plus petit que le film 35 mm, la longueur effective de la focale augmente, en moyenne de 1,5. Ainsi un téléobjectif de 200 mm équivaut à un 300 mm. Mais, en revanche, afin d'atteindre le rendu d'un grand angle de 28 mm, il faut un objectif de 17 mm. Les contrôles autofocus sont très performants – de nombreux appareils disposent de cinq options ou plus –, ce qui permet de faire la mise au point sur un sujet décentré. Les modèles les plus perfectionnés sont dotés d'un autofocus dynamique pour les sujets en mouvement.

Logiciel de pilotage

Il existe un logiciel qui permet d'effectuer les réglages de l'appareil à partir d'un ordinateur, une option très intéressante pour les prises de vue en studio.

Alimentation

Ces appareils sont alimentés par de puissantes batteries rechargeables qui assurent une bonne journée de prises de vue. Certains modèles sont livrés avec un chargeur qui comporte une prise allume-cigare.

Adaptateurs de flash

Tous les reflex numériques ont une griffe porte-flash et un adaptateur pour les flashs de studio.

Voir aussi Anatomie d'un appareil photo numérique *p. 10-11* / Réglage des fonctions *p. 12-17* / Poste de travail professionnel *p. 116-117* / Poste de travail mobile *p. 118-119*

Dos capteurs pour appareils moyen format

Le dos capteur numérique est une innovation très intéressante pour les photographes professionnels.

Appareils moyen format   [1]

Les appareils moyen format utilisent des rouleaux de film de format plus grand que le 35 mm permettant de réaliser des images détaillées dont on peut tirer des agrandissements importants. Hasselblad, Mamiya et Bronica ont développé des séries d'appareils moyen format. Ils se caractérisent par une gamme étendue d'objectifs interchangeables, moteurs, viseurs et dos amovibles. Ces derniers se remplacent facilement lorsque l'on souhaite changer de format de film sans avoir à utiliser un autre appareil ou à rembobiner un film exposé en partie.

Le dos Kodak Pro s'adapte à de nombreux boîtiers.

Dos numérique Phase One pour appareils moyen format.

Dos numérique   [2]

Le dos numérique est conçu pour s'intégrer à cette gamme d'appareils professionnels et il s'adapte à tous les moyens formats comme un magasin à film argentique. Les photographes professionnels peuvent ainsi passer facilement de la couleur au noir et blanc, de l'argentique au numérique. Des adaptateurs interchangeables ont été prévus pour pouvoir fixer les dos numériques sur la plupart des boîtiers professionnels afin que le photographe puisse continuer à utiliser les objectifs et accessoires qu'il possède. Contrairement aux dos numériques pour appareil grand format, ces dos peuvent être utilisés pour photographier des sujets en mouvement.

Sur pied ou à main levée 3

Deux types de dos numériques sont couramment utilisés. Un premier modèle, installé sur un pied photographique, doit être connecté à un ordinateur ou à un support de stockage relié à une alimentation. Il est utilisé en studio pour la nature morte et même le portrait, mais se révèle peu pratique si le photographe souhaite être libre de ses mouvements et ne pas se servir du pied photographique. Il n'est donc pas utilisable à l'extérieur. Plus souple, le modèle utilisable à main levée dispose de sa propre alimentation, de sa mémoire amovible et permet des photos qui nécessitent la liberté de mouvement du photographe, comme avec un moyen format équipé d'un dos traditionnel.

Caractéristiques

Les meilleurs dos permettent de capturer des images RVB 8 bits, dépassant les 48 Mo, ce qui les rend, et de loin, beaucoup plus performants que leur rival, le reflex numérique haut de gamme. La qualité qu'ils assurent est largement suffisante pour l'édition, la presse et la publicité. Comme sur un bon compact numérique, l'écran LCD permet une prévisualisation confortable, accompagnée de diverses fonctions, d'une gamme ISO étendue et de plusieurs réglages de compression. La carte mémoire CompactFlash est standard, la connexion avec un ordinateur se fait *via* un port FireWire ou SCSI II, un logiciel permet de contrôler le calibrage des couleurs au sein d'un espace colorimétrique donné.

Utilisation

Avec autant d'informations à enregistrer et à stocker, il y a un court délai d'attente entre chaque photo. Les meilleurs dos disposent d'une mémoire tampon qui permet de prendre de 3 à 5 photographies à la suite avant de les transférer dans la mémoire principale. Aussi souple à utiliser qu'un reflex haut de gamme, le dos numérique tenu à main levée permet au photographe de capturer des images qui, pour bénéficier d'un traitement professionnel, doivent être transférées sur un périphérique bénéficiant d'une option de calibrage des couleurs.

3

Le DCS Pro Back de Kodak a un écran LCD très pratique.

Voir aussi Anatomie d'un appareil photo numérique *p. 10-11* / Réglage des fonctions *p. 12-13* / Cartes mémoire *p. 34-35* / Connexion à un ordinateur *p. 36-37*

Dos scanners pour appareils grand format

Les appareils grand format sont traditionnellement utilisés pour réaliser des images d'une grande finesse de détails destinées à des travaux de qualité.

Appareils grand format

Les appareils grand format (10 x 12,5 cm), appelés aussi chambres photographiques, se situent tout en haut de la gamme des appareils professionnels. Ils utilisent du plan-film au lieu de film en cassette ou en rouleau. Malgré un prix élevé, l'aspect de ces appareils a peu évolué au cours des cinquante dernières années. L'appareil comporte trois parties : un objectif de haute qualité à l'avant, un jeu de soufflets extensibles et un châssis qui reçoit le plan-film. Les réglages, tels que l'ouverture et la vitesse d'obturation, sont placés sur l'objectif, de même qu'un retardateur et un déclencheur manuel. Ce type d'appareil encore très utilisé offre des possibilités de réglage de la mise au point et de la profondeur de champ qui permettent une représentation personnalisée de la forme des objets. La mesure de l'exposition est réalisée avec un posemètre ou un flashmètre indépendants. À l'exception des sujets architecturaux, l'appareil est surtout utilisé en studio. Contrairement aux différents dos des appareils moyen format, le châssis 10 x 12,5 cm des appareils grand format est standard.

Dos scanner numérique   1

Le dos scanner numérique a les mesures standards d'un châssis de plan-film et il se fixe de la même façon sur l'appareil. Comme les scanners à plat, les dos numériques disposent d'un capteur CCD qui effectue une lecture linéaire de l'image. Des batteries puissantes et un support de stockage externe sont nécessaires car le fichier d'une image peut facilement atteindre 500 Mo.

Voir aussi Connexion à un ordinateur *p. 36-37* / Classement et archivage des données *p. 84-85* / Pilotage d'un scanner à plat *p. 124-125*

1.1

Le dos scanner Phase One se fixe sur un appareil 10 x 12,5 cm standard.

1.2

Grâce aux mouvements de bascule et de décentrement de l'objectif, le capteur matriciel de ce dos Sinar peut produire des images de très grande qualité, bien que la petite taille du capteur augmente la longueur focale de l'objectif.

Caractéristiques

La plupart des dos à scanner numériques disposent d'une gestion informatisée de la profondeur de couleur, ainsi que de la taille et du format des fichiers générés. Pour une restitution parfaite de la couleur, les images peuvent être capturées en 14 bits par couche RVB. La connexion à un ordinateur s'effectue *via* un port rapide SCSI II ou FireWire (IEEE 1394). Comme tous les capteurs numériques, le dos numérique est plus petit qu'un film 10 x 12,5 cm, les longueurs focales sont donc plus longues que la normale. Pour les prises de vue en studio, cela ne pose pas de problème. Les capteurs qui équipent les dos à scanner numériques ont un pouvoir exceptionnel de restitution des détails, avec une ouverture réglée à f-11.

Utilisation

Ce type d'appareil n'est pas fait pour photographier des sujets en mouvement ou qui ne peuvent rester immobiles que quelques secondes, car les capteurs ne peuvent restituer une image correcte que de sujets statiques. Par ailleurs, l'utilisation du flash est proscrite, la lumière doit être continue et doit provenir d'un éclairage au tungstène (lumière chaude) ou de tubes fluorescents lumière du jour (lumière plus froide). Le temps de capture est fonction de la taille d'image sélectionnée, il peut atteindre plusieurs minutes pour une haute résolution. Si les images sont transférées directement sur un ordinateur en utilisant une connexion SCSI II, le câble ne doit pas dépasser 5 m de longueur.

Caméscopes numériques

Les prochaines années vont voir la convergence entre la technologie utilisée dans les appareils numériques milieu de gamme et les caméscopes numériques.

Conçus pour un marché et dans un but radicalement différents, les caméscopes haut de gamme peuvent aussi prendre des images fixes. La gamme des caméscopes que l'on trouve sur le marché fonctionne avec différentes plates-formes, supports d'enregistrement et niveaux de résolution. Actuellement, les caméscopes numériques prennent le pas sur les caméscopes analogiques VHS (Video Home System) et SVHS (Superior Video Home System). Les caméscopes numériques enregistrent directement sur des mini-cassettes vidéo numériques (DV) et les meilleurs modèles sont capables de générer des images d'une qualité proche de l'image télé. Les caméscopes prennent un certain nombre d'images par seconde, en général 25. Les clichés individuels n'ont pas à être d'une très haute résolution car ils apparaissent en séquence rapide durant la lecture. Cette différence fondamentale entre image fixe et animation explique pourquoi des images extraites de vidéo sont toujours de qualité médiocre.

Faire des images fixes

Les caméscopes sont classés en fonction de la résolution de leur capteur. En mode image fixe, le capteur enregistre des images de 0,8 à 1,3 mégapixel. En plus de la mini-cassette haute capacité pour l'enregistrement d'images fixes et animées, les caméscopes sont livrés avec une carte mémoire destinée uniquement au stockage d'images fixes. Deux formats se partagent le marché : la Memory Stick de Sony et la carte SD (Secure Digital) utilisée par la plupart des fabricants et qui a succédé à la MultiMedia Card (MMC). Toutes ces cartes assurent le transfert sur un ordinateur *via* un port USB ou FireWire, ou peuvent être insérées dans un lecteur de carte mémoire. Les images fixes peuvent être capturées pendant un enregistrement vidéo ou en utilisant la prévisualisation de l'écran LCD. Les meilleurs caméscopes ont des obturateurs mécaniques pour éviter les images floues et peuvent produire une

Les caméscopes numériques haut de gamme offrent une qualité d'image irréprochable.

Qualité des images

Les images de moins d'un million de pixels offrent une qualité d'impression acceptable jusqu'au format 10 x 15 cm, mais on trouve maintenant des caméscopes qui permettent de réaliser des images de 3 mégapixels que l'on peut imprimer en format A4. Une photo prise avec un caméscope convient parfaitement à une utilisation sur le web ou à un visionnage sur écran, et sera de meilleure qualité une fois réduite à la taille classique d'une image web. Les photos réalisées avec un caméscope sont de qualité suffisante pour cataloguer des collections ou des gammes de produits. Enregistrées en JPEG, elles peuvent être retouchées sur ordinateur. En revanche, pour une vidéo, il est préférable d'utiliser un caméscope plutôt qu'un appareil photo numérique ayant un mode vidéo, car les vidéos haute qualité produites par les caméscopes peuvent être compressées pour être utilisées sur le Web ou un réseau intranet.

qualité très correcte en format JPEG. Il vaut mieux choisir un caméscope qui offre la possibilité de choisir le taux de compression JPEG. Il faut bien stabiliser le caméscope pendant le tournage, car les caméscopes ne jouissent pas de la même ergonomie que les appareils compacts numériques. Les caméscopes ont en général un choix de focales plus étendu que les appareils photo numériques et ils ont également une fonction zoom numérique qui rapproche les sujets éloignés, mais souvent aux dépens de la qualité de l'image.

Voir aussi Cartes mémoire p. 34-35 / Compression p. 88-89 / Choisir un format d'enregistrement p. 90-91 / Connexions et ports p. 104-105

Le caméscope numérique compact est destiné à une utilisation familiale.

Cartes mémoire

Plusieurs types de supports sont utilisés pour le stockage des images numériques, chacun ayant ses avantages et ses limites.

Carte mémoire fournie avec l'appareil

La plupart des appareils sont livrés avec au moins une carte mémoire, mais elle est en général de petite capacité, de 8 à 16 Mo. Une carte mémoire supplémentaire de plus grande capacité est indispensable et, heureusement, les prix sont en baisse. Les cartes et autres supports de stockage permettent de multiplier les prises de vue sans être à court de mémoire. Sachant qu'il faut compter 1 Mo par image de bonne définition, il vaut mieux investir dans une carte de grande capacité. Ces cartes sont fragiles et il faut les mettre dans leur étui dès qu'elles sont sorties de l'appareil.

SmartMedia [1]

Intégrées dans les appareils numériques Fuji, Ricoh et Olympus, les cartes SmartMedia ressemblent à de petites disquettes écornées. Elles sont moins robustes que les CompactFlash, et quand elles sont sorties de l'appareil il faut éviter de toucher leur connecteur en or. Elles sont disponibles en 64 Mo et 128 Mo. Certains appareils récents ne reconnaissent pas les anciennes (16 Mo et 32 Mo). Fuji et Samsung sont les meilleures marques. Elles ont tendance à être supplantées par des modèles plus compacts et au débit plus rapide.

CompactFlash [2]

Les cartes CompactFlash sont plus grandes et plus épaisses que les SmartMedia qu'elles tendent à remplacer. Elles sont utilisées par les marques Nikon, Kodak et Epson. Les cartes CompactFlash sont carrées avec à une extrémité une cinquantaine de prises femelles qui se connectent très facilement à l'appareil. Leur capacité va de 32 à 512 Mo, et on commence à trouver des modèles ayant différentes vitesses de lecture/écriture. Comme avec un graveur de CD, on peut choisir une vitesse de 4x, 16x ou 24x, ce qui raccourcit le délai entre deux prises de vue et accélère l'enregistrement des images. Les meilleures marques sont Lexar et Kensington.

IBM Microdrive [3]

Le record de capacité est détenu par la carte Microdrive créée par IBM qui est disponible en 340 Mo, 512 Mo et 1 Go. Ce support qui a des parties mobiles, contrairement aux cartes CompactFlash et SmartMedia, s'apparente à un mini disque dur. Les cartes Microdrive sont au format CompactFlash type II, mais elles sont plus épaisses, donc les

appareils qui utilisent les cartes CompactFlash ne sont pas tous compatibles avec les Microdrives.

Memory Stick [4]

La carte Memory Stick n'est pas plus grosse qu'une plaquette de chewing-gum. Créé par Sony, ce support est uniquement utilisé par les appareils photo et caméscopes numériques de cette marque. C'est le support idéal pour stocker des images fixes de faible résolution capturées par les caméscopes les plus performants. S'il n'y a pas de possibilité de connexion directe de l'appareil à un ordinateur, un adaptateur est nécessaire pour transférer les données stockées sur la carte.

Disque dur PCMCIA [5]

Ces cartes, qui sont en fait un disque dur en miniature, équipaient de façon standard les appareils numériques professionnels de première génération. Disponibles en 240 Mo, elles peuvent être insérées directement dans un portable muni d'un lecteur compatible ou dans un lecteur externe.

Mini CD-R

Ce format révolutionnaire grave directement les images sur un mini disque compact (CD-R). Seulement quelques appareils haut de gamme bénéficient de cette technologie, qui est utilisée essentiellement par les photographes officiels et les services de police. Les photos, enregistrées sur un support qui n'autorise qu'un enregistrement unique et daté, ont valeur de preuves.

Disquettes 3.5"

Utilisée par la gamme d'appareils numériques Sony Mavica, la disquette est un support de données simple et pratique. Ses inconvénients majeurs sont une capacité de stockage limitée et une faible vitesse de transfert.

Supports endommagés et perte de données

Même si elles sont conçues pour une utilisation répétée, les cartes mémoire peuvent être endommagées. Il est conseillé de les reformater régulièrement et il vaut mieux éviter d'effacer les images lorsqu'elles sont dans un lecteur externe. En cas de perte de données, on peut essayer de les récupérer avec un utilitaire de restauration de fichiers.

Voir aussi Anatomie d'un appareil photo numérique *p. 10-11* / Maniement et entretien de l'appareil *p. 62-63* / Qu'est-ce qu'une image numérique? *p. 72-73* / Capture, stockage et transfert *p. 74-75*

Connexion à un ordinateur

Avant d'investir dans un appareil photo numérique, il est essentiel de vérifier ses possibilités de connexion avec votre ordinateur.

Configuration requise

Tous les ordinateurs récents, Mac ou PC, ont un port USB, indispensable pour la connexion d'un appareil photo numérique. En revanche, les ordinateurs un peu anciens ne possèdent pas de port USB mais des ports série ou parallèles. La solution la plus simple et la moins coûteuse est d'installer, si c'est possible, une carte interne USB dans votre ordinateur. L'installation n'est pas plus difficile que le branchement d'une prise électrique. Avant d'acheter un appareil, informez-vous de ses caractéristiques, éventuellement sur le site web du fabricant et renseignez-vous également sur les logiciels et l'équipement informatique nécessaires.

L'interprétation des données transmises d'un appareil photo numérique à un ordinateur est possible grâce à TWAIN (Toolkit Without an Interesting Name). Cet utilitaire est une passerelle qui permet à des systèmes informatiques différents de communiquer entre eux. Il peut arriver que le logiciel de pilotage de l'appareil soit incompatible avec des systèmes d'exploitation anciens comme Windows 95 ou Mac OS 8.5. Il faut alors trouver le logiciel de pilotage compatible ou effectuer la mise à jour du système d'exploitation de l'ordinateur. Les systèmes d'exploitation, tels que Windows NT, destinés aux entreprises qui exploitent des ressources en réseau ne sont pas compatibles avec le port USB. Une fois installé sur l'ordinateur, le logiciel de pilotage de l'appareil démarre automatiquement dès que celui-ci est connecté.

Logiciel de pilotage

La plupart des appareils sont livrés avec un logiciel de pilotage qui permet d'afficher les images sous forme de vignettes ; ainsi on peut choisir les images que l'on va transférer. Il n'y a aucune obligation d'utiliser ce logiciel pour imprimer les images. Lorsque l'appareil photo ou un lecteur de carte sont connectés à l'ordinateur, leur icône apparaît sur le bureau comme une disquette ou un CD. Leur contenu peut alors être transféré sur le disque dur sans utiliser de logiciel de pilotage. Des systèmes d'exploitation récents comme OSX d'Apple ont un navigateur intégré qui permet de visualiser le contenu des dossiers contenant des images.

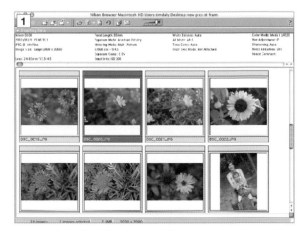

Aperçu du logiciel de pilotage Nikon.

Voir aussi Cartes mémoire *p. 34-35* / Notions de base *p. 96-97* / Connexions et ports *p. 104-105* / Périphériques *p. 106-107*

Vitesse de transfert 2

Si la connexion est réalisée *via* un port série, le transfert du contenu d'une carte de 32 Mo peut prendre une demi-heure. Des comparaisons précises entre les différentes connexions sont difficiles, mais en règle générale les transferts les plus rapides se font grâce aux ports FireWire, suivis d'USB et de SCSI. Les ports série sont beaucoup plus lents, et le convertisseur FlashPath, qui ressemble à une disquette et permet d'accéder aux cartes SmartMedia, est responsable de la connexion la plus lente qui soit. Le transfert sans fil utilisant la technologie Bluetooth, a également tendance à sacrifier la vitesse de transfert à la commodité.

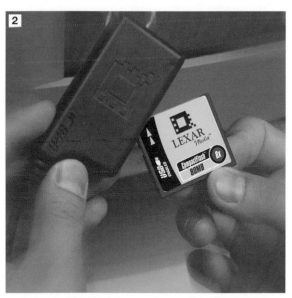

Le Jumpshot de Lexar et son câble USB permettent le transfert des données stockées dans une carte CompactFlash.

Lecteur multiformats 3

Le lecteur de cartes multiformats est un accessoire particulièrement utile. Les plus performants peuvent lire tous les modèles de SmartMedia, CompactFlash et Microdrive et peuvent être connectés en permanence à un ordinateur. En général, ils sont alimentés *via* le port USB de l'ordinateur, il n'y a pas besoin de cordon supplémentaire et les batteries de l'appareil ne sont pas sollicitées durant le transfert. Les lecteurs de cartes permettent aussi de résoudre les problèmes de compatibilité entre appareils photo et ordinateurs.

Socle de synchronisation

Le socle de synchronisation est un système ingénieux, qui fournit aux appareils numériques une connexion permanente à l'ordinateur et une source d'électricité pour recharger les batteries. Le socle de synchronisation évite d'avoir à brancher de petites prises USB sur de petits ports ; il est idéal pour ceux qui souhaitent que la technologie reste discrète, mais disponible.

2 Techniques de prise de vue

Mesurer l'exposition

La bonne exposition c'est la combinaison idéale entre l'ouverture (f) et la vitesse d'obturation, et c'est la base d'une image de qualité.

Malgré les possibilités étendues des logiciels de retouche d'images, rien ne remplace une bonne exposition qui fera ressortir les détails aussi bien dans les hautes lumières que dans les zones d'ombre. Trop ou trop peu de lumière aura des conséquences sur la reproduction des détails, des tons et des couleurs.

Prise de vue sans correction d'exposition.

Avec compensation d'exposition réglée sur + 1.

Mesure de la luminosité ⬚1

Tout appareil numérique possède un posemètre, qui sert à régler automatiquement l'exposition et, sur les modèles les plus perfectionnés, à afficher le mode exposition manuelle dans le viseur. La lumière est mesurée dans les zones les plus lumineuses (sans tenir compte de la taille, de la forme ni de la couleur du sujet), ce qui peut entraîner des erreurs. Une mauvaise exposition est souvent due au fait que le photographe imagine, à tort, que le posemètre sait reconnaître le sujet principal. Même une petite lampe, qui n'occupe qu'une infime partie de la composition, influencera la mesure. Un bon photographe doit être attentif à toutes les zones de hautes lumières présentes.

De gauche à droite : mesure pondérée avec prépondérance au centre, mesure matricielle, mesure sélective.

La surexposition et comment l'éviter ⬚2

Trop de lumière génère des images peu contrastées avec une perte de détails dans les zones les plus claires qui ne peut pas être corrigée sur ordinateur. Avec un appareil numérique, la surexposition est rare en mode automatique, à moins de choisir un ISO trop élevé, ISO 800 par exemple, dans des conditions de lumière vive. Le cas le plus courant de surexposition vient de l'utilisation du flash pour éclairer un sujet proche. Dans ce cas, le flash engendre trop de lumière pour une petite valeur d'ouverture, les hautes lumières se transforment en pixels blancs. En mode manuel, la surexposition est due à une vitesse d'obturation trop lente ou au choix d'une trop grande ouverture.

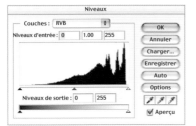

Les images surexposées sont délavées et présentent des pics dans la partie hautes lumières de l'histogramme.

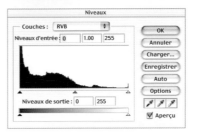

Les images sous exposées sont sombres, avec de nombreux pixels dans la partie ombre de l'historigramme.

La sous-exposition [3]

Quand le capteur reçoit trop peu de lumière, l'image capturée est sous-exposée et sombre. Des retouches sont possibles, mais des modifications trop importantes peuvent générer la création de pixels de couleurs aléatoires et une altération de la qualité de l'image. En mode automatique, la sous-exposition est due en général à un manque d'éclairage, la vitesse d'obturation ne pouvant pas descendre en dessous de quelques secondes. Les photos prises avec le flash risquent d'être sous-exposées si le sujet se trouve à plus de 5 m de l'appareil, le flash intégré n'éclaire pas au-delà de cette distance.

La compensation d'exposition

La plupart des compacts numériques de bonne qualité et tous les reflex permettent de contrôler manuellement l'exposition grâce à une fonction compensation d'exposition. Identifié par le symbole « +/- », cette fonction qui modifie la quantité de lumière parvenant au capteur permet d'intervenir lorsqu'un éclairage risque de fausser les réglages du posemètre. Le réglage + augmente l'exposition, par exemple + 0,3, et le réglage – diminue l'exposition, par exemple – 0,6. Chaque nombre entier représente un saut d'une valeur d'ouverture.

Le bracketing

Lorsqu'il est difficile de déterminer la bonne exposition, une solution consiste à effectuer plusieurs prises de vue avec des valeurs d'exposition différentes. Ce procédé, appelé bracketing, augmente les chances de faire le bon choix. En général, cinq prises de vue suffisent ; par exemple : une sans compensation, deux avec deux valeurs de surexposition (+ 0,6, + 1) et deux avec deux valeurs de sous-exposition (– 0,6, – 1).

Voir aussi Réglages des fonctions p. 16-17 / Ouverture et profondeur de champ p. 42-43 / Vitesse d'obturation et mouvement p. 44-45 / Capture, stockage et transfert p. 74-75

Ouverture et profondeur de champ

L'ouverture est le trou circulaire au centre de l'objectif, qui permet de contrôler la quantité de lumière qui parvient au capteur. Son réglage est une des composantes de l'exposition qui peut également servir à créer des effets spéciaux.

Pour permettre de photographier dans différentes conditions d'éclairage, les objectifs ont une ouverture réglable dont la valeur est étalonnée en f (comme focale) selon une norme internationale : f/2,8 ; f/4 ; f/5,6 ; f/8 ; f/11 ; f/16 ; f/22. Avec une ouverture de f/2,8, l'entrée de lumière est à son maximum. À l'autre extrémité, la valeur f/22 correspond à la plus petite ouverture qui laisse passer peu de lumière. Quand l'éclairage est faible, une grande ouverture est nécessaire ; lorsque la lumière est vive, une petite ouverture est préconisée.

Le réglage de l'ouverture se trouve en général sur un des boutons de contrôle au dos de l'appareil, mais seulement lorsque le mode exposition manuelle ou priorité à l'ouverture est sélectionné. En mode automatique ou priorité à la vitesse, l'appareil déterminera la valeur d'ouverture pour obtenir une exposition correcte. Les « prêts à déclencher » ont un choix limité d'ouvertures, tel que f/4 et f/11, alors que les reflex numériques offrent la gamme la plus étendue.

Ouverture et quantité de lumière

L'ouverture circulaire est conçue pour laisser passer une quantité précise de lumière. Passer à la valeur supérieure diminue de moitié la quantité de lumière qui pénètre, passer à la valeur inférieure double la quantité de lumière. De la même façon, lorsque l'on modifie d'une valeur la vitesse d'obturation, le temps de passage de la lumière à travers l'ouverture est, selon le cas, divisé par deux ou doublé.

Profondeur de champ [1]

La profondeur correspond à la plage de netteté qui s'étend devant et derrière le sujet principal de l'image. Elle est déterminée par deux facteurs : la valeur d'ouverture sélectionnée et la distance entre le photographe et son sujet. Une petite ouverture comme f/22 créera une plus grande profondeur de champ qu'une grande d'ouverture comme f/2,8.

Profondeur de champ réduite [2]

On l'utilise pour estomper l'arrière-plan et mettre ainsi en valeur le sujet principal. Elle est obtenue en choisissant une grande ouverture – f/2,8 ou f/4 par exemple – et en cadrant le sujet au plus près dans le viseur. Ce procédé est utilisé par les photographes animaliers ou sportifs quand le sujet est éloigné.

Profondeur de champ étendue [3]

Pour avoir une grande profondeur de champ, il faut sélectionner une petite valeur d'ouverture (f/16 ou f/22). On obtient ainsi la même netteté de l'arrière-plan au premier plan, effet recherché pour les paysages et les photos d'architecture.

À gauche : un sujet proche avec une faible profondeur de champ donne l'impression de faire partie de l'image.
Ci-contre : un sujet éloigné avec une faible profondeur de champ permet d'estomper le décor qui l'entoure.

Finesse des détails

L'ouverture influe non seulement sur la profondeur de champ, mais aussi sur la finesse des détails. C'est en privilégiant la valeur d'ouverture moyenne d'un objectif donné que l'on obtiendra la plus grande netteté. Par exemple, avec un objectif qui propose des ouvertures allant de f/2,8 à f/22, la plus grande netteté sera atteinte en sélectionnant f/8.

Voir aussi Mesurer l'exposition p. 40-41 / Vitesse d'obturation et mouvement p. 44-45 / Photographier en lumière naturelle p. 50-51 / Capture, stockage et transfert p. 74-75

Vitesse d'obturation et mouvement

Avec l'ouverture, le choix de la vitesse d'obturation détermine l'exposition, mais il peut aussi être utilisé pour créer des effets visuels étonnants.

Le déclencheur

Le bouton sur lequel on appuie pour prendre une photo est le déclencheur. Sur un appareil argentique, il sert à ouvrir l'obturateur mécanique pour laisser pénétrer la lumière par l'ouverture du diaphragme. Sur un appareil numérique, l'ouverture est déclenchée par un système électronique et le clic familier ne se produit pas.

Rôle de la vitesse d'obturation

La vitesse d'obturation, c'est-à-dire le temps pendant lequel l'obturateur est ouvert, détermine la durée d'exposition des capteurs à la lumière. Elle se mesure en fractions de seconde plutôt qu'en valeurs décimales et est généralement représentée comme suit : 1/1000, 1/500, 1/250, 1/125, 1/60, 1/30, 1/15, 1/8, 1/4, 1/2 et 1. 1/1000e de seconde est un temps d'exposition très court et 1/2 seconde est un temps d'exposition beaucoup plus long. Comme pour l'ouverture, chaque changement de valeur double ou diminue de moitié le temps de passage de la lumière.

Mouvements involontaires [1]

Les images floues sont en général dues au fait que l'appareil a bougé pendant la prise de vue, lorsque la vitesse d'obturation choisie est basse. Même un léger mouvement peut avoir des conséquences ; cela arrive fréquemment lorsqu'on utilise un téléobjectif ou lorsque la lumière est faible. Parfois, il suffit de passer à 1/125 pour résoudre le problème. S'il est impossible de modifier la vitesse d'obturation, il est préférable d'installer un trépied. L'utilisation d'un très long téléobjectif sur un reflex numérique requiert une vitesse d'obturation d'au moins 1/125 pour compenser les légers mouvements dus au porte-à-faux.

Un mouvement involontaire peut créer un flou artistique.

Reproduire le mouvement [2]

Si on cherche à obtenir un effet de flou, il faut sélectionner une vitesse d'obturation lente. On peut alors utiliser le mouvement pour animer une image, par exemple, la trace du déplacement d'un sujet en mouvement photographié de profil sera présente sur l'image. On peut tester les vitesses d'obturation allant de 1/2 à 1/8 de seconde. Le flou peut aussi être obtenue en bougeant l'appareil pendant la prise de vue. Les appareils numériques les plus perfectionnés permettent de garder l'obturateur ouvert, en pause B, aussi longtemps qu'on le souhaite. Avec cette technique, on peut fixer sur l'image le tracé du déplacement d'objets lumineux.

Figer le mouvement [3]

Pour avoir une image nette d'un sujet en mouvement, une grande vitesse d'obturation est indispensable. Pour photographier un sportif en action, il faut choisir une vitesse de 1/250 ; pour une course automobile, 1/500 est la vitesse minimale requise. Puisqu'une grande vitesse d'obturation a pour conséquence une courte exposition des capteurs à la lumière, une grande ouverture doit être

Voir aussi Mesurer l'exposition *p. 40-41* / Ouverture et profondeur de champ *p. 42-43* / Utiliser un flash *p. 52-53* / Capture, stockage et transfert *p. 74-75*

sélectionnée pour compenser. Si la luminosité est faible, le choix d'une valeur d'ISO élevée, entre 200 et 800, peut être la solution.

Vitesse de synchronisation du flash [4]

La plupart des appareils numériques possèdent un flash intégré avec un mode de fonctionnement automatique. Si un flash additionnel est utilisé, il est nécessaire de synchroniser la durée de l'éclair et la vitesse d'obturation. Si la vitesse d'obturation est trop rapide (en général la synchronisation est réglée à 1/60 ou 1/125), l'image sera encadrée par des bandes noires. Ceci est dû au fait que lorsqu'une vitesse rapide est sélectionnée, l'obturateur ne révèle qu'une portion du capteur à la fois. En l'absence d'un mode flash prévu sur l'appareil pour gérer le flash additionnel, il faut sélectionner un mode manuel.

Les objectifs et leurs caractéristiques

Savoir choisir l'objectif adapté à la situation est une des clés d'une photo réussie.

Angle de champ

La scène qui peut être cadrée dans l'écran LCD ou le viseur est déterminée par la longueur focale de l'objectif. Pratiquement tous les appareils numériques sont livrés avec un zoom offrant une couverture focale de 35 à 105 mm. La longueur focale d'un objectif étant inversement proportionnelle à son angle de champ, à une extrémité, l'angle de champ du 35 mm, le grand-angle, est étendu ; à l'autre extrémité, l'angle de champ du 105 mm, le téléobjectif, est restreint.

Zoom 1

Un zoom offre au photographe la possibilité de tester différents cadrages sans avoir à se déplacer. En général, la longueur focale la plus courte du zoom correspond à un grand-angle. Certains zooms permettent de faire de la macrophotographie. En principe, dans la fiche technique de l'appareil, est mentionnée la distance minimale entre le sujet et l'objectif.

Grand-angle 2

Un objectif grand-angulaire est utilisé lorsque le photographe est très près de son sujet. Il éloigne le sujet de l'appareil, ce qui est particulièrement utile si le photographe n'a pas la possibilité de reculer,

mais il faut savoir que le sujet paraît plus petit, et qu'il peut y avoir des déformations peu flatteuses, sur un portrait, par exemple.

Trois cadrages proposés par un zoom. **1.1** : longueur focale moyenne ; **1.2** : extrémité téléobjectif du zoom ; **1.3** : extrémité grand-angulaire.

Chaque objectif a une distance de mise au point minimale, en dessous de laquelle l'image ne sera pas nette. Les compacts haut de gamme et les reflex ont une option mise au point manuelle qui permet plus de créativité. L'autofocus est également incapable de fonctionner lorsque les couleurs du sujet sont peu contrastées. Malgré un balayage, il n'arrive pas à trouver le bon réglage. Dans ce cas, il vaut mieux faire la mise au point sur le bord du sujet.

L'autofocus effectue la mise au point au centre de l'image, une correction est nécessaire si le sujet est décentré.

Téléobjectif 3

Le téléobjectif agrandit dans le viseur l'image d'un sujet éloigné. Son usage se révèle utile pour le photoreportage et les photos de voyage, mais on peut également l'utiliser pour faire des portraits, puisqu'il entraîne peu de distorsions. La plupart des photos de couverture des magazines sont réalisées avec un téléobjectif, qui crée des effets de perspective intéressants. Il est essentiel de rester immobile ou d'utiliser un trépied quand on se sert d'un téléobjectif.

Autofocus 4

Le système autofocus corrige les erreurs humaines de mise au point. Un cercle au centre du viseur indique l'endroit où s'effectuera la mise au point. Pour activer l'autofocus, il faut appuyer sur le déclencheur jusqu'à mi-course ; en général, un témoin vert s'allume pour confirmer que la mesure a été effectuée.

Problèmes liés à l'autofocus 5

Le problème le plus fréquent survient lorsque le sujet n'est pas au centre de l'image, l'autofocus ne fera pas la mise au point au bon endroit. La majorité des appareils ont une fonction qui permet d'éviter cette erreur. Pour cela, il faut appuyer sur le déclencheur jusqu'à mi-course et maintenir la pression, ou appuyer sur le bouton de verrouillage s'il y en a un, pendant qu'on recadre la photo.

Voir aussi Cadrage serré d'éléments graphiques p. 48-49 / Composer une image p. 54-55 / Le cadrage p. 66-67 / Perspective et lignes de fuite p. 68-69

Cadrage serré d'éléments graphiques

Des éléments graphiques répétitifs peuvent être utilisés par un photographe pour représenter une imbrication de lignes et de couleurs.

Photographier des éléments graphiques [1]

Des lignes parallèles ou des motifs géométriques peuvent inspirer à un photographe une composition abstraite. Ces détails artistiquement interprétés animent alors un reportage photo et créent une ambiance personnalisée.

Choisir le point de vue [2]

Ce n'est pas le relief qui est intéressant dans ces éléments graphiques linéaires et la plongée est souvent le meilleur point de vue à adopter. Se placer au-dessus du sujet, accroupi ou debout, permet de réaliser une composition sans relief et ne comprenant qu'un seul plan. Différentes focales peuvent être essayées, notamment pour accentuer le graphisme du motif. Un objectif grand-angulaire provoquera une distorsion des formes et un effet de perspective accru. Le téléobjectif, au contraire, reproduira fidèlement les formes, mais ôtera toute profondeur à l'image.

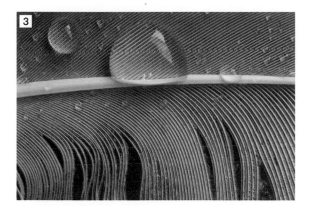

Plan rapproché 3

Les plans rapprochés sont toujours mieux réussis lorsqu'on utilise un trépied, car le manque de lumière entraîne le choix obligatoire d'une vitesse d'obturation lente, qui rend le moindre mouvement préjudiciable. Une fois l'appareil fixé, vous pouvez essayer diverses compositions dans un contexte où le plus petit changement de position induit des différences notables. Le problème le plus fréquemment rencontré est la faible profondeur de champ qui réduit la zone de netteté à quelques centimètres, même quand l'objectif est réglé à son ouverture minimale (f/22). Avec une grande ouverture, la profondeur de champ peut être de quelques millimètres seulement. Les meilleurs résultats sont obtenus avec une mise au point effectuée à un tiers de la distance entre le premier plan souhaité et l'arrière-plan. Les reflex les plus perfectionnés possèdent un bouton de prévisualisation de la profondeur de champ. C'est la fonction que remplit l'écran LCD sur la plupart des appareils. Pour les prises de vue effectuées à l'extérieur, le vent peut poser un problème. En raison de la proximité du sujet, le moindre mouvement, même une légère brise, se traduira par une image floue. La solution pratique à ce problème est de fabriquer une protection coupe-vent, avec un morceau de carton, par exemple.

Trésors de la nature 4

Les grands jardins botaniques, les parcs et les jardins privés ouverts au public offrent au photographe amateur de macrophotographie un vaste choix de sujets fascinants. Plantes tropicales, fleurs rares ou éphémères, feuilles à l'architecture complexe, peuvent servir de base à une composition abstraite. Sachez faire un tri et ne retenez que les sujets les plus intéressants. Avant d'intervenir sur le décor naturel pour réaliser une meilleure composition, assurez-vous que vous êtes autorisé à le faire.

Voir aussi Les objectifs et leurs caractéristiques *p. 46-47* / Composer une image *p. 54-55* / Observer les formes *p. 56-57* / Éléments graphiques *p. 64-65*

Photographier en lumière naturelle

Savoir utiliser l'outil créatif et gratuit que constitue la lumière naturelle distingue le bon photographe du débutant.

La lumière naturelle et les couleurs 1

La lumière du jour connaît une infinité de variantes, que ce soit en luminosité ou en couleurs, mais les possibilités de reproduction des capteurs numériques sont, elles, limitées. Au petit matin, la lumière du jour est bleutée, les couleurs sont froides. À midi, lorsque le soleil est au zénith, les couleurs sont plus neutres, mais dures, tandis que la lumière rougeoyante de fin de journée est plus chaude. Sur un appareil numérique, la balance des blancs atténuera ces différences, mais il est important pour un photographe de savoir utiliser la lumière. La lumière naturelle peut être modifiée, lorsqu'elle se réfléchit sur un mur de couleur vive ou en passant à travers une matière translucide comme le verre. Le feuillage des arbres peut donner à un portrait une teinte verte indésirable. Les dominantes de couleur seront aisément corrigées à l'aide de la fonction balance des couleurs des logiciels de retouche d'images.

Lumière naturelle et portrait 2

La lumière naturelle peut mettre en valeur un portrait, mais il est parfois difficile de la contrôler à l'extérieur. On peut également faire des portraits en lumière naturelle à l'intérieur en modulant la lumière avec un réflecteur que l'on aura confectionné (tout simplement avec une feuille de papier). Le sujet doit se tenir près d'une fenêtre, qui demeurera hors cadre. La lumière provenant de la fenêtre peut être réfléchie et équilibrée à l'aide du réflecteur placé côté ombre du sujet, hors cadre évidemment. Ce réflecteur débouchera les zones sombres. Il faut désactiver le flash et sélectionner une grande ouverture, comme f/4, afin que l'arrière-plan reste flou. Si la lumière provenant de la fenêtre est trop vive, vous pouvez la tamiser, avec du papier sulfurisé par exemple. Ce système adoucira la lumière et atténuera les ombres sur le visage.

Lumière d'été

De longues journées ensoleillées font de l'été la saison idéale pour prendre des photos, mais de nombreux écueils guettent le photographe. Une zone très lumineuse présente dans la composition peut amener le posemètre à choisir une mauvaise valeur d'exposition. C'est ce qui se passe lorsqu'il y a des surfaces brillantes,

Les couleurs de l'aube sont pâles et empreintes de douceur.

Les couleurs du soir sont plus chaudes et plus éclatantes.

La lumière naturelle peut magnifier un portrait.

et donc réfléchissantes, comme l'eau, le métal ou le verre. Pour éviter ce problème, il faut recomposer l'image jusqu'à ce que les zones réfléchissantes soient hors cadre, prendre ensuite la mesure de la lumière et verrouiller l'exposition, avant de revenir au cadrage original. La lumière directe du soleil donne de trop forts contrastes qui se traduisent par des zones sombres et des taches blanches. Pour corriger ce défaut, on peut éclairer les zones d'ombre avec un flash d'appoint (flash en fill-in) ou attendre le passage d'un nuage.

Lumière d'hiver 3

La lumière hivernale crée une ambiance particulière, mais elle pose d'autres problèmes techniques au photographe. À cause d'une luminosité réduite

Voir aussi Réglages de fonctions *p. 14-17* / Ouverture et profondeur de champ *p. 42-43* / Utiliser un flash *p. 52-53*

et du froid qui épuise les piles, il est difficile de travailler à l'extérieur après 15 heures. Pourtant, la lumière hivernale est unique, les ombres sont très allongées. Les paysages sont dépourvus de couleurs chaudes, mais la lumière naturelle met en valeur les textures et les détails.

Les paysages enneigés imposent une surexposition.

Utiliser un flash

Un flash intégré est très utile sur un appareil numérique et pas seulement lorsque la luminosité est faible.

L a plupart des appareils numériques ont un flash intégré qui peut être réglé pour se déclencher dans différentes situations. Utilisé à l'intérieur, lorsque l'éclairage est insuffisant, le flash émet un éclair qui recouvre les lumières ambiantes, ce qui a pour résultat des photos souvent plates et sans charme. À l'extérieur, la technique du fill-in (flash en complément de la lumière naturelle) avive les couleurs des objets situés au premier plan.

la majorité des cas, le flash fonctionne correctement, à condition qu'il n'y ait pas d'obstacle entre l'appareil et le sujet. Si l'éclair est réfléchi par un objet placé trop près, quelles que soient sa taille ou sa position, le flash s'éteint prématurément. Dans ce type de situation, la photo est sombre et elle présente une zone surexposée.

Comment fonctionne le flash　1

Quand la lumière de l'éclair heurte le premier objet rencontré sur sa trajectoire, le flash s'éteint. Dans

Éviter les erreurs courantes　2

Les deux problèmes récurrents avec le flash sont les yeux rouges et les taches de lumière. Lorsque l'éclairage est faible, l'utilisation du flash se traduit par un disque rouge sur les yeux du sujet. Ce phénomène

1

Ce flash additionnel puissant permet d'éclairer un sujet éloigné, ce que ne peut pas faire un flash intégré.

Voir aussi Anatomie d'un appareil photo numérique *p. 10-11* / Les reflex numériques *p. 26-27* / Photographier en lumière naturelle *p. 50-51*

Le flash en fill-in permet de déboucher les zones d'ombre.

À gauche, un objet proche est sur le trajet de l'éclair.
À droite, la fonction anti-yeux rouges n'a pas été activée.

s'explique par la dilatation de la pupille que l'on pourrait comparer à l'ouverture maximale d'un objectif. L'éclair va frapper la rétine et revient en droite ligne sur l'objectif. Le dispositif anti-yeux rouges consiste en un prééclair qui est déclenché avant l'éclair principal et provoque la contraction de l'iris.

Taches blanches

Difficiles à prévoir lors de la prise de vue, les taches blanches sont provoquées par le reflet de l'éclair sur une surface brillante. Il faut donc se méfier des fenêtres en arrière-plan, des petites surfaces vitrées, voire des lunettes. La plupart de ces problèmes peuvent être évités en positionnant l'appareil de biais par rapport au sujet. En image numérique, les taches blanches se traduisent par des pixels blancs. Ce défaut peut être corrigé sur ordinateur en utilisant l'outil Tampon des logiciels de retouche d'images qui permet de dupliquer des pixels existants.

Utiliser un flash additionnel

Certains compacts haut de gamme et tous les reflex numériques sont dotés d'une griffe standard sur laquelle on peut brancher un flash additionnel. Les reflex professionnels ont une fonction contrôle du signal X-sync qui permet la connexion à un système d'éclairage de studio. Les flashs externes sont plus souples d'utilisation que les flashs intégrés, ils offrent au photographe la possibilité de changer l'orientation de la lumière et de modifier les contrastes.

Moduler la lumière du flash   3

Les flashs intégrés produisent une lumière assez dure qui tend à cerner le sujet d'une ombre noire. On peut atténuer cet effet en plaçant devant le flash un morceau de papier calque ou de gaze. Les photographes professionnels utilisent fréquemment des diffuseurs en plastique ou en tissu qui adoucissent les ombres et simulent la lumière naturelle.

3

Le flash en fill-in peut être également utilisé à l'intérieur.

Composer une image

La composition met en jeu le talent et le savoir-faire du photographe. Il s'agit de choisir dans le viseur de l'appareil le placement du sujet dans le décor qui l'entoure.

Choisir sa position et celle du sujet

Pour un sujet tel que le paysage, la composition dépend de la position du photographe et du choix de l'objectif. En revanche, pour un portrait, le photographe peut choisir à la fois le décor et le placement du sujet dans ce dernier.

Équilibrer formes et couleurs [1]

Avec le temps et de nombreuses prises de vue effectuées dans les situations les plus diverses, on parvient à une compréhension intuitive des équilibres visuels. Chaque élément dans une composition est en compétition pour attirer l'attention par ses formes, ses dimensions, ses couleurs et sa position. Des compositions trop chargées manquent de message clair. Les meilleurs résultats sont obtenus avec un petit nombre d'éléments forts. Des couleurs et des textures riches peuvent également dominer, voire écraser, le sujet principal, tout comme des motifs chargés en arrière-plan. Le «poids visuel» définit l'impact d'une couleur ou d'un ton sur l'œil de l'observateur. Il peut attirer le regard dans une direction particulière et, bien utilisé, apporter de l'équilibre au sujet principal.

Utiliser la symétrie... [2]

Une composition symétrique, avec des éléments forts, similaires, placés de chaque côté d'une ligne imaginaire, est une des plus faciles à réaliser. La meilleure façon de l'aborder est de placer les éléments principaux au centre de l'image jusqu'à ce que l'équilibre soit atteint le long d'un axe vertical ou horizontal. Cette approche convient aux paysages et aux photos d'architecture.

... ou l'asymétrie

Les compositions décentrées ne fonctionnent que si
l'équilibre est atteint grâce à un élément de l'image.
La « règle des tiers », selon laquelle une image est
divisée en neuf sections égales imaginaires, est une
des bases de la composition. Utilisée tant en peinture
qu'en photographie, cette théorie suggère que
quand on dispose les éléments clés sur les lignes
de cette grille, ou à leur intersection, on obtient
une composition harmonieuse.

Placer un groupe de personnes

Le cauchemar du photographe est de placer
les personnes qui forment un groupe de façon
équilibrée et harmonieuse. L'aspect général
du groupe doit être le premier souci. Il est souvent
difficile de cadrer dans le viseur toutes les personnes
en pied. Il n'est absolument pas indispensable
de voir les pieds de tout le monde ; il faut avant
tout privilégier l'expression des visages, peu importe
les pieds et les chaussures !

La retouche d'images à la rescousse

Les images numériques peuvent, bien évidemment,
être rognées et recomposées à l'aide d'un logiciel de
retouche d'images. La possibilité d'ôter, avec l'outil
Gomme, les éléments indésirables qui sont passés
inaperçus au moment de la prise de vue est
extrêmement utile.

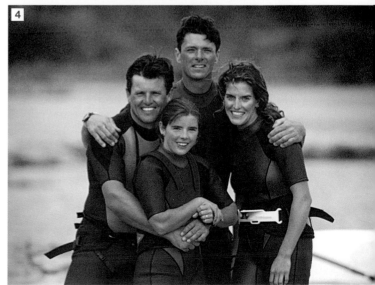

Voir aussi Les objectifs et leurs caractéristiques *p. 46-47* /
Le cadrage p. 66-67 / Perspective et lignes de fuite p. 68-69

Observer les formes

Entraînez votre regard à saisir les formes dissimulées dans le décor naturel
et vous découvrirez un monde d'abstraction que vous aurez envie de photographier.

L a forme d'un objet c'est son périmètre, ses contours. Sa représentation n'est pas pour le photographe quelque chose de figé ; en changeant de position et d'objectif, il peut répartir différemment les formes dans sa composition. Il est pratiquement impossible de décider au premier coup d'œil du meilleur angle de vue, et même les professionnels préfèrent effectuer plusieurs prises de vue avec des cadrages différents. Si une photo vaut la peine d'être prise, il ne faut pas hésiter à faire plusieurs versions.

Essayer plusieurs points de vue   1

Les photos sont trop souvent prises à hauteur d'homme. On pense rarement à essayer plusieurs angles de vue, sauf quand on recule spontanément pour élargir son champ de vision. Dans l'exemple ci-dessous, la contre-plongée a créé une distorsion sur la forme des colonnes, les rendant plus imposantes et plus monumentales.

Neutraliser l'arrière-plan   2

Les formes complexes ou au contraire délicates sont très difficiles à détacher d'un arrière-plan surchargé. En changeant d'angle de vue, le photographe peut facilement éliminer ces détails inopportuns. Si le photographe ne peut pas changer de position, le choix d'une grande ouverture, comme f/2.8 ou f/4, lui permettra de réduire la profondeur de champ et de mettre l'accent sur le sujet principal de la composition. Même si cela n'a pas été fait à la prise de vue, il sera toujours possible d'intervenir ultérieurement avec un logiciel de retouche d'images. Le délicat élément végétal ci-dessous (photo du centre) aurait été écrasé si les détails de l'arrière-plan n'avaient pas été rendus flous.

De légères imperfections...

... peuvent être corrigées avec l'outil Tampon.

Utiliser le contre-jour 3

Lorsque le sujet est placé entre la source de lumière et l'objectif, l'image sera très sombre, mais on peut contourner cette difficulté en transformant le sujet en silhouette. Pour ce genre d'étude, la lumière naturelle du crépuscule est idéale, mais pour être sûr d'obtenir un résultat satisfaisant, il est préférable d'effectuer plusieurs prises de vue avec des expositions différentes. Pour supprimer les détails indésirables, il faut régler l'exposition sur le ciel, verrouiller, et recadrer la photo. Avec un appareil numérique, n'hésitez pas à multiplier les prises de vue, vous pourrez effacer celles qui ne vous conviennent pas et libérer ainsi de la mémoire.

Jouer sur les contrastes 4

De belles images peuvent être réalisées en jouant sur le contraste des couleurs et des formes : le noir et le blanc, les courbes et les droites, l'aspect lisse et l'aspect rugueux. La photo originale en couleurs de cette pyramide était quelconque, et comportait des détails superflus (échafaudage, touristes). Sur ordinateur, ces détails ont été masqués en dupliquant des pixels avec l'outil Tampon. Quand les couleurs sont ternes ou n'apportent rien au sujet, on peut transformer l'image en version noir et blanc, par exemple, en sélectionnant sur Photoshop la commande Mélangeur de couches dans le menu Réglages et en cochant la case Monochrome.

Faciliter la lecture d'une image 5

Un bon cadrage des éléments graphiques donnera une image facile et agréable à lire. Quand on regarde une photo, le regard suit les lignes et les formes, comme lorsqu'on suit un itinéraire sur une carte routière. Les photos qui guident le regard de l'observateur sont plus réussies que les instantanés brouillons qui dispersent l'attention. La photo ci-dessous est une bonne illustration d'une ligne directrice qui accompagne le regard du premier plan vers l'arrière-plan.

Voir aussi Cadrage serré d'éléments graphiques *p. 48-49* / Composer une image *p. 54-55* / Éléments graphiques *p. 64-65* / Le cadrage *p. 66-67*

La couleur : harmonie et conflits

Comme un décorateur d'intérieur, le photographe doit privilégier les harmonies de couleurs et éviter celles qui entrent en conflit.

Apprendre à regarder les couleurs

Comme tous les arts visuels, la photographie utilise les couleurs, et le photographe doit apprendre à les connaître et à les regarder. Un mariage harmonieux de couleurs donne de la cohérence à une image et la met en valeur. Le talent du photographe réside dans son aptitude à reconnaître ces harmonies et à savoir les organiser dans ses compositions. Avec de la patience, et de l'expérience, on apprend à percevoir les petits îlots de couleurs dissimulés dans un environnement terne.

Couleurs saturées   1

Les couleurs saturées sont des couleurs vives qui donnent des visuels forts et conviennent bien aux formes graphiques. Un sujet en gros plan ou une forme abstraite supporteront parfaitement une couleur vive. Plusieurs prises de vue sont nécessaires pour augmenter les chances d'obtenir un résultat

satisfaisant. À l'extérieur, les couleurs sont les plus intenses, quand le soleil est au zénith, et au crépuscule, quand la lumière est horizontale. Si la couleur des images manque de saturation, il est possible d'effectuer une correction avec un logiciel de retouche d'images. Par exemple sur Photoshop, dans la boîte de dialogue Teinte/Saturation, on peut augmenter la saturation en déplaçant un curseur, mais attention : à un certain point, une postérisation brutale se produit qui transforme complètement les couleurs de l'image.

Couleurs désaturées   2

Des couleurs pâles, peu saturées, créent une ambiance, une atmosphère. Elles reposent des

couleurs agressives du monde qui nous entoure. Elles rappellent le passage des saisons et évoquent donc ce qui est éphémère ; ce sont également les couleurs de la nature au petit matin. Tout comme il est possible d'augmenter la saturation des couleurs d'une image, sur ordinateur, on peut également l'atténuer. Les couleurs désaturées ressortent sur les imprimantes à jet d'encre en utilisant des papiers d'art.

Palette de couleurs restreinte [3]

L'abondance est loin d'être synonyme de qualité et on peut réaliser une composition attrayante avec une palette de couleurs restreinte. Des couleurs insolites obtenues parfois en sachant utiliser la lumière naturelle donnent des compositions précieuses par leur originalité. Dans les magazines, les photographies de mode utilisent souvent des palettes restreintes, voire monochromes, pour attirer l'attention du lecteur.

Contrastes et ruptures [4]

Parfois, il ne faut pas hésiter à transgresser les règles énoncées par les manuels d'arts graphiques et oser des combinaisons de couleurs inattendues ; elles risquent de surprendre et donc d'être intéressantes par leur nouveauté. Comme pour les formes, les contrastes de couleurs donnent de bons résultats. Le bleu, la couleur préférée des Occidentaux, est une couleur froide, passive, le rouge, au contraire, est la couleur chaude par excellence, c'est aussi une couleur dynamique qui s'accorde bien avec le mouvement des personnages qui se découpent sur l'immobilité du ciel.

Voir aussi Réglage des fonctions p. 14-15 / Photographier en lumière naturelle p. 50-51 / Le noir et blanc p. 60-61

Le noir et blanc

La plupart des photographes d'art ont toujours préféré la photographie noir et blanc à la couleur. Le numérique va peut-être renforcer cette tendance.

L e noir et blanc est le choix du photographe qui souhaite développer, tirer et retoucher ses photos dans son propre labo ; c'est autant de l'artisanat que de la photographie, même si la prise de vue est en elle-même très importante. Quand la couleur est peu présente ou lorsque l'on souhaite mettre en valeur des textures, le noir et blanc reste la solution idéale.

Choisir le mode de prise de vue

Tous les logiciels de retouche d'images permettent de convertir facilement les photos couleur en noir et blanc. Il est préférable d'effectuer la prise de vue en RVB et d'éviter les modes monochromie et sépia.

Choisir le sujet

Il arrive qu'un sujet qui attire le regard du photographe soit pauvre en couleurs, risquant de donner un résultat terne et quelconque. Traitée en noir et blanc, l'image peut présenter des contrastes intéressants qui lui confèrent un réel impact visuel.

Le contraste   1

Le contraste c'est l'écart de luminosité entre les hautes et les basses lumières. On parle plutôt de contraste en photographie traditionnelle et de luminosité en numérique. La luminosité des pixels peut être facilement réduite ou augmentée, permettant à ceux qui sont à l'aise avec leur logiciel de retouche d'images d'intervenir sur certaines zones de l'image pour les mettre en valeur et modifier ainsi l'équilibre visuel. Contrairement à la photo couleur, où peu de manipulations tonales sont possibles sans risquer de paraître artificielles, une photo noir et blanc peut être personnalisée à souhait. Les outils informatiques permettent non seulement de modifier les contrastes, mais aussi d'exercer sa créativité jusqu'au dernier élément de la chaîne : l'impression.

Contraste élevé   2

Lorsqu'une image présente des plages de noir profond et de blanc pur avec peu de nuances intermédiaires de gris, elles est très contrastée. Ce traitement convient

Les couleurs sont peu contrastées sur cette image.

La version monochrome est bien meilleure.

Image fortement contrastée.

Image peu contrastée.

aux sujets graphiques : un contraste renforcé
accentue lignes et contours. Le résultat final
est habituellement une image graphique forte.
En revanche, les détails sont peu présents, puisque
les tons de gris sont réduits et, à l'impression,
les gris foncés peuvent se transformer en noir.

Contraste normal

Les images normalement contrastées présentent un
mélange équilibré de noir et de blanc purs avec toute
une gamme de gris intermédiaires. Dans les logiciels
de retouche d'images, les boîtes de dialogue Niveaux
et Courbes offrent la possibilité d'ajouter des points
noirs et blancs à une image manquant de contraste
et peuvent également être utilisées pour modifier
la balance des tons intermédiaires de gris.

Contraste réduit   3

Dépourvues de noir et de blanc, les images peu
contrastées sont composées d'une gamme étendue
de gris et sont parfaites pour créer une ambiance
ou une atmosphère particulière. Avec une douceur
qui rappelle les photos du début du siècle dernier,
les images peu contrastées reproduisent bien
les portraits et les natures mortes.

Modification de teinte

Les images noir et blanc peuvent être rehaussées par
une teinte, choisie en fonction de l'ambiance recherchée.
Cette technique s'inspire du virage pratiqué en
photographie argentique. En cochant la case Redéfinir
de la boîte de dialogue Teinte/Saturation, on passe
directement d'une image RVB à une image monochrome.

Voir aussi Réglage des fonctions *p. 16-17* / La couleur :
harmonie et conflits *p. 58-59* / La boîte de dialogue Niveaux
p. 178-179 / La boîte de dialogue Courbes *p. 180-181*

Maniement et entretien de l'appareil

Maîtriser tous les réglages et fonctions de son appareil est important,
mais il faut, d'abord et avant tout, connaître parfaitement son maniement.

Comment tenir l'appareil

Quelles que soient les performances des logiciels
de retouche d'images, certaines erreurs classiques
de prises de vue ne pourront pas être corrigées car
elles sont irréversibles. Il s'agit d'erreurs de base
commises par les débutants, telles que la présence
d'un doigt devant l'objectif ou des mouvements
même légers imprimés à l'appareil qui rendent
les photos floues. Les appareils numériques sont
souvents petits et leur design peu ergonomique, on
a parfois du mal à caser tous les doigts sur le boîtier.
Lorsque le viseur est à visée directe, le cadrage ne se
fait pas à travers l'objectif et s'il y a un doigt devant
ce dernier, on risque fort de ne pas s'en apercevoir.
Il n'est pas nécessaire d'agripper farouchement
l'appareil, on peut très bien le tenir d'une main
et assurer sa stabilité avec l'autre ; au moment de
la prise de vue, on ramènera les coudes près du corps.

Utiliser un pied 1

Le trépied est un outil très utile, aussi bien pour
l'amateur que pour le professionnel. Il en existe
un vaste choix : plus ou moins grands, plus ou moins
lourds, plus ou moins perfectionnés. Les photographes
itinérants orienteront leur choix vers un mini-trépied
télescopique. Les meilleurs sont munis de rotules
orientables qui permettent de changer facilement
d'angle de vue et pratiques pour les prises de vue
panoramiques. Employé pour garder l'appareil
immobile quand la vitesse d'obturation est lente,
le trépied évite les photos floues dues au bougé.
Plus léger que le trépied, plus rapide à installer,
le monopode est un support d'appoint très utile.

Veiller à la propreté de l'objectif 2

Pour que les capteurs saisissent les couleurs saturées,
les objectifs des appareils numériques sont
multicouches et nécessitent un nettoyage régulier.
Les traces de doigt provoquent une perte instantanée
de netteté, de contraste et de saturation des couleurs.
Nettoyez délicatement l'objectif à l'aide d'un nettoyant
à lunettes sans alcool, en faisant des mouvements
circulaires. Pour ôter la poussière, utilisez un chiffon
antistatique (élément essentiel du kit du photographe).
La présence de sable est plus grave, car il peut abîmer
la mécanique de l'appareil et rayer l'objectif ; pour
l'éliminer, utilisez une soufflette (petit brosse spéciale
couplée à une poire) ou un pinceau doux à aquarelle.

1

Sur l'image de droite des traces de doigt présentes sur l'objectif se traduisent par des auréoles blanches.

Problèmes électriques 3

Le fichier informatique est endommagé.

Les cartes mémoire sont sensibles à l'électricité statique qui peut les endommager irrémédiablement. Deux précautions permettent d'éviter ce problème : lorsque vous sortez la carte mémoire de l'appareil, rangez-la dans un étui ; évitez de placer les cartes mémoire près d'un téléviseur ou de l'unité centrale d'un ordinateur. D'autres supports comme les cartes PCMCIA, les microdrives d'IBM et les disquettes 3.5" peuvent également être sensibles aux champs magnétiques. Les fichiers numériques contenus dans ces supports risquent d'être endommagés par les puissants champs magnétiques émis par des haut-parleurs, des rails électriques ou des pylônes à haute tension.

Voir aussi Anatomie d'un appareil photo numérique
p. 10-11 / Cartes mémoire *p. 34-35*

Éléments graphiques

Le photographe dispose de techniques et d'outils qui donnent un plus grand impact visuel à ses images.

Les panneaux de signalisation utilisent des couleurs franches et des formes simples pour que leur message soit facilement et rapidement identifié. Les éléments graphiques – lignes, carrés, flèches, lettres – assortis de couleurs primaires sont des éléments qui attirent l'attention sur une image.

Lignes droites 1

L'espace urbain est structuré par les lignes droites : verticales des immeubles, horizontales des rues et des trottoirs. Les diagonales sont plus rares et donc attirent plus facilement l'attention. Elles peuvent être présentes sur une image en fonction de la position du photographe ou du choix de l'objectif. La photo ci-dessous a été prise avec un zoom pour éliminer tous les détails indésirables présents au premier plan. Lorsque l'on n'est pas satisfait du résultat, on peut employer l'outil Recadrage pour éliminer certaines parties de la photo et la rendre plus dynamique.

Couleurs primaires 2

Les couleurs primaires sont appelées ainsi car elles ne peuvent être fabriquées à partir d'autres couleurs. Il s'agit du rouge, du vert et du bleu en synthèse additive, et du jaune, du magenta et du cyan en synthèse soustractive. Ces couleurs sont des couleurs vives, visuellement attractives. Des éléments graphiques complexes et imbriqués requièrent un certain talent pour donner un résultat satisfaisant. La photo ci-dessous est découpée en petites zones de couleur, comme un puzzle, et il a fallu plusieurs essais de cadrage pour réussir cette composition.

Signes et symboles 3

Nous sommes entourés par une multitude de panneaux, en compétition pour attirer notre attention. Transformé en étude abstraite de couleurs, l'objet le plus quelconque peut devenir une photo digne d'intérêt.

Voir aussi Cadrage serré d'éléments graphiques *p. 48-49* / Observer les formes *p. 56-57* / La couleur : harmonie et conflits *p. 58-59* / Perspective et lignes de fuite *p. 68-69*

3

Incliner l'appareil · 4

On peut incliner l'appareil pour créer une diagonale, mais il ne faut pas abuser de cet artifice. Le même effet peut être obtenu en effectuant ultérieurement, sur ordinateur, une rotation de l'image, mais cela implique un recadrage et la perte d'un certain nombre de pixels. La verrière a été cadrée de telle façon que les éléments de sa structure composent une image graphique dynamique.

Conseils de prises de vue

Cadrage
Si votre appareil est doté d'un viseur à visée directe, à travers lequel vous effectuez le cadrage, ne cédez pas à la tentation de faire un cadrage trop serré, car certains détails en périphérie risquent d'être éliminés à la prise de vue. Faites un pas en arrière ou choisissez une focale plus courte, vous pourrez toujours recadrer la photo par la suite.

Utilisation du téléobjectif
Pour les sujets éloignés, il est conseillé d'utiliser la plus longue focale du zoom. Ce qui permet d'éliminer du cadrage les détails indésirables qui peuvent distraire le regard. Le téléobjectif aplatit le relief, raccourcissant la distance qui sépare les objets.

4

Le cadrage

Les meilleures photos sont prises non pas au moment où l'on appuie sur le déclencheur mais avant, grâce à une analyse de ce que l'on voit dans le viseur.

L e viseur est la fenêtre de prévisualisation de l'appareil. En plus de l'image, la plupart des appareils affichent certaines informations dans le viseur, par exemple la focale ou l'exposition. On a une meilleure vision dans les grands viseurs, surtout si l'on porte des lunettes ou si on a du mal à fixer à travers une petite fenêtre.

Portrait en gros plan

Bon nombre de portraits pris par des amateurs ne sont pas cadrés assez près du sujet par peur de couper les pieds ou le sommet de la tête. Il est difficile de faire entrer en pied quelqu'un de grand sur une image 10 x 15 cm, alors choisissez plutôt de faire un gros plan sur les éléments importants, le visage par exemple, et essayez d'éliminer les éléments inutiles qui surchargent l'arrière-plan. Cette utilisation du zoom a pour effet de rendre l'arrière-plan flou et donc d'atténuer son impact visuel.

Erreur de parallaxe [1]

La parallaxe est l'angle formé par l'axe optique qui traverse l'objectif et l'axe de visée. Autrefois, sur des appareils à l'optique rudimentaire, cet angle était suffisamment important pour entraîner de fréquentes erreurs de prises de vue, dont la plus fréquente et la plus décevante avait pour résultat de tronquer les personnages pris en photo. La seule solution était de reculer pour s'éloigner d'eux, car, avec la fenêtre du viseur située légèrement à gauche de l'objectif, des coupures inopportunes survenaient sur les gros plans, dues à une erreur de parallaxe. Les reflex numériques utilisent une ingénieuse série de miroirs (un pentaprisme) pour permettre une visée reflex, c'est-à-dire directement à travers l'objectif. La visualisation des écrans LCD des meilleurs compacts se fait aussi à travers l'objectif. Il est donc préférable de contrôler le cadrage sur l'écran LCD plutôt que dans le viseur.

1

Précision du cadrage 2

Pour compliquer encore un peu plus les choses, l'écran LCD, le viseur et le pentaprisme du reflex n'affichent pas nécessairement une image parfaitement identique au résultat final. Les reflex montrent le plus souvent moins que le résultat final, alors que les viseurs des compacts ont tendance à faire l'inverse. Pour pallier ce défaut, il est préférable de ne pas faire un cadrage trop serré autour du sujet.

Surprises à l'arrière-plan

Un débutant oublie souvent d'étudier les éléments qui occupent l'arrière-plan. Concentré sur le placement et le cadrage du sujet principal, il oublie d'analyser les détails qui l'entourent. Les erreurs les plus courantes sont les fils électriques qui défigurent un paysage, les poteaux qui émergent au-dessus des personnages, les véhicules mal placés, les panneaux publicitaires. Les petits détails gênants pourront être éliminés avec un logiciel de retouche d'images, mais il suffit de quelques secondes pour recomposer la prise de vue ou pour choisir une plus grande ouverture afin que l'arrière-plan devienne flou.

Le zoom numérique 3

La plupart des appareils numériques ont une fonction zoom numérique, qui est à différencier de l'utilisation d'un téléobjectif. Le zoom numérique ne rapproche pas le sujet, mais fait paraître une section de l'image plus grande en augmentant le nombre de pixels. Ce processus équivaut à l'interpolation effectuée par les logiciels de retouche d'images : les nouveaux pixels créés, d'une couleur approximative, sont mélangés aux pixels existants. Les images qui en résultent sont en général moins nettes et de plus mauvaise qualité que celles réalisées avec un téléobjectif.

Ci-dessus : Une image excessivement agrandie au zoom numérique perd de la netteté.

Ci-contre : Un cadrage trop serré peut éliminer des détails intéressants en bordure de l'image.

Voir aussi Anatomie d'un appareil photo numérique *p. 10-11* / Les objectifs et leurs caractéristiques *p. 46-47* / Composer une image *p. 54-55*

Perspective et lignes de fuite

S'il sait jouer avec la perspective, un photographe peut donner une vision du monde bien différente de celle que voit l'œil humain.

Influence du point de vue

Le point de vue est défini par l'orientation et la position de l'appareil. La plupart des photos sont prises du même point de vue : la position debout. Changer de point de vue crée un résultat très différent, et cette différence est l'essence même de la photographie qui est de regarder le monde sous un angle nouveau. Le point de vue influence également la forme apparente d'un objet, qui peut alors être manipulé pour s'adapter aux intentions créatives du photographe. Lorsqu'on se met en position accroupie ou à genoux, on voit les choses

avec le regard d'un enfant, tout paraît plus grand et plus gros. Pour avoir une vue en contre-plongée, il faut se placer le plus bas possible ou poser l'appareil, tourné vers le haut, sur un mini-trépied. En combinant contre-plongée et grand-angle, on peut donner un aspect théâtral ou inquiétant à un paysage. À l'inverse, une vue plongeante réalisée avec un téléobjectif rend les sujets petits et impersonnels.

Grand-angle et distorsion [1]

Pour peu que l'on incline l'appareil vers le bas ou vers le haut, si l'objectif utilisé est un grand-angle, il se produit une importante distorsion de l'image. Les objets proches se déforment, prennent de l'ampleur, les lignes s'allongent. Les objectifs grands-angulaires peuvent créer une sensation d'espace et de volume, particulièrement intéressante pour les photos d'architecture et de paysage, mais toujours aux dépens des lignes droites. Pour être sûr que l'appareil est bien horizontal, afin de limiter les distorsions, il est utile de se procurer un niveau à bulle, qui se fixe sur la griffe porte-flash ou sur le trépied. Si l'optique du grand-angle n'est pas de très bonne qualité, il se produit sur les bords de l'image une distorsion dite en tonneau ou en barillet : en haut et en bas les lignes ont tendance à s'incurver. Le grand-angle n'est pas indiqué pour les portraits en gros plan, à moins que l'on recherche une ambiance particulière, car il exagère les traits et les proportions à la manière d'un miroir déformant.

Voir aussi Les objectifs et leurs caractéristiques *p. 46-47* / Le cadrage *p. 66-67*

Téléobjectif et distorsion 2

À l'autre extrémité du zoom, le téléobjectif pose d'autres problèmes de perspective. Un téléobjectif permet de saisir les détails d'un sujet éloigné, il préserve la verticalité des lignes droites et n'altère pas les formes. Les longs téléobjectifs sont particulièrement utiles pour prendre en photo les bâtiments élevés, ils permettent de s'éloigner de l'édifice pour éviter la convergence des lignes verticales. L'aplatissement du relief dû au téléobjectif rapproche les objets distants, rétrécissant en quelque sorte l'espace et mettant en valeur la vision de l'architecte. La maîtrise du téléobjectif est plus difficile à acquérir que celle du grand-angle.

Correction des distorsions 3

La plupart des logiciels de retouche d'images permettent de corriger les erreurs de perspective avec l'outil Transformation. Il faut d'abord sélectionner l'élément, puis activer la boîte de dialogue Transformation/Perspective pour redresser les verticales convergentes, en remplissant les zones créées dans l'image avec des pixels interpolés. Cependant, comme l'œil est habitué à observer les édifices élevés depuis le sol, les images ayant bénéficié d'une correction de perspective peuvent paraître artificielles.

Image originale.

Perspective corrigée.

3 L'image numérique

Qu'est-ce qu'une image numérique ?

Une image numérique est obtenue à partir d'une palette de couleurs. Chaque couleur étant définie par une série de chiffres.

Chaque photographie numérique est l'assemblage de millions de petits carrés appelés pixels. Ces carrés sont agencés sur une grille comparable à une mosaïque très fine. Il n'y a pas de mystère dans la structure d'une image numérique : chaque pixel correspond à un code de couleur défini par une formule. Quand les ondes lumineuses heurtent les cellules du capteur numérique (le CCD), chaque cellule crée un pixel.

Dimension en pixels [1]

La dimension en pixels est une façon de décrire une image numérique par le nombre de pixels qui la composent, sur un axe horizontal et vertical. La fiche technique d'un appareil ou d'un scanner mentionne en général la plus grande dimension en pixels proposée, c'est-à-dire la plus haute résolution d'image possible, 1 200 x 1 800, par exemple. Ces chiffres correspondent au nombre maximum de pixels qui peuvent être créés. Les images haute résolution contiennent des millions de pixels et sont capables de décrire une courbe ou de montrer des petits détails avec netteté. Les images basse résolution contiennent peu de pixels et offrent moins de finesse dans la reproduction des détails.

Codage numérique des couleurs [2]

Chaque rayon lumineux de couleur est transformé dans l'appareil en un code numérique qui est généré à partir de trois couleurs de base : rouge, vert et bleu. Le code numérique obtenu est utilisé pour créer les couleurs du pixel chaque fois qu'une image est ouverte sur l'ordinateur. Un code peut recréer un pixel identique dans n'importe quelle dimension, que ce soit 1 m ou 1 mm. En code binaire, le nombre peut ressembler à l'exemple suivant : 01011011+01111001+111011010.0.

Profondeur en bits [3]

La profondeur en bits d'une image correspond à la quantité d'informations sur les couleurs disponible pour afficher ou imprimer chaque pixel. Chaque bit représente 2 couleurs. L'échelle de bits par pixel s'étend généralement de 1 à 64. La plupart des périphériques utilisent un codage graphique de base de 8 bits qui correspond à une palette de 256 couleurs ($2^8 = 256$). Le codage 16 bits correspond à environ 65 000 couleurs et le codage 24 bits à plus de 16 millions de couleurs. Les logiciels de retouche d'images et les imprimantes n'utilisent pas de palette plus étendue. Plus la palette est étendue, plus le fichier informatique est lourd.

Voir aussi Réglage des fonctions p. 12-15 / Profondeur de couleur p. 76-77 / Résolution p. 78-79 / Pixels et format d'impression p. 82-83 / Compression p. 88-89

[2] **11001101**10011101**00110110**

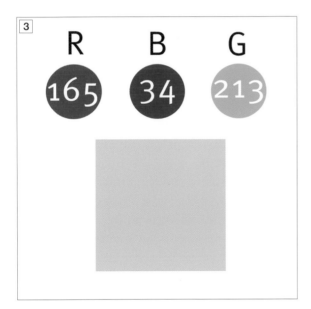

Profondeur de couleur

Chaque composant RVB *(RGB)* d'une image numérique a une intensité allant de 0 à 255. Si les trois valeurs sont identiques, la couleur est gris neutre ; si les trois valeurs sont 255, la couleur est blanc pur ; si les trois valeurs sont 0, la couleur est noir pur. La formule de chaque pixel ressemble à la suivante : R 121, V 234, B 176. Les combinaisons possibles s'élèvent à 16,7 millions, assez pour offrir à l'œil humain une palette de tons continus.

Résolution

En principe, sur la fiche technique d'un appareil numérique, la résolution du capteur est mentionnée en mégapixels. Il s'agit du nombre de pixels contenus dans une image capturée en haute résolution, obtenu en multipliant les valeurs verticale et horizontale : par exemple, un capteur de 2,1 mégapixels permet de capturer des images d'une résolution de 1 200 x 1 800. La résolution des scanners et des imprimantes est exprimée en dpi (dot per inch), nombre de points par pouce linéaire ; plus le chiffre est élevé, 2 400 dpi par exemple, meilleure sera la résolution de l'image.

Enregistrement et stockage 5

Bien entendu, après chaque prise de vue, les données numériques doivent être enregistrées et stockées dans l'appareil. De savantes formules mathématiques permettent de compresser les données afin de pouvoir stocker davantage d'images sur la carte mémoire. Il existe différents formats de compression des images, le plus courant étant le format JPEG (voir pages 88-89), mais toutes les compressions se font au détriment de la qualité de l'image. En effet, plus la compression est importante, moins la qualité de l'image est bonne. L'image en haut de la page montre bien les résultats d'un enregistrement au format JPEG avec un taux de compression élevé.

Capture, stockage et transfert

Comprendre les processus de capture, stockage et transfert des images numériques de votre appareil photo à votre ordinateur.

Capteur optique 1

Au lieu d'utiliser un film imprégné d'une émulsion photosensible, l'appareil numérique est doté d'un capteur optique (CCD pour Charged Coupled Device). Ce capteur est quadrillé de plusieurs millions de cellules photosensibles. Chaque cellule génère un seul pixel de forme carrée de l'image numérique. Quand la lumière passe à travers l'objectif et atteint une de ces cellules, ele est transformée en charge électrique, et chacune de ces cellules aura une charge différente. Le capteur convertit les signaux en valeurs de luminosité, selon un codage numérique. À chaque prise de vue, le capteur transforme les valeurs de luminosité de chaque cellule en pixels, qui sont ensuite organisés sur une grille comparable à une mosaïque.

Voir aussi Anatomie d'un appareil photo numérique *p. 10-11* / Cartes mémoire *p. 34-35* / Connexion à un ordinateur *p. 36-37* / Périphériques *p. 106-107*

Taille du capteur

La qualité et le format d'impression d'une image numérique dépendent de la quantité de pixels qu'elle contient. Une des caractéristiques de base d'un appareil numérique est le nombre de cellules photosensibles que contient son capteur, c'est-à-dire le nombre de pixels qu'il peut générer. La plupart des capteurs actuels dépassent le million de pixels, leur taille est donc mentionnée en mégapixels. Un mégapixel contient un million de pixels (M). La taille du capteur correspond au nombre de pixels qui couvrent la surface d'une image numérique (largeur x hauteur). Un capteur de 2,1 M crée des images d'une dimension maximale en pixels de 1 800 x 1 200. Les capteurs de 300 000 pixels, qui génèrent des images de 640 x 480, convenant uniquement à une utilisation sur écran ou sur Internet, deviennent rares. Les capteurs des appareils haut de gamme génèrent plus de 6 millions de pixels, certains atteignent les 10 millions.

1.1 **1.2**

Une image haute résolution (**1.1**) contient plus de pixels et est de bien meilleure qualité qu'une image basse résolution (**1.2**) qui contient beaucoup moins de pixels et ne peut pas décrire les formes complexes.

Nombre de pixels du capteur	Résolution en pixels de l'image	Format en cm de l'image en 200 ppp	Format en cm de l'image en 300 ppp	Format en cm de l'image en 400 ppp
0,3 M	640 x 480	8 x 6	5 x 4	4 x 3
1,3 M	1 350 x 1 000	17 x 13	11 x 8	8 x 6
2,1 M	1 800 x 1 200	22 x 15	15 x 10	11 x 8
3,3 M	2 100 x 1 440	27 x 18	18 x 12	13 x 9
4 M	2 400 x 1 700	30 x 22	20 x 14	15 x 11
5 M	2 750 x 1 900	35 x 24	23 x 16	17 x 12
6 M	3 000 x 2 000	38 x 25	25 x 17	19 x 13

Stockage des données

Les fichiers numériques qui contiennent des images sont beaucoup plus lourds que ceux qui contiennent du texte. Pour le stockage des données créées lors de chaque prise de vue, les appareils numériques utilisent des cartes mémoire amovibles. On peut en choisir la capacité, 8 Mo ou 64 Mo par exemple, les cartes à grande capacité étant les plus chères. La quantité d'images pouvant être stockées dépend de la taille de la carte. Les deux types de cartes les plus couramment utilisés sont SmartMedia et CompactFlash. Elles ne sont pas interchangeables, et seuls les appareils les plus chers acceptent les deux. Les appareils bas de gamme première génération comportaient un système intégré de stockage de données, et n'avaient pas de carte mémoire amovible.

Transfert des données

Une fois capturées et stockées, les images doivent être transférées sur un ordinateur pour être éventuellement retouchées et imprimées. On peut effectuer ce transfert de deux façons : en utilisant un lecteur de carte externe ou en se servant d'un câble haut débit pour connecter directement l'appareil à l'ordinateur. La seconde méthode est la plus pratique, puisqu'elle évite d'avoir à sortir la carte mémoire, mais un logiciel de pilotage doit être installé sur l'ordinateur pour pouvoir lire le contenu de la carte. Les lecteurs de cartes multiformats – compatibles avec les cartes CompactFlash et SmartMedia – sont particulièrement utiles, notamment si l'appareil et l'ordinateur ne sont pas compatibles ; ils peuvent rester connectés en permanence avec l'ordinateur.

Profondeur de couleur

La profondeur de couleur, ou profondeur en bits, est un terme qui renvoie à la taille de la palette utilisée pour élaborer une image numérique.

Une image 1 bit n'affiche que deux tons différents. Ici sont utilisés le noir et le blanc. Les images en mode Bitmap sont des images 1 bit.

Sur une image 2 bits, il y a au maximum quatre tons différents. L'image commence à acquérir du relief, sa qualité s'améliore.

Une image 3 bits contient huit tons. Elle devient plus réaliste, mais il y a toujours un effet de postérisation bien visible.

8 bits c'est largement suffisant pour une image en niveaux de gris. L'œil ne peut pas détecter les ruptures brutales de tons dans une palette monochrome de 256 couleurs.

Voir aussi Réglage des fonctions *p. 14-15* / La couleur : harmonie et conflits *p. 58-59* / Qu'est-ce qu'une image numérique ? *p. 72-73* / Formats de fichier *p. 86-87*

Une image en couleurs enregistrée au format GIF peut être faite avec une palette de 256 couleurs, mais l'impression sera loin d'avoir la qualité photo.

Une image 16 bits compressée en GIF manque de précision dans les détails.

Une image en couleurs 24 bits est d'une qualité suffisante pour être affichée sur un écran d'ordinateur ou imprimée sur une imprimante à jet d'encre.

Une image 32 bits compressée en GIF permet d'obtenir un résultat proche de la qualité photo.

Résolution

Concernant une image numérique, ce terme désigne la relation directe qui existe entre le nombre de pixels de l'image et son format d'impression.

L e terme de résolution concerne à la fois le nombre de pixels d'une image numérique et la taille de la palette de couleurs utilisée pour la créer. D'autres termes comme mégaoctets (Mo) et mégapixels (M) concernent également le même sujet : ce que seront le format et la qualité d'impression d'une image.

On peut noter, à titre indicatif, qu'un fichier image de 12 Mo suffit pour créer une impression jet d'encre qualité photo, au format A 4. L'impression d'un fichier plus volumineux prendrait plus de temps et ne serait pas de meilleure qualité.

Taille des pixels   1

Les pixels n'ont pas une taille fixe. Un pixel créé en mode RVB peut aussi bien mesurer 2,5 cm^2 que 1 m^2. C'est au photographe de régler la taille des pixels en

fonction du résultat souhaité. Dans Photoshop, la boîte de dialogue Taille de l'image permet de régler la taille des pixels en intervenant sur leur nombre par pouce linéaire, par exemple : 72 ou 200 ppp (pixels par pouce). Le nombre de pixels reste le même, mais leur taille est agrandie ou réduite. Des pixels de 2,5 cm^2 ressemblent aux carreaux d'une mosaïque géante, constituant une pâle reproduction de la réalité. Plus les pixels sont petits, moins ils sont visibles et plus l'impression est de qualité. Les appareils numériques sont réglés pour créer des images de 72 ppp. Si on réduit la taille des pixels en réglant l'image à 200 ppp, son format sera plus petit, mais l'impression de bien meilleure qualité. La boîte de dialogue du navigateur de certains scanners ne mentionne pas la mesure en ppp de l'image, vous pourrez avoir accès à cette information dans Photoshop (Image>Taille de l'image).

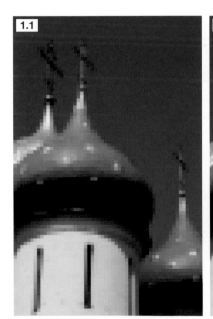

1.1

Image capturée en 50 ppp.

1.2

Image capturée en 100 ppp.

1.3

Image capturée en 200 ppp.

Images 36 et 48 bits

2

Les scanners récents et les appareils professionnels peuvent utiliser une palette comportant des millions, voire des milliards de couleurs. Les fichiers des images 36 bits et 48 bits sont gigantesques comparés à ceux des images 24 bits et ils peuvent être difficiles à exploiter sur les ordinateurs un peu anciens. Les professionnels de la retouche d'images conseillent souvent de corriger la couleur et le contraste sur les fichiers 48 bits, puis de les enregistrer en 24 bits pour l'impression. Si les images doivent être imprimées sur une imprimante à jet d'encre, ce procédé n'amènera que peu d'améliorations visibles. Une incidence plus importante sur la qualité est due à l'étendue de la plage dynamique du capteur, c'est-à-dire sa capacité à enregistrer des détails. Les appareils dotés d'une plage de densité de 3,5 à 4 donneront d'excellents résultats.

Rééchantillonnage et sous-échantillonnage

L'interpolation est un procédé qui permet d'ajouter ou de supprimer des pixels. De nouveaux pixels inventés viennent s'intercaler entre les pixels d'origine ; une couleur leur est attribuée en fonction des pixels voisins. De la même façon, on peut supprimer un certain nombre de pixels. Les deux procédés font perdre de la netteté à l'image, une correction peut être effectuée avec le filtre de renforcement Accentuation.

Voir aussi Réglage des fonctions p. 14-15 / Qu'est-ce qu'une image numérique ? p. 72-73 / Pixels et format d'impression p. 82-83 / Imprimantes à jet d'encre p. 242-243

Un scanner de qualité, doté d'une plage dynamique étendue, enregistrera les détails contenus dans les zones sombres.

Un scanner premier prix, ayant une plage dynamique réduite, ne fera pas la différence entre gris foncé et noir.

Modes colorimétriques

On retrouve les caractéristiques des différents films photographiques dans les modes colorimétriques proposés par Photoshop.

Il n'est pas nécessaire de transformer les couleurs RVB en CMJN pour imprimer une image sur une imprimante à jet d'encre ou pour l'envoyer par e-mail. Mais les différents modes colorimétriques existent pour satisfaire les exigences de certains modes d'impression et d'édition de documents.

Mode RVB [1]

Le mode RVB (rouge, vert, bleu) est le mode standard d'acquisition des images par les appareils numériques et les scanners. Un profil colorimétrique précis peut être attribué aux images RVB pour leur assurer une plus grande fidélité et éviter un décalage important sur un moniteur RVB. Le mode RVB, contrairement à d'autres modes moins universels, est compatible avec la totalité des réglages et fonctions disponibles sur Photoshop. Les images RVB utilisent trois couleurs, ou couches, sur lesquelles on peut intervenir individuellement.

Les imprimantes à jet d'encre convertissent les pixels RVB en cyan, magenta, jaune et noir (CMJN) de façon très satisfaisante. Les images 24 bits (8 bits par couche), correspondent au standard d'impression.

Mode Niveaux de gris [2]

Ce mode s'apparente à un film traditionnel noir et blanc, positif plutôt que négatif. Générée par des scanners et certains appareils numériques, une image en Niveaux de gris est composée d'une couche de noir ayant 256 valeurs de luminosité, de 0 à 255. Les commandes concernant les couleurs ne sont pas accessibles dans ce mode, mais les images peuvent être facilement converties en RVB. Le format standard pour le Niveaux de gris est le 8 bits, mais certains appareils photo et scanners peuvent capturer des images 12 bits aux contours parfaitement lisses. Un fichier Niveaux de gris est trois fois moins lourd qu'un RVB similaire.

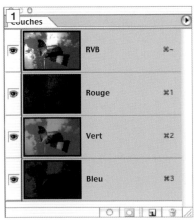

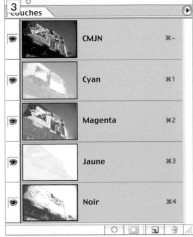

Mode CMJN 3

Le mode CMJN est à utiliser uniquement pour
les images qui seront imprimées en quadrichromie.
Plusieurs commandes de Photoshop ne fonctionnent
pas avec les images CMJN. De plus, la palette
de couleurs CMJN est plus restreinte que la palette
RVB avec pour conséquence que certaines couleurs
ne s'affichent pas de façon satisfaisante sur
un moniteur RVB. Une bonne solution consiste
à travailler en mode RVB tout en sélectionnant
l'affichage en CMJN (Affichage>Format d'épreuve>
Espace de travail CMJN).

Mode Lab 4

Le mode Lab est un espace colorimétrique abstrait
et théorique qui n'est utilisé par aucun périphérique
d'entrée ou de sortie. Les images Lab ont trois
composantes : la luminosité (L) et deux composantes
de couleur, l'axe vert-rouge (a) et l'axe bleu-jaune (b).

Ce mode est surtout utilisé pour créer des images
monochromes lumineuses comme alternative
à la conversion d'images RVB en Niveaux de gris.

Mode Bitmap 5

À ne pas confondre avec le mode Bitmap de Windows,
ce mode n'est utilisé que pour stocker des images
vectorielles d'une seule couleur. Composés seulement
de 1 bit avec deux valeurs possibles, blanc ou noir,
les fichiers Bitmap sont peu volumineux. Lorsqu'on
ouvre un fichier Bitmap dans un logiciel de retouche
d'images ou de dessin, on peut augmenter la
résolution sans perte significative de détails.

Mode Multicouche 6

Ce mode utilise 256 niveaux de gris par couche.
Il répond aux exigences de séparation des couleurs de
certains modes d'impression. Les couches de l'image
originale sont converties en couches de ton direct.

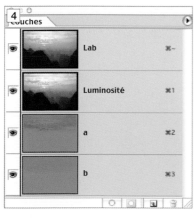

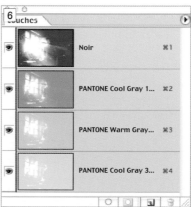

Voir aussi Scanner *p. 128-137* /
Adobe Photoshop *p. 142-143* / Choisir
une couleur *p. 174-175* / De la couleur
au noir et blanc *p. 200-201* / Effets
de filtres *p. 210-215*

Pixels et format d'impression

Comprendre comment les pixels sont transformés en gouttelettes d'encre permet de réaliser des impressions de qualité.

Résolution des imprimantes à jet d'encre [1]

Les fabricants ont tendance à surévaluer les performances de leurs imprimantes ; en fait, il n'est pas nécessaire de changer la résolution des images dans Photoshop pour se régler sur les 1 440, voire 2 880 ppp proposés par l'imprimante. Il est vrai que les imprimantes sont capables de déposer cette quantité de gouttelettes, mais il est important de comprendre comment ces gouttelettes tombent. Chaque gouttelette vient de son propre réservoir de couleur, et les gouttelettes ne sont pas isolées sur le papier, elles sont plutôt superposées. Pour une imprimante six couleurs de 1 440 pp, le nombre réel de gouttelettes est calculé en divisant 1 440 par six, ce qui donne 240 par couleur. Quelques imprimantes à jet d'encre proposent une résolution de 2 880 ppp : en effet, les buses sont capables de produire des gouttelettes de deux tailles différentes. Pour imprimer sur une imprimante à jet d'encre, il faut enregistrer les fichiers en 200 dpi.

Exigences de l'impression professionnelle

Les images numériques destinées à être imprimées en quadrichromie doivent avoir une résolution de 300 dpi, pour que la qualité de l'image soit satisfaisante. Le système d'épreuvage Pictography de Fuji à très haute résolution exige que les images aient une résolution de 400 dpi.

Résolution

Comme tout visuel, les photographies sont prévues pour être regardées depuis une certaine distance. Si on les regarde de très près, seules les impressions réalisées en qualité photo seront sans défaut, exemptes de grain ou de particules d'encre. Mais à une distance normale, l'œil humain ne distingue pas les défauts d'une impression de qualité moyenne. Ceci est dû au fait que la distance estompe la séparation entre les gouttes d'encre ou les pixels, l'image est lissée. Comparées aux illustrations en couleurs des magazines de qualité ou des livres, les impressions jet d'encre en grand format ou les panneaux publicitaires sont loin de posséder une netteté irréprochable. Destinées à être vues de loin, les images des panneaux publicitaires sont constituées d'une trame de points grossiers qui ne sont visibles que de près.

1.1

1.2

À gauche : une image dont la taille n'a pas été modifiée est nette. Ci-contre : une image trop agrandie devient floue.

Voir aussi Capture…
p. 74-75 / Résolution
p. 78-79 / Imprimantes
à jet d'encre *p. 242-243*

Mode colorimétrique	Taille de fichier	Taille en mégapixels	Dimension en pixels	Jet d'encre (200 ppp)	Sublimation (300 ppp)
RVB (standard 24 bits)	24 Mo	8 M	3 450 x 2 450	31 x 44 cm A3+	21 x 29,7 cm A4
	12 Mo	4,1 M	2 350 x 1 770	30 x 22,4 cm A4+	15 x 20 cm A5
	6 Mo	2,1 M	1 800 x 1 200	22 x 15 cm A5+	15 x 10 cm A6
	2,25 Mo	0,7 M	1 024 x 768	13 x 9,75 cm	8,6 x 6,5 cm
	900 Ko	0,3 M	640 x 480	8 x 6 cm	5,4 x 4 cm
Niveaux de gris (standard 8 bits)	8 Mo	8 M	3 450 x 2 450	31 x 44 cm A3+	21 x 29,7 cm A4
	4 Mo	4,1 M	2 350 x 1 770	30 x 22,4 cm A4+	15 x 20 cm A5
	2 Mo	2,1 M	1 800 x 1 200	22 x 15 cm A5+	15 x 10 cm A6
	750 Ko	0,7 M	1 024 x 768	13 x 9,75 cm	8,6 x 6,5 cm
	300 Ko	0,3 M	640 x 480	8 x 6 cm	5,4 x 4 cm

La règle concernant la netteté et la distance s'applique également aux impressions à jet d'encre en grand format destinées à l'affichage ; les images peuvent être imprimées avec une résolution de 150 ppp seulement, avec l'avantage supplémentaire de pouvoir augmenter la taille de l'image sans avoir à rééchantillonner l'image pour ajouter de nouveaux pixels.

Acquisition d'images en très haute résolution

Une image couleur scannée avec une profondeur de couleur de 48 bits ou une image en Niveaux de gris de 14 bits génèrent des fichiers très lourds, mais cela ne permettra pas pour autant d'augmenter le format d'impression. Après avoir converti respectivement les images en 24 bits et 8 bits, la dimension en pixels sera la même, mais avec une palette de couleurs réduite.

Classement et archivage des données

Les lourds fichiers des images numériques peuvent rapidement encombrer un disque dur de capacité moyenne.

Faire le ménage et classer

Pour éviter de saturer inutilement la mémoire de son ordinateur, il ne faut pas garder les étapes intermédiaires d'un travail en cours, mais ne conserver que l'état le plus récent, ainsi que le document original stocké sur un support protégé en écriture, du type CD-R. Ne comptez pas sur votre mémoire, utilisez des noms simples et logiques pour nommer vos fichiers, vous les retrouverez facilement quand vous en aurez besoin. Numérotez les différentes versions d'un même fichier : arbre 1.tif, par exemple.

Ne pas encombrer le disque dur

Bien que les disques durs des ordinateurs actuels aient d'énormes capacités de stockage, il est recommandé de stocker les fichiers originaux des images sur des supports amovibles protégés en écriture. La mémoire du disque dur peut être utilisée comme RAM de secours pour faciliter le déroulement d'opérations nécessitant la manipulation d'une grande quantité de données. Cette mémoire d'appoint, appelée mémoire virtuelle, permet à l'opération de continuer, quoique plus lentement, à condition qu'il reste assez de mémoire disponible sur le disque dur. Si le disque dur est plein, il n'y a pas de mémoire virtuelle disponible et Photoshop ne pourra pas effectuer les opérations complexes demandées.

Stocker sur des supports amovibles   1

Il est conseillé de stocker les gros fichiers d'images sur des supports fiables et de grande capacité, comme les CD-R. Ils sont plus sûrs que les CD-RW réinscriptibles, peu chers et universellement acceptés. Un graveur de

CD intégré ou externe est donc indispensable. Le prix des DVDR (Digital Versatile Disk Recordable) et DVDRAM (Digital Versatile Disk Random Access Memory) étant en baisse, on peut prévoir que les DVD remplaceront bientôt les CD.

Installer un second disque dur   2

Une autre solution d'archivage consiste à installer un second disque dur dans son ordinateur. La plupart des ordinateurs récents sont conçus pour supporter l'installation d'au moins un disque dur supplémentaire. Faciles à installer, ces disques durs internes d'une très grande capacité (± 100 Go) sont moins chers que les disques durs externes. Ce disque supplémentaire peut être exclusivement consacré au stockage d'images sans que sa mémoire virtuelle soit sollicitée. Les disques durs sont équipés de processeurs plus ou moins rapides et, bien sûr, plus le processeur est rapide moins les opérations d'archivage et de désarchivage prennent de temps.

2

Voir aussi Supports de stockage *p. 92-93* / Notions de base *p. 96-97* / Composants internes *p. 98-99* / Configurer son poste de travail *p. 102-103*

On peut également remplacer le disque dur d'un ordinateur un peu ancien par un disque de plus grande capacité.

Faire des copies de sauvegarde 3

Tout photographe doit prendre la précaution d'effectuer des sauvegardes régulières à l'aide d'un logiciel tel que Retrospect. Un processus de sauvegarde automatique peut être programmé pour s'exécuter automatiquement à intervalles réguliers. Il existe différents dispositifs de sauvegarde de grande capacité, comme DLT (Digital Linear Tape), DAT (Digital Audio Tape) et AIT (Advanced Intelligent Tape). Les photographes professionnels ont intérêt à mettre à jour régulièrement leurs sauvegardes et à en mettre une copie à l'abri, dans un endroit différent de leur lieu de travail. Sur une sauvegarde, les données sont souvent compressées et il faut savoir que la récupération de fichiers peut être longue.

3

Formats de fichier

Il est essentiel de choisir un format d'enregistrement compatible avec l'utilisation que l'on souhaite faire de l'image et d'archiver une copie de l'original.

Une image peut être destinée à diverses utilisations ; elle peut être imprimée sur une imprimante à jet d'encre, envoyée en pièce jointe par Internet, illustrer une page web ou bénéficier d'une impression en quadrichromie. À ces diverses utilisations correspondent différents formats d'enregistrement qui facilitent l'intégration des images, notamment dans les logiciels de mise en pages tels que Quark Xpress ou InDesign. Chaque format, et ils sont de plus en plus nombreux, est identifié par une extension, constituée d'un code à trois lettres placé à la fin du nom du fichier. Par exemple « portrait.tif » désignera un fichier TIFF, alors que « groschien.jpg » permettra d'identifier un fichier JPEG. De nombreux formats de fichier sont disponibles en tant qu'options d'enregistrement dans la plupart des logiciels en activant la commande Enregistrer sous. En revanche, certains formats spécifiques conçus pour un logiciel précis, comme le format multicouche psd de Photoshop, ne sont utilisables que dans leur logiciel d'origine et quelques autres logiciels sous licence.

Échange de fichiers entre Mac et PC [1]

Pour ceux qui ont besoin de transférer leurs fichiers entre PC et Mac, le processus n'est pas compliqué, à condition de respecter certaines règles. Tout d'abord, il est nécessaire que le nom du fichier ait une extension (comme jpg) identifiable par les deux plates-formes. Sur Macintosh, l'extension ne s'ajoute pas automatiquement au nom des fichiers, à moins que cette option ait été cochée dans les préférences du logiciel. Si les Macintosh reconnaissent les supports amovibles, tels les Zip, formatés sur un PC, en revanche, les PC ne reconnaissent pas les supports formatés sur Mac.

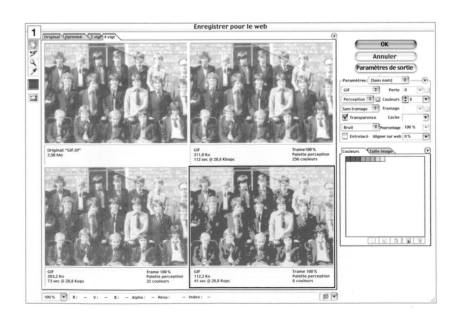

Formats courants

GIF

Le format GIF (Graphics Interchange Format) a été mis au point par CompuServe pour une utilisation des images uniquement sur Internet. Les images enregistrées dans ce format ont une palette de couleurs réduite convenant à un affichage sur un écran, mais pas à une impression. Lorsque, sur un logiciel de retouche d'images, on enregistre en GIF une image haute résolution (commande Enregister sous), sa palette de plusieurs millions de couleurs est réduite à 256, ce qui réduit considérablement la taille du fichier. Ce format ne peut pas prendre en compte les tons intermédiaires des photos, mais il convient aux images ayant des aplats de couleurs aux bords francs, aux logos par exemple.

TIFF

Le format TIFF (Tagged Image File Format) est le format d'enregistrement à privilégier pour l'archivage des images numériques. Il est reconnu par tous les logiciels de PAO dont Quark Xpress et InDesign. Il est recommandé, lorsqu'on enregistre une image en TIFF, de ne pas sélectionner une des trois options de compression : LZW, JPEG ou ZIP, bien que l'option LZW n'entraîne aucune perte visible de qualité d'image et réduise la taille du document des deux tiers. Le format TIFF compressé est moins compatible avec certaines versions anciennes des logiciels qui ne peuvent pas le gérer.

Voir aussi Réglage des fonctions p. 12-13 / Compression p. 88-89 / Choisir un format d'enregistrement p. 90-91 / Plates-formes et systèmes d'exploitation p. 100-101

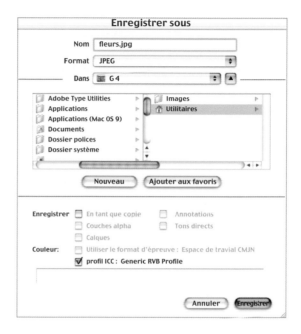

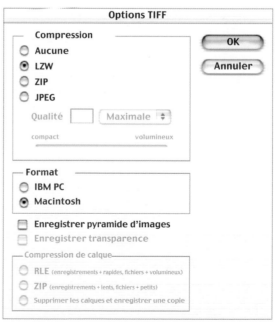

Enregistrer sous permet de choisir le format du fichier.

Compression

La compression consiste en une contraction des données numériques pour accélérer leur transfert et pour qu'elles occupent moins de mémoire.

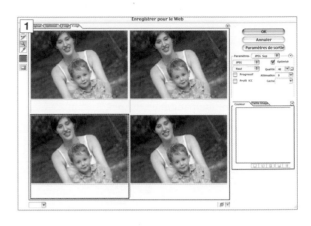

Il existe deux types de compression : avec perte et sans perte. Le format JPEG provoque des pertes significatives de détails et de netteté de l'image, et ce chaque fois que le fichier est ouvert et réenregistré. La taille du fichier est en revanche fortement réduite. La perte de qualité se manifeste par l'apparition de la forme carrée des pixels là où auparavant il y avait des détails. Les compressions sans perte utilisent des mécanismes mathématiques différents pour supprimer des données sans causer de dommages visibles. Ce procédé apporte un gain de place moins important, mais préserve tous les détails.

Pour visualiser la différence des processus de compression, imaginez un fichier TIFF compressé comme une photo enroulée, et un fichier JPEG comme une photo pliée en quatre. Une fois ouvert, le TIFF ne montrera aucun signe de détérioration, alors que le JPEG portera les signes révélateurs des « plis ». Les ordinateurs ont des capacités de mémoire de plus en plus importantes, il est donc inutile de réduire outre mesure la taille des fichiers, à moins que ce soit pour une utilisation sur Internet.

Enregistrer pour le web en JPEG   1

La commande Enregistrer pour le web de Photoshop propose une option JPEG qui donne accès à différents réglages. Dans la boîte de dialogue, l'image peut être visualisée sous forme de deux ou quatre vignettes, ce qui permet de comparer le résultat des différents réglages. La taille du document est indiquée sous chaque vignette avec l'estimation du temps nécessaire pour le transfert. En déplaçant un curseur, on peut régler la qualité de l'image de 0 à 100 ; il vaut mieux commencer par la valeur la plus haute et s'arrêter lorsqu'une détérioration visible apparaît. Suivant

leur contenu, les images réagissent différemment à la compression. Une image comportant peu de couleurs et aux contours peu marqués se compresse facilement. La compression d'une image riche en couleurs et en détails aux contours nets sera limitée et le gain de place minime, même si, au départ, les deux images avaient la même dimension en pixels. Si on coche l'option Progressif, l'image sera téléchargée en plusieurs passages et s'affichera d'abord en basse résolution. Quant à l'option Profil ICC, si elle est cochée, elle garantit que le profil des couleurs incorporé par Photoshop sera préservé.

Enregistrer les prises de vue en JPEG   2

Les appareils photo numériques proposent au moins trois taux de compression JPEG. Le choix est déterminé par le nombre d'images que l'on veut stocker sur la carte mémoire. Si on veut faire des photos d'art ou des impressions de qualité, il faut choisir la compression la plus faible, quitte à acheter une carte mémoire supplémentaire ou de plus grande capacité. Il faut savoir aussi qu'une image exceptionnelle ne doit pas être enregistrée avec un fort taux de compression, parce qu'il ne sera pas possible d'améliorer sa résolution.

Image enregistrée avec taux de compression élevé.

Image enregistrée avec taux de compression élevé.

Image enregistrée avec taux de compression moyen.

Image enregistrée avec taux de compression moyen.

Image enregistrée avec taux de compression faible.

Image enregistrée avec taux de compression faible.

Image peu contrastée aux contours flous non compressée.

Image contrastée aux contours nets non compressée.

Voir aussi Réglage des fonctions *p. 12-13* / Formats de fichier *p. 86-87* / Choisir un format d'enregistrement *p. 90-91*

Choisir un format d'enregistrement

On peut enregistrer les images sous différents formats selon l'utilisation à laquelle on les destine.

JPEG et JPEG 2000

Mis au point par le Joint Photographic Experts Group, JPEG est le format le plus fréquemment utilisé pour l'enregistrement des images numériques. Le but recherché par ses inventeurs était de réduire la quantité des données en altérant le moins possible la qualité de l'image, et ce, en donnant à un groupe de pixels une valeur commune, évitant ainsi l'attribution d'un code individuel à chaque pixel. Cette méthode présente l'inconvénient majeur d'entraîner une perte de qualité de l'image proportionnelle au gain de place obtenu. Sur Internet, les photos sont en général en JPEG, leur petite taille favorisant un téléchargement rapide. JPEG est le format standard d'enregistrement proposé par les appareils photo numériques, avec le choix de trois taux de compression. Le format JPEG 2000, récemment mis au point, offre la possibilité de définir des taux de compression différents selon la zone de l'image. Ce qui permet d'assurer une qualité maximale au sujet principal tout en compressant les zones les moins importantes. Pour l'instant, JPEG 2000 n'est disponible que sur certains navigateurs et sur les versions récentes des logiciels de retouche d'images.

EPS

Moins courant, le format EPS (Encapsulated Postscript) est réservé aux professionnels de l'imprimerie et de la PAO. Les fichiers EPS disposent d'un élément supplémentaire unique, un «chemin de détourage», qui définit les contours d'une image aux formes irrégulières, qui pourra être importée en tant qu'image détourée dans un logiciel de mise en pages. Photoshop offre la possibilité d'enregistrer les images en EPS.

PSD (format Photoshop)

Le format polyvalent PSD de Photoshop permet d'enregistrer des données supplémentaires, comme des calques, des couches, des chemins, voire du texte. Il est très utile pour stocker des travaux en cours, car il permet de laisser les choses en l'état et de remettre à plus tard des modifications importantes. Quand le projet est terminé, les couches d'une image PSD peuvent être aplaties ou fusionnées en une seule couche pour une impression plus rapide. Si des versions JPEG ou TIFF doivent être créées, les images seront au préalable ramenées à une seule couche. Les formats spécifiques à un logiciel posent souvent des problèmes de compatibilité quand de nouvelles versions arrivent sur le marché. Par exemple, les fichiers PSD de Photoshop 7.00 perdent des données s'ils sont ouverts sur une version plus ancienne.

PDF

Lorsqu'Adobe a créé le format PDF (Portable Document Format), il a projeté la PAO (Publication assistée par ordinateur) dans l'ère de l'Internet. Une fois les documents mis en pages dans un logiciel comme Xpress ou InDesign, ils peuvent être convertis en images en les enregistrant en PDF avec Acrobat Distiller. Le PDF est un format facile à transférer en réseau, et qui peut être consulté avec un logiciel gratuit, Acrobat Reader. Les fichiers PDF sont lisibles sur PC et Macintosh et, grâce à leur petite taille, ils sont devenus le moyen standard utilisé pour diffuser des documents de haute qualité qui pourront ensuite être imprimés.

Photo-CD

Le format Photo-CD a été créé par Kodak, qui a décidé d'en garder les droits exclusifs. Par conséquent, la plupart des logiciels de retouche d'images peuvent ouvrir les fichiers Photo-CD, mais aucun ne peut enregistrer dans ce format. Les films argentiques peuvent être développés, scannés et enregistrés dans le format Photo-CD par la majorité des laboratoires photo. Le format Picture CD de Kodak, de moindre qualité, est un produit intermédiaire destiné au grand public ; il est basé sur un format JPEG, qualité faible (correspondant à un taux élevé de compression).

Archivage du fichier d'origine

Les images scannées ou transférées d'un appareil numérique doivent être stockées dans un format de fichier stable. Il vaut mieux les enregistrer en TIFF et en mode RVB, plutôt qu'en CMJN. Si le mode CMJN est requis, il est conseillé d'archiver une version RVB. Quand les trois couches RVB sont converties en quatre couches CMJN, la couche noire est inventée. Le processus inverse, c'est-à-dire une reconversion de CMJN en RVB, peut s'avérer problématique, notamment dans la traduction des zones d'ombre.

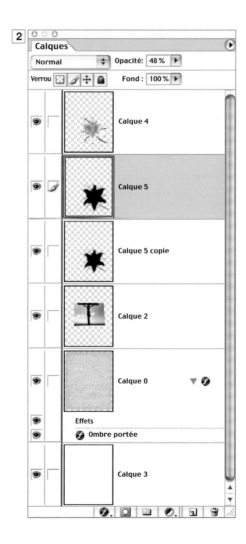

Voir aussi Réglage des fonctions *p. 12-13* / Formats de fichier *p. 86-87* / Compression *p. 88–89* / Prestations des laboratoires *p. 138-139*

Supports de stockage

Pour un débutant, il peut être difficile de s'y reconnaître parmi les différents supports de stockage existants.

CD-R et CD-RW [1]

Les disques compacts inscriptibles sont bon marché et d'une très grande capacité, de 640 à 740 Mo. En vente même dans les grandes surfaces, le CD-R est aujourd'hui aussi répandu que la cassette audio. Il en existe trois types : la face inscriptible est bleue sur les moins chers, argentée sur les disques de qualité moyenne et dorée sur les meilleurs. Ces derniers sont supposés être plus fiables, mais les moins chers sont d'une qualité tout à fait acceptable. Un CD-R n'est pas réinscriptible mais, en choisissant l'option Session, on peut graver plusieurs sessions successives. Les disques gravés une seule fois et donc protégés en écriture présentent moins de problèmes de compatibilité entre les plates-formes Mac et PC. Les CD-RW ont les mêmes caractéristiques avec en plus la possibilité d'être effacés et regravés.

Ils ont cependant tendance à engendrer davantage d'erreurs et de problèmes de compatibilité. Tous les ordinateurs (sauf les plus anciens) ont un lecteur de CD-ROM, mais tous n'ont pas un graveur intégré. Il faut manipuler les CD avec soin et éviter en particulier toute exposition à l'eau, au soleil et aux adhésifs. Pour les étiqueter, écrivez avec un feutre de type permanent, et évitez stylo bille et crayon.

Zip Iomega [2]

Le Zip, que l'on peut comparer à une disquette de grande capacité, a été pendant un certain temps le support d'échange et de stockage favori des professionnels des arts graphiques. Plus compact et plus fiable que le Syquest qu'il a remplacé, il est resté relativement cher. Les disquettes Zip sont disponibles en deux tailles : 100 Mo et 250 Mo.

[1]

[2]

Tout comme les disquettes 3.5", maintenant dépassées, les Zip sont composés d'un disque magnétique à l'intérieur d'un boîtier protecteur. Ils sont formatés Mac ou PC et si les Mac récents peuvent lire les Zip formatés PC, l'inverse ne semble pas possible. Les disquettes Zip exigent un lecteur Zip externe ou interne. Les lecteurs externes les plus anciens sont livrés avec un cordon SCSI et les plus récents avec un cordon USB. Le lecteur Zip 100 Mo ne peut pas lire les disquettes de 250 Mo, mais les lecteurs 250 Mo peuvent lire les deux formats. Une attention toute particulière doit être portée pendant la manipulation de ces disquettes afin d'éviter la proximité d'un champ magnétique. Il est impératif de ne pas toucher le disque magnétique et, pour garder les disquettes en bon état, il est conseillé de les formater régulièrement.

Disques durs autonomes et clés USB ⬛3

Albums photo numériques et disques durs autonomes permettent de stocker, sur le terrain, les images capturées avec un appareil photo numérique. Ils sont alimentés par des batteries et leur capacité de 10 à 30 Go leur permet de stocker un très grand nombre de photos (jusqu'à 7 500 !). Grâce à leur petit format, il est facile de leur trouver une place dans le sac de l'appareil. Le produit le plus souple d'emploi est sans aucun doute la clé USB. Assez petite pour être accrochée à un porte-clés, elle peut se brancher sur n'importe quel port USB. C'est un moyen très pratique de transporter des données numériques, mais une façon peu économique d'acheter un support réinscriptible, de plus sa capacité est limitée à 256 Mo.

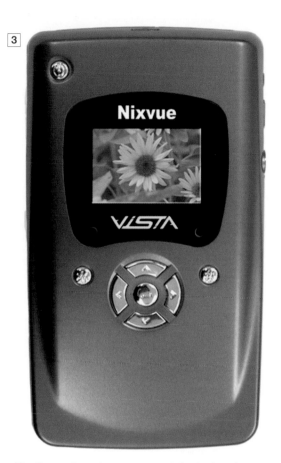

Un disque dur autonome permet de stocker des images, évitant de limiter le nombre de prises de vue.

Encore chère, la clé USB est un moyen pratique de transporter des données numériques.

Voir aussi Classement et archivage des données *p. 84-85* / Connexions et ports *p. 104-105* / Périphériques *p. 106-107*

4 Matériel informatique

Notions de base

Avant de passer à l'action, il est important de savoir comment fonctionne un ordinateur.

Mise en route

Contrairement aux idées reçues, un ordinateur n'est pas doté d'une intelligence propre, il ne peut donc pas être atteint de troubles de la personnalité. Dès sa première mise en route, ses réactions sont déterminées par les commandes qu'il reçoit. Comme une voiture, un ordinateur doit être piloté avec précaution et il a besoin d'un entretien régulier pour rester en bon état de marche. On transmet les commandes à un ordinateur par une souris et un clavier ; il s'agit des périphériques d'entrée qui transmettent les instructions de l'utilisateur à la machine. Malgré les innombrables trucs et astuces qui permettent d'améliorer les données brutes, rien ne vaut une bonne qualité de départ des données que l'on va traiter.

Hardware

Il s'agit des composants physiques de l'ordinateur : le disque dur, le clavier et la carte mémoire. Ce matériel détermine les performances de l'ordinateur qui est piloté par un système d'exploitation et des logiciels. En informatique, les innovations sont permanentes ; heureusement, on peut facilement remplacer les éléments dépassés par d'autres plus performants, assurant ainsi à un ordinateur une durée de vie d'au moins cinq ans. Comme pour une automobile, la plupart des composants sont modulables, ce qui permet tant aux fabricants qu'aux utilisateurs de choisir entre plusieurs configurations, modèles et prix. Les ordinateurs les moins chers sont de moins bonne qualité ou moins rapides que les modèles de marques connues dont la fiabilité a été testée.

Le iMac d'Apple est un bon ordinateur compact sur lequel on peut effectuer de la retouche d'images avec les logiciels adéquats.

Software

Le software ce sont les programmes ou logiciels utilisés pour traiter des données afin d'obtenir le résultat final souhaité. Même l'écran de démarrage, qui apparaît dès la mise sous tension de l'ordinateur, est un logiciel : Windows XP sur PC, OSX sur Macintosh ; c'est le système d'exploitation de l'ordinateur. Les logiciels sont conçus pour des tâches spécifiques – traitement du texte ou de l'image, navigation sur Internet –, ils ont tous été créés pour aider l'utilisateur en lui donnant des outils qui faciliteront sa tâche. Les logiciels les moins chers rendent des services limités ; quant à ceux qui sont fournis avec l'ordinateur (toute une ribambelle de logiciels plus alléchants les uns que les autres), leurs résultats sont peu probants en ce qui concerne le traitement de l'image.

Utilisation rationnelle

Pour tirer le meilleur profit d'un ordinateur, il faut ne pas installer ou désinstaller n'importe comment les logiciels et nommer, classer et archiver avec soin fichiers et dossiers. La plupart des problèmes qui surviennent sont dus à une incompatibilité entre différents logiciels ou encore à l'utilisation d'une nouvelle version d'un logiciel sur un système d'exploitation ancien. Une connexion Internet est indispensable dès le départ ; elle permet de consulter le site du fabricant et d'avoir accès à une aide en ligne pour résoudre les problèmes de base.

Voir aussi Composants Internes *p. 98-99* / Plates-formes et systèmes d'exploitation *p. 100-101* / Configurer son poste de travail *p. 102-103*

Le PC Silicon Graphics 02 + est doté d'un processeur extrêmement rapide.

Composants internes

Ne vous laissez pas déstabiliser par le jargon informatique, vous allez vite apprendre la différence entre un processeur et un périphérique, la RAM et la VRAM…

Le processeur 1

Le moteur de l'ordinateur, le processeur, est installé dans la carte mère. Son rôle est de faire des calculs à très grande vitesse. Les types de processeurs les plus courants sont Intel Pentium, Athlon et Apple G4. Leur vitesse est mesurée en mégahertz (MHz) ou en gigahertz (GHz), ce qui correspond à un million ou à un milliard de calculs par seconde. Les logiciels professionnels de retouche d'images qui effectuent des opérations complexes sont plus performants sur les ordinateurs ayant un processeur rapide. Certains ordinateurs sont dotés de deux processeurs.

Voir aussi Classement et archivage… *p. 84-85* / Notions de base *p. 96-97* / Configurer son poste de travail *p. 102-103*

RAM (Random Access Memory) 2

La RAM ou mémoire vive est un composant interne de l'ordinateur fixé sur la carte mère. Sa fonction est de stocker temporairement les données quand l'ordinateur est en marche et les logiciels actifs. Les données contenues dans la mémoire vive sont perdues si elles n'ont pas été enregistrées avant d'éteindre l'ordinateur ou si ce dernier « plante ». Un fichier contenant une image comporte un très grand nombre de données – plusieurs mégaoctets –, il a donc besoin pour être ouvert dans un logiciel d'une grande quantité de mémoire vive. 256 Mo semble le bon chiffre de base, sachant qu'un ordinateur possédant un processeur très rapide sera ralenti par une mémoire vive insuffisante. On peut ajouter des barrettes de mémoire sur la plupart des ordinateurs.

1

Il est facile d'ajouter des composants au G4 d'Apple grâce à son système d'ouverture simple.

VRAM (Video Random Access Memory) [3]

La façon d'afficher les couleurs d'un ordinateur
dépend moins de son moniteur que de la mémoire
vidéo (VRAM) incluse sur sa carte graphique.
Ce composant a été conçu essentiellement pour
permettre de visionner des photos en millions de
couleurs. Un grand écran demande une meilleure
carte graphique pour gérer la taille plus grande de la
zone d'affichage. Pour un bon affichage des couleurs,
les images numériques devraient être affichées en
millions de couleurs avec une résolution d'écran
de 1 024 ou plus. La plupart des ordinateurs sont
livrés avec une carte graphique de 32 Mo, largement
suffisante pour un affichage convenable des images.

Disque dur

Il sert au stockage des logiciels et des documents.
Un disque dur peut être comparé à une bibliothèque
dans laquelle les livres sont classés avec soin. Les
disques durs actuels disposent d'énormes capacités
de stockage, ± 120 Go, et leur vitesse variable peut
atteindre 7 200 tours/minute. Plus le disque tourne
rapidement, plus on a un accès rapide aux données
et plus l'enregistrement est rapide. À l'intérieur
de la plupart des ordinateurs, l'emplacement
d'un disque dur supplémentaire est prévue,
ce qui permet d'augmenter considérablement,
voire de doubler la capacité de stockage.

Bus

Le bus est le système d'intercommunication
des éléments de l'ordinateur, il est sur la carte mère.
La vitesse d'interconnexion de ce réseau interne
détermine la vitesse de transfert des données d'un
composant à l'autre. Les données circulent le long
de câbles, telles des automobiles sur une autoroute :
plus large et plus droite est la voie, plus il est possible
de rouler vite. Tout comme la connexion sur Internet,
les connexions internes d'un ordinateur influencent
la vitesse à laquelle il peut travailler.

[3]

Plates-formes et systèmes d'exploitation

Il y a de plus en plus de passerelles entre PC et Macintosh, aussi devient-il de plus en plus rare de regretter le choix de plate-forme que l'on a fait.

Voiture à pédales ou formule 1 ? 1

Dans l'univers de la photographie numérique, le choix se fait entre deux plates-formes : les Macintosh d'Apple, au design attrayant, et la gamme étendue des PC. Si le PC, avec son système d'exploitation Windows, est l'ordinateur le plus vendu dans le monde, le Mac est le standard des professionnels des arts graphiques. Le succès d'Apple repose sur sa tradition d'innovation technologique en partenariat avec certains des grands concepteurs de logiciels, comme Adobe. Les PC les moins chers sont assemblés par une multitude d'entreprises différentes ; il arrive qu'une incompatibilité dans la configuration ne soit repérée que lorsque la machine tombe en panne. Les Mac, au contraire, sont fabriqués avec des composants standards, il est donc peu vraisemblable qu'un élément ajouté ne fonctionne pas. Les meilleurs PC sont fabriqués par des marques connues (Toshiba, HP et Sony, entre autres).

Il faut noter que les virus qui ont tendance à se multiplier, diffusés par Internet, sont peu actifs sur les ordinateurs Apple et visent essentiellement les PC, sur lesquels ils sont particulièrement nocifs.

Systèmes d'exploitation

Windows 95, 98, 2000, NT, XP, Mac OS 9, OSX, Linux et Unix sont autant de systèmes d'exploitation différents. Le rôle du système d'exploitation est d'assurer la communication entre la machine et les logiciels. Les systèmes d'exploitation déterminent l'apparence du bureau de l'ordinateur et sont en permanence redessinés pour simplifier cet environnement de travail et y adapter les dernières avancées technologiques. Microsoft et Apple effectuent une fois par an des mises à jour importantes et font régulièrement de légères révisions. Ces petites mises à jour sont généralement la correction des imperfections constatées à l'usage et elles peuvent être téléchargées

1.1

Le G4 est un ordinateur Apple.

1.2

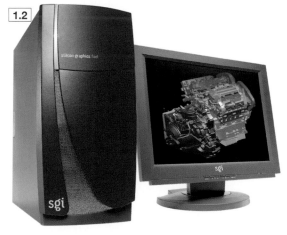

Le PC Silicon Graphics utilise Windows.

gratuitement sur le site du fabricant. Certains périphériques sont conçus pour fonctionner avec un seul système d'exploitation et une version bien précise, des mises à jour du logiciel de pilotage sont en général téléchargeables gratuitement.

Logiciels

Peu de logiciels ont été conçus exclusivement pour Mac ou pour PC et la plupart des outils professionnels, comme Photoshop, fonctionnent sur les deux plates-formes. Il faut acheter la version compatible avec son ordinateur, sachant qu'une licence n'est pas installable indifféremment sur l'une ou l'autre plate-forme. Une fois installé, en revanche, le logiciel permettra l'échange de fichiers entre les deux systèmes. Si vous travaillez sur un PC au bureau et si vous avez un Mac chez vous, vous pourrez transférer les fichiers d'un ordinateur à l'autre, en utilisant des supports amovibles formatés pour PC et en ajoutant au nom du fichier l'extension requise pour la lecture sous Windows.

À l'utilisation de supports amovibles on peut préférer l'envoi des fichiers par e-mail ; dans ce cas, l'indispensable extension de fichier doit également être utilisée. La règle d'or pour la préparation de supports amovibles que l'on compte utiliser sur les deux plates-formes est le formatage pour PC. Les Zip et disquettes peuvent être créés au format DOS qui est compatible avec Windows, et les CD-R et CD-RW au format universel ISO 9660. Les Mac peuvent lire ou écrire sur les supports formatés pour Mac ou PC, alors que les PC ne reconnaissent que les supports formatés DOS ou ISO 9660. Cependant, les deux systèmes d'exploitation peuvent partager un réseau en commun, ce qui facilite le transfert des fichiers.

Voir aussi Classement et archivage des données *p. 84-85* / Formats de fichier *p. 86-87* / Notions de base *p. 96-97* / Configurer son poste de travail *p. 102-103*

Photoshop fonctionne aussi bien sur Mac que sur PC.

Configurer son poste de travail

Le choix de la bonne configuration d'un ordinateur garantit que tous les composants pourront être utilisés au maximum de leur potentiel.

Organiser le bureau

Il est essentiel d'établir, dès le départ, un système cohérent de rangement des documents et des logiciels. Un ordinateur est vendu avec une organisation préétablie des fichiers qui devrait être respectée tout au long de son utilisation. Dans un PC, les logiciels doivent être installés dans le répertoire C>Program files et, dans un Macintosh, dans le dossier Applications. Un dossier « images » sera créé et subdivisé en deux dossiers, l'un appelé « originaux » et l'autre « en cours ». Il est préférable en effet de garder séparément les images originales, brutes, et celles qui sont retouchées ou en cours de retouche.

Optimiser les logiciels　　　　1

Après avoir installé un logiciel et avant de l'utiliser, certains réglages sont nécessaires pour optimiser ses performances. Il faut commencer par vérifier ou régler ses préférences. Les deux préalables avec un logiciel gourmand en mémoire comme Photoshop sont, d'une part, de créer un disque de travail et, d'autre part, de définir l'allocation de mémoire. La mémoire vive (RAM) installée sur l'ordinateur est à partager entre le système d'exploitation et les logiciels ouverts. On peut gérer l'allocation de mémoire attribuée à chaque logiciel, ce qui revient à partager un gâteau entre plusieurs enfants affamés. Il est recommandé d'attribuer à Photoshop une mémoire cinq fois supérieure à la taille du plus gros fichier qu'il aura à traiter : pour une image de 30 Mo, il faut donc une mémoire de 150 Mo.

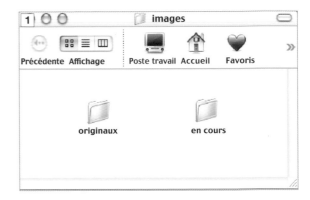

Attribution de mémoire sur Windows

Ouvrir le logiciel, Photoshop ou Photoshop Elements, et choisir Édition>Préférences>Image & Mémoire cache. Déplacer le curseur vers la droite pour atteindre le chiffre désiré.

Attribution de mémoire sur OS X　　　2

Ouvrir le logiciel, Photoshop ou Photoshop Elements, et choisir Photoshop (ou Photoshop Elements)>Préférences>Image & Mémoire cache. Ensuite, déplacer le curseur vers la droite pour atteindre le chiffre désiré.

Attribution de mémoire sur OS 8 ou 9

Sur les Mac qui sont encore en système 8 ou 9, la mémoire allouée à un logiciel ne peut être modifiée que quand le logiciel est fermé. Cliquer sur l'icône

Voir aussi Classement et archivage des données *p. 84-85* / Notions de base *p. 96-97* / Composants internes *p. 98-99* / Postes de travail *p. 112-119*

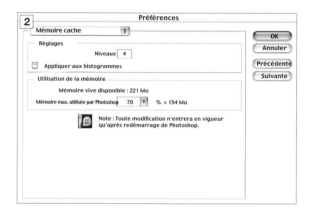

du logiciel, choisir ensuite Fichier>Lire les informations>Mémoire. Régler la mémoire, fermer, lancer l'application.

Utiliser plusieurs logiciels en même temps

Si plusieurs logiciels sont ouverts en même temps, il faut que les quantités de mémoire allouée à chaque logiciel (y compris au système d'exploitation) n'excèdent pas la valeur totale de la RAM. Si tel était le cas, il faudrait prévoir d'ajouter de la mémoire ou réduire la quantité allouée à chaque logiciel.

Disque de travail

Quand Photoshop a épuisé le quota de mémoire vive qui lui est attribué, il utilise de la mémoire virtuelle qu'il va chercher dans le disque dur. Il transfère les données vers un secteur du disque dur appelé disque de travail. Il s'agit d'une partie du disque dur réservée à cette utilisation. C'est une bonne idée de créer un disque de travail, c'est-à-dire de réserver une partie du disque dur qui ne sera pas sollicitée par une autre tâche. Si votre budget le permet, le mieux est d'installer un second disque dur.

Choisir le disque de travail sur Windows

Ouvrir le logiciel, Photoshop ou Photoshop Elements, et choisir Édition>Préférences>Modules externes et disques de travail. Choisir le disque « C » (ou le disque de travail si vous en avez créé un) comme disque 1.

Choisir le disque de travail sur OS X

Ouvrir le logiciel, Photoshop ou Photoshop Elements, et choisir Photoshop (ou Photoshop Elements)> Modules externes et disques de travail. Choisir Macintosh HD (ou le disque de travail si vous en avez créé un) comme disque 1.

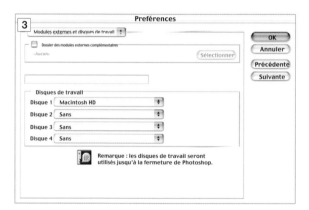

Choisir le disque de travail sur OS 8 ou 9

Ouvrir le logiciel, Photoshop ou Photoshop Elements, et choisir Édition>Préférences>Modules externes et disques de travail. Choisir Macintosh HD (ou le disque de travail si vous en avez créé un) comme disque 1.

Connexions et ports

Les ports sont des sortes de prises qui permettent de brancher des périphériques sur l'unité centrale. Ils déterminent la vitesse d'entrée et de sortie des données.

Périphériques essentiels [1]

Tout ordinateur possède des ports spécifiques pour le moniteur, le clavier et la souris. D'autres ports permettent le branchement de haut-parleurs externes, la sortie vidéo vers un projecteur, un deuxième moniteur et le branchement de périphériques, imprimante et scanner, entre autres. Les connecteurs sont différents sur Mac et sur PC, mais il existe des adaptateurs.

[1]

Transfert de données

Les appareils photo numériques sont de plus en plus perfectionnés et il se vend de plus en plus de caméscopes numériques ; le transfert rapide de données devient donc essentiel, d'autant plus que beaucoup d'appareils génèrent des images dépassant 20 Mo. Il existe trois types de connexion qui sont, de la plus lente à la plus rapide : SCSI, USB et FireWire.

[2]

SCSI (Small Computer System Interface) [2]

C'est le plus ancien des trois modes de connexion, il dispose actuellement de quatre vitesses de transfert : SCSI-1, SCSI-2, SCSI-3 et le plus rapide de tous : SCSI-II. Les câbles SCSI se terminent par une fiche rectangulaire dotée de broches qui s'insèrent dans une borne femelle. On ne peut pas interrompre une connexion SCSI sans éteindre l'ordinateur. Les périphériques branchés sur un port SCSI peuvent être connectés entre eux, à condition que chacun ait un numéro d'identification. La vitesse de transfert n'excède pas 10 à 40 Mops (mégaoctets par seconde).

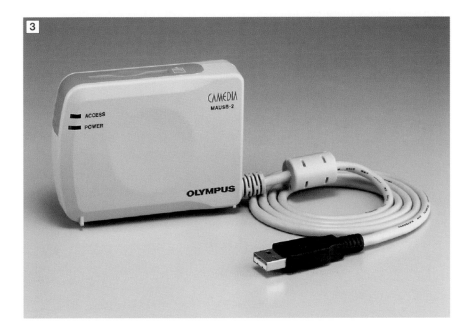

La plupart des appareils photo numériques, scanners, imprimantes et ordinateurs actuels sont équipés de la connexion USB.

Voir aussi Anatomie d'un appareil photo numérique *p. 10-11* / Connexion à un ordinateur *p. 36-37* / Périphériques *p. 106-107*

USB (Universal Serial Bus)

La connexion *via* un port USB est actuellement le standard des appareils photo numériques et des scanners. Le câble est plus facile à brancher et il n'est pas nécessaire d'éteindre l'ordinateur pour établir la connexion. Les Mac les plus récents sont dotés de deux ports USB sur le clavier, ce qui évite de faire des contorsions pour aller brancher un périphérique à l'arrière de la machine. On peut aussi, pour un accès plus facile, utiliser un hub (répartiteur de connexion) sur lequel on pourra connecter plusieurs périphériques. L'aspect le plus innovant concerne l'alimentation qui peut être fournie par le port USB. Ainsi, certains scanners n'ont plus besoin d'être branchés sur le secteur. La version USB 1.1, qui permet de transférer des données à une vitesse de 12 Mops, est encore la plus courante ; la dernière version, l'USB 2.0, encore rare, peut atteindre des vitesses de transfert de 480 Mops.

FireWire

Également appelé IEEE 1394, FireWire permet de transférer des données à la vitesse de la lumière. Seuls les scanners, les appareils photo et caméscopes numériques haut de gamme sont dotés d'un port FireWire. Comme les ports USB, les ports FireWire peuvent servir d'alimentation à des périphériques. FireWire est présent sur les Mac les plus récents ; sur les PC on le trouve uniquement chez les meilleurs fabricants, Sony, HP et Compaq.

Ajouter des cartes d'extension

Il est tout à fait possible d'installer un port USB ou FireWire à un ordinateur qui n'en possède pas dans le but de connecter des périphériques récents. Les cartes à installer dans l'ordinateur ne coûtent pas très cher. À l'intérieur de la plupart des ordinateurs, il y a des emplacements (slots) vacants, prévus pour l'ajout de cartes PCI. Ces cartes sont faciles à installer et plus pratiques que les adaptateurs ou câbles de connexion externes.

Périphériques

La configuration informatique requise pour traiter des images numériques regroupe des périphériques d'entrée, de sortie et de stockage des données.

Scanner à plat [1]

Même les scanners à plat les moins chers sont en mesure de capturer plus de données qu'il n'en faut pour imprimer de superbes images avec une imprimante à jet d'encre. Un scanner à plat permet de capturer des documents : photographies, dessins, peintures et même pages de magazine, et de les transformer en images numériques. Les meilleurs scanners sont fabriqués par les marques d'appareils numériques ou de scanners professionnels, dont Umax, Epson et Heidelberg. Les appareils multifonctions – scanner/fax/imprimante ou scanner à plat/scanner de film – sont de moins bonne qualité.

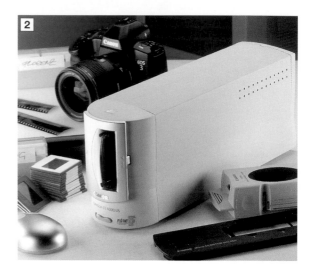

Scanner de film [2]

Un scanner de film est conçu pour numériser des négatifs couleur et noir et blanc et des diapositives. Il coûte six fois plus cher qu'un scanner à plat premier prix. Sachant que la plupart des scanners à plat peuvent maintenant numériser les films négatifs et positifs et qu'un scanner milieu de gamme permet d'imprimer des images A 4 d'une qualité tout à fait satisfaisante, on peut suggérer qu'un scanner de film s'adresse surtout aux professionnels et aux amateurs avertis. Mais la différence des résultats obtenus avec les deux types d'appareils n'est plus significative.

Imprimante à jet d'encre 3

Une bonne imprimante à jet d'encre coûte désormais moins cher qu'une vingtaine de pellicules !
Son utilisation non plus n'est pas très coûteuse. Ces imprimantes comportent de quatre à sept cartouches de couleurs différentes. En général, plus il y a de couleurs, plus la qualité de l'impression est bonne. Des buses projettent des gouttelettes d'encre sur un support et si l'on choisit du papier photo, le résultat n'aura rien à envier aux photos traditionnelles. Les imprimantes récentes peuvent se connecter directement aux appareils photo et elles sont capables de lire les cartes mémoire amovibles sans passer par un ordinateur.

Voir aussi Classement et archivage… *p. 84-85* / Supports de stockage *p. 92-93* / Connexions et ports *p. 104-105* / Scanners *p. 124-127* / Imprimantes à jet d'encre *p. 242-243*

3

Lecteur de carte mémoire

Un lecteur de carte mémoire numérique accélère le transfert des données et économise ainsi les batteries de l'appareil. Il s'affiche sur le bureau de l'ordinateur comme un disque externe, éliminant le besoin d'un navigateur pour la prévisualisation des images numériques avant le transfert. Les meilleurs lecteurs sont dotés d'un port USB ou FireWire ; l'adaptateur FlashPath, qui ressemble à une disquette, est extrêmement lent.

Unité de stockage externe

Il est conseillé de connecter à l'unité centrale un disque externe qui sera consacré à la sauvegarde et à l'archivage des données. Stocker ailleurs que sur le disque dur des fichiers volumineux qui ne sont consultés que ponctuellement allégera le fonctionnement de l'ordinateur. Les meilleurs modèles sont les disques durs FireWire de très grande capacité. On peut aussi inclure dans le réseau un ordinateur plus ancien et utiliser son disque dur comme unité de stockage.

Connexion à Internet

La plupart des ordinateurs récents sont équipés d'un modem interne de 56 K pour se connecter sur Internet. La qualité de la prestation du fournisseur d'accès est encore plus importante. Le prix de l'Internet haut débit ayant considérablement baissé, il est possible d'envoyer des images haute résolution sans avoir à les compresser.

Moniteurs

Inutile d'espérer imprimer des images de qualité, si un bon moniteur n'est pas inclus dans le poste de travail.

Au sein d'une palette très étendue, l'œil humain est capable de percevoir de subtiles variations de nuance ; un écran d'ordinateur est bien plus limité. Il existe deux types de moniteurs : le classique écran CRT à tube cathodique et l'écran plat TFT, appelé aussi écran LCD. Comparable à un objectif photo de qualité, un bon moniteur permet l'affichage d'images nettes aux couleurs proches de la réalité.

La fidélité des images reproduites sur le papier ou affichées sur un écran a pour limites les caractéristiques du périphérique d'impression ou d'affichage et il y a toujours une différence avec la version originale. L'image affichée sur l'écran ne sera jamais parfaitement identique au résultat final imprimé, autant accepter cette idée dès le départ. L'impression devrait être de meilleure qualité que l'affichage, car même un écran haute résolution ne peut afficher les nuances des zones de basses lumières ni les très hautes lumières.

Taille et marque [1]

Pour utiliser un logiciel de retouche d'images, il est essentiel de prévoir un grand écran. Photoshop, par exemple, comporte de plus en plus de menus déroulants et de boîtes de dialogue, laissant peu de place pour la fenêtre de travail. Effectuer des montages complexes et même tout simplement retoucher une image n'est pas facile sur un petit écran ; si votre budget est limité, il vaut mieux investir dans un écran 19 pouces plutôt que dans un processeur ultrarapide. Choisissez de préférence un moniteur d'une marque connue, comme Sony, Mitsubishi ou LaCie, ou un produit moins cher, mais équipé d'un tube cathodique de qualité, Diamondtron ou Trinitron. Un moniteur avec un tube plus plat sera un peu plus cher, mais évitera les distorsions sur les bords. Un moniteur TFT coûte environ trois fois plus cher qu'un moniteur CRT, mais il prend beaucoup moins de place. Il faut bien choisir son emplacement

1.1
Écran plat (TFT)
Silicon Graphics,
très haute résolution.

afin d'éviter les reflets. La taille réelle de l'affichage subit moins de perte sur un écran TFT que sur un CRT : un TFT 15 pouces (38 cm) équivaut pratiquement à un CRT 17 pouces (43 cm).

Installation

Il est impératif de positionner le moniteur à une hauteur et à une distance confortables à la fois pour les yeux et pour la nuque. Il faut éviter la proximité d'une source lumineuse trop forte qui pourrait créer des reflets sur la surface de l'écran et compromettre la correction des couleurs et de la luminosité. Certains moniteurs professionnels, comme ceux de LaCie, sont équipés d'un capot qui empêche la lumière directe d'atteindre l'écran. Il vaut mieux que la pièce soit sombre plutôt que trop éclairée. Les professionnels installent un éclairage ambiant discret.

Entretien

Tout comme un objectif, un moniteur reproduira moins fidèlement les couleurs s'il est couvert de traces de doigts. Il faut éviter de toucher la surface d'un écran CRT, pour ne pas endommager la pellicule qui le protège. Nettoyez les traces de doigts apparentes avec un chiffon antistatique ou un chiffon prévu pour nettoyer les lunettes ; surtout n'utilisez jamais de détergent. Les écrans CRT ont une durée de vie déterminée : une fois que certains phosphores ont perdu leur efficacité, les couleurs ne sont plus affichées correctement. Les écrans LCD sont très fragiles et se rayent facilement.

Voir aussi Configurer son poste de travail *p. 102-103* / Calibrage d'un moniteur *p. 110-111* / Postes de travail *p. 112-117*

1.2
Ce moniteur classique (CRT) LaCie assure une reproduction fidèle des couleurs.

Calibrage d'un moniteur

Une fois installé, un moniteur doit être réglé minutieusement en fonction de son utilisation.

Couleur [1]

Un écran peut être réglé pour afficher un nombre fixe de couleurs, sans tenir compte de la profondeur de couleur de l'image affichée. Généralement, trois réglages sont disponibles : 256 couleurs, milliers de couleurs, millions de couleurs. Il vaut mieux éviter de visionner des images en dessous de milliers de couleurs, mais un affichage de millions de couleurs n'est pas nécessaire, car une telle finesse de résolution ne sera pas reproduite à l'impression.

Résolution [2]

Plusieurs résolutions d'écran sont disponibles en fonction de la carte graphique installée sur l'ordinateur. Ces résolutions sont mesurées en pixels et mentionnées comme suit : 640 x 480/VGA, 800 x 600/SVGA, 1 024 x 800/XGA, etc. Plus la résolution est élevée, plus la taille des menus et outils est réduite. Le choix du réglage 1 024 x 800 semble être un bon compromis entre la résolution des images et la taille d'affichage.

Accès aux réglages

Mac OS 8 et 9 : Menu Pomme>Tableaux de bord>Moniteur.
Mac OS X : Menu Pomme>Préférences Système>Affichage.
Windows : Démarrage>Paramètres>Panneau de configuration>Affichage.

Fond d'écran, couleur et éclairage

Ne choisissez pas des motifs complexes ou des couleurs saturées comme fond d'écran. Les couleurs vives influencent la perception que l'on a des couleurs, évitez-les aussi bien sur l'écran qu'à proximité de l'ordinateur. La lumière doit être modérée, l'éclairage au néon est proscrit.

Voir aussi Moniteurs *p. 108-109* / Utiliser les profils colorimétriques *p. 248-249*

Écrans de veille et mode veille

Un écran de veille est une image animée qui empêche qu'une image trop longtemps fixe s'imprime sur l'écran. Les ordinateurs restent parfois inactifs pendant un long temps de pause ; l'écran de veille est activé au bout d'un laps de temps qui a été programmé, cinq minutes, par exemple. Le mode veille est une alternative plus prosaïque à l'image animée de l'écran de veille : le moniteur s'éteint tout simplement au bout d'un certain temps d'inactivité.

Étalonnage des couleurs [3]

L'étalonnage des couleurs d'un moniteur peut être effectué avec un logiciel conçu à cet effet ou encore avec l'outil de calibrage disponible dans le tableau de bord. Le meilleur utilitaire est Adobe Gamma, fourni gratuitement avec la plupart des systèmes d'exploitation et des logiciels de retouche d'images. Adobe Gamma propose un guidage étape par étape pour régler la luminosité, les contrastes et la balance des couleurs. Une fois les réglages effectués, ils sont enregistrés dans un profil personnalisé qui sera activé à chaque ouverture de l'ordinateur.

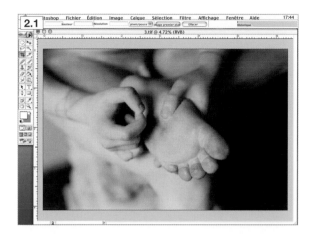

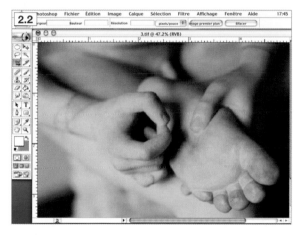

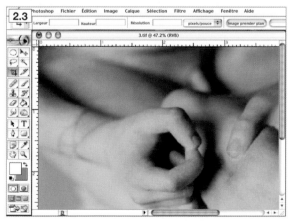

Affichage d'une photo sur un moniteur avec trois résolutions différentes. En haut : SVGA ; au centre : VGA ; en bas : XGA.

La personnalisation des paramètres de gestion des couleurs permet de créer un environnement stable de gestion des couleurs lorsque l'on intervient sur une image. Quand on retouche des images numériques qui doivent être reproduites dans un cadre professionnel, ou imprimées en quadrichromie, il est recommandé d'adopter un profil correspondant à celui qu'utilise le prestataire. Des normes ont été mises au point par un groupe d'industriels des arts graphiques : l'International Color Consortium (ICC). Un profil conforme à la norme ICC, comme Adobe RVB (1998), garantit le maintien de l'intégrité des couleurs quand les images sont transférées d'un système à un autre.

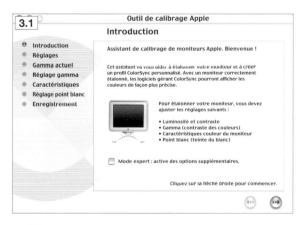

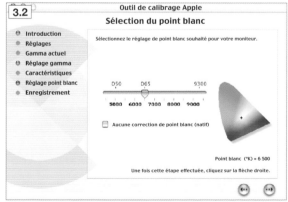

Fenêtres de la boîte de dialogue de l'outil de calibrage Apple, accessible dans les tableaux de bord.

Poste de travail petit budget

Même avec un budget serré, on peut retravailler des images numériques.

Ordinateur et moniteur [1]

La plupart des fabricants soldent les modèles de l'année précédente, d'excellents ordinateurs sont alors disponibles à un prix raisonnable. Un processeur de 450 MHz sera suffisant pour avoir accès à toutes les fonctions des logiciels. Un processeur plus performant ne serait d'aucune utilité si l'acquisition des images numériques a été faite avec un scanner basique ; il n'y aura pas de différence significative dans la qualité de l'image. La mémoire vive minimale doit être de 128 Mo, avec la possibilité d'ajouter des barrettes de mémoire si le budget le permet. L'ordinateur doit avoir un disque dur de grande capacité, au moins 10 à 20 Go, et posséder un port SCSI ou USB, sur lequel on pourra brancher ultérieurement un disque dur externe. Un lecteur de CD-ROM est indispensable pour l'importation des fichiers numériques et l'installation des logiciels. Il faut un moniteur

Le iMac est un excellent ordinateur compact.

d'au moins 17 pouces, d'une marque connue si possible. Il vaut mieux éviter d'acheter un moniteur d'occasion : leur qualité s'altère avec le temps. Les ordinateurs avec écran intégré, comme le iMac d'Apple, représentent un bon choix.

PhotoSuite est un logiciel d'une extrême simplicité, un bon choix pour les débutants.

Logiciels [2]

Il n'est pas indispensable d'acheter dès le départ la dernière version de Photoshop. Il est préférable de faire ses premiers pas sur une version simplifiée, comme Photoshop LE ou Photoshop Elements. Photoshop LE est souvent livré gratuitement avec un scanner ou un appareil photo numérique. Il fonctionne de la même façon que la version complète, mais ne donne pas accès à certaines fonctions. MGI Photosuite est un logiciel de retouche d'images très facile à utiliser et souvent fourni gratuitement. Son inconvénient : il ressemble peu aux logiciels professionnels et lorsqu'on voudra passer à un logiciel plus sophistiqué, il faudra tout réapprendre. Les logiciels de retouche d'images à diffusion confidentielle sont à éviter.

Entrée et sortie de données 3

Il faut prévoir un scanner à plat basique. Il permettra de numériser des documents : photos, dessins, etc. Umax et Canon fabriquent des appareils de bonne qualité dont le prix est abordable. Pour l'impression, préférez une imprimante à jet d'encre, quatre couleurs,

3

Scanner à plat.

Imprimante à jet d'encre, quatre couleurs.

Epson ou Canon, à un modèle sans marque même moins cher. Notez que le papier prévu pour les photocopieurs ne donne pas d'aussi bon résultat que le papier conçu pour les imprimantes à jet d'encre.

Services 4

Pour obtenir des impressions de bonne qualité, il est préférable de confier les fichiers à un laboratoire professionnel, éventuellement en les envoyant par Internet. Si vous utilisez un appareil argentique, pensez à demander que les tirages soient accompagnés d'un CD sur lequel les photos sont numérisées au format Photo-CD de Kodak.

4

Appareil photo numérique, basse résolution.

Évolution

Pour faire évoluer votre poste de travail, guettez les promotions sur les cartes mémoire et les graveurs de CD. Les graveurs externes sont bon marché et ils permettent d'archiver les images originales sur CD.

Voir aussi Pilotage d'un scanner à plat *p. 124-125* / Prestations des laboratoires *p. 138-139* / Logiciels *p. 144-149* / Imprimantes à jet d'encre *p. 242-243*

Poste de travail budget moyen

Avec un budget moyen, on peut mettre sur pied un poste de travail qui n'oblige pas à faire trop de compromis concernant la vitesse, la qualité et le confort de travail.

Compact numérique milieu de gamme.

Ordinateur et moniteur

Préférez un ordinateur d'une marque connue avec des spécifications supérieures à un pack comprenant ordinateur, scanner, imprimante et appareil photo numérique. Accepter de payer un peu plus cher un bon ordinateur permet d'envisager d'y adjoindre par la suite des périphériques de qualité.

La possibilité d'améliorer les performances de l'ordinateur est primordiale ; il faut exiger au moins trois slots PCI inoccupés, pour ajouter des cartes d'extension, deux slots de RAM, pour augmenter la mémoire, et de la place pour un disque dur supplémentaire. Vous n'avez pas besoin du Pentium ou du G 5 le plus rapide, prévoyez plutôt d'augmenter la RAM pour arriver au moins à 256 Mo. Il vaut mieux une barrette de 128 Mo plutôt que deux de 64 pour laisser de la place pour des ajouts ultérieurs de mémoire. Le disque dur doit faire au moins 40 Go et un graveur de CD interne est préférable à un graveur externe. Tous les modèles récents sont dotés de ports USB et FireWire. Achetez un moniteur avec un écran de 19 pouces au moins, d'une bonne marque, avec un tube Trinitron, si c'est un écran CRT, et surtout pas d'occasion.

PaintShop Pro offre une gamme étendue de fonctions.

Photoshop Elements est une version allégée de Photoshop.

Logiciels [1]

Photoshop Elements est un bon logiciel, intégrant de nombreuses fonctions de Photoshop, mais la majorité des outils sont visibles au lieu d'être cachés dans des menus déroulants. PaintShop Pro est un logiciel performant avec un bon rapport qualité/prix, mais qui fonctionne uniquement sur PC. Ces deux logiciels incluent un manuel d'utilisation complet.

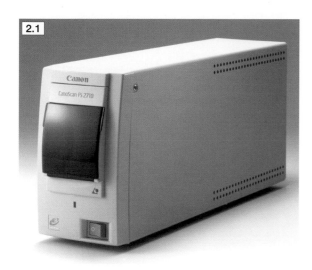

Un film scanné par un sanner de film donnera un résultat de meilleure qualité qu'une photo scannée avec un scanner à plat.

Imprimante à jet d'encre, qualité photo.

Périphériques 2

Un bon scanner à plat a une résolution minimale de 1 200 dpi, il est compatible avec le protocole TWAIN ou est piloté par une extension de Photoshop. Si votre budget le permet, achetez également un scanner de film. Minolta, Canon et Nikon sont de très bonnes marques. Les modèles d'entrée de gamme sont capables de numériser des films de 35 mm en bandes ou montés en diapositives. Les utilisateurs de film APS (Advanced Photo System) doivent prévoir d'acheter un porte-film spécial. Les scanners de film font ressortir des détails qui parfois ne sont pas visibles sur un tirage papier, mais ils génèrent des fichiers très lourds, de 20 à 30 Mo ; il est donc essentiel de disposer d'un port USB ou SCSI rapide. Pour l'impression, une imprimante à jet d'encre, qualité photo, avec un minimum de six couleurs est préconisée. Pour obtenir des images d'une très grande qualité, avec des couleurs qui faneront moins vite, il faut envisager de doubler le prix d'une imprimante à jet d'encre de base. Les meilleures imprimantes des marques Epson et Canon sont capables d'imprimer sur divers supports : papiers spéciaux, film plastique, et même CD-R. Et bien sûr, il ne faut pas oublier un appareil numérique milieu de gamme, capable de créer des fichiers ayant une résolution qui permettra d'imprimer des images qualité photo au format A 4, muni d'un câble de transfert direct USB, de batteries rechargeables et d'un adaptateur pour se brancher sur le secteur.

Ajouts et évolution

Si vos finances le permettent, achetez la version complète de Photoshop et prévoyez d'ajouter de la mémoire. Un utilitaire, comme Norton, incluant un antivirus vous aidera à conserver votre poste de travail au mieux de sa forme. N'oubliez pas que les PC sont plus sujets à l'attaque des virus que les Mac.

Voir aussi Pilotage d'un scanner à plat *p. 124-125* / Pilotage d'un scanner de film *p. 126-127* / Logiciels *p. 142-147* / Imprimantes à jet d'encre *p. 242–243*

Poste de travail professionnel

Un équipement professionnel s'adresse à ceux qui ont déjà une bonne expérience de la photo numérique.

Reflex numérique haut de gamme.

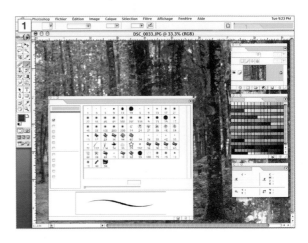

Ordinateur et moniteur

Les professionnels des arts graphiques travaillent plutôt sur Mac que sur PC. Les ordinateurs fabriqués par Apple sont conçus pour gérer des logiciels gourmands en mémoire, comme Photoshop. Avec l'option d'un double processeur pour répartir les lourds fichiers images, le Mac le plus performant surpasse le plus rapide des processeurs Pentium. Dotés d'une fonction de gestion des couleurs (ColorSync) et de ports FireWire, les Mac sont vraiment des outils performants. Il est conseillé d'installer au moins 512 Mo de RAM et un disque dur supplémentaire qui peut être utilisé en tant que disque de travail. Un graveur de CD-RW rapide (52 x) est essentiel pour graver les fichiers et un lecteur Zip interne de 250 Mo peut être utile pour recevoir des fichiers de l'extérieur. Choisissez un moniteur haut de gamme, LaCie ou Mitsubishi, muni d'un dispositif de calibrage des couleurs pour être sûr que le travail sera toujours visionné dans les meilleures conditions. Quant aux réfractaires à Macintosh, ils porteront leur choix sur un ordinateur Silicon Graphics.

Logiciels [1]

Photoshop est vraiment la seule option, car c'est le logiciel qui offre le meilleur contrôle de la gestion des couleurs, fonction qui n'est pas parfaitement assurée par les logiciels de retouche d'images moins perfectionnés. Pour créer des pages web, le logiciel associé ImageReady fournit les outils nécessaires à la compression, l'animation et l'édition des images. Des extensions (plug-in) très utiles, telles que PhotoFrame et Mask Pro, ajoutent des fonctionnalités qui satisferont les plus exigeants. Portfolio – conçu par Extensis, comme les deux extensions précédentes – sert à cataloguer les fichiers images.

Voir aussi Les reflex numériques p. 26-27 / Les scanners p. 124-127 / Adobe Photoshop p. 142-143 / Imprimantes à jet d'encre p. 242-243

2.1

Scanner à plat haut de gamme.

2.2

Scanner de film moyen format.

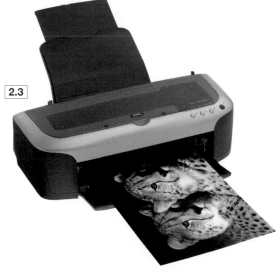

2.3

Imprimante à jet d'encre à encres pigmentées.

Périphériques 2

Un scanner de film haut de gamme Nikon, capable de traiter les films moyen format, peut coûter aussi cher que la totalité de la configuration informatique, mais c'est un investissement à prévoir si le traitement d'images fait partie de votre activité professionnelle. Muni d'un capteur haute résolution, ce type de scanner peut créer des fichiers dépassant les 80 Mo et numériser n'importe quel type de film quelles que soient ses dimensions. En ce qui concerne les scanners à plat, les modèles milieu de gamme, Heidelberg ou Umax, intègrent le logiciel de numérisation Silverfast et une plage dynamique supérieure à la moyenne pour gérer les originaux difficiles. Pour des impressions de qualité résistant au temps, la meilleure option est une imprimante à jet d'encre six couleurs à encres pigmentées. Pour envoyer et recevoir des images haute résolution par Internet, il faut impérativement avoir l'ADSL, éventuellement par le câble. Quant à l'appareil, un reflex numérique haut de gamme, Nikon ou Canon, équipé d'une carte Microdrive et accompagné d'un bon assortiment d'objectifs assurera une capture d'images optimale.

Ajouts et évolution

Les différents éléments de cette configuration sont suffisamment perfectionnés et performants pour répondre longtemps à vos exigences. Vous pouvez envisager l'achat d'un disque dur externe de grande capacité pour faire une copie de sauvegarde des travaux importants, ainsi que d'un logiciel de sauvegarde automatique. Un onduleur évitera de perdre des données importantes en cas de microcoupure de courant.

Poste de travail mobile

Un équipement composé de matériel portable permet au photographe de travailler à l'extérieur sans avoir à retourner chez lui.

Ordinateur portable [1]

Achetez un ordinateur portable de la marque Apple, Sony ou Compaq. Si vous avez le choix entre plusieurs tailles d'écran et si votre budget le permet, prenez le plus grand écran, vous pourrez mieux juger de la netteté des images. C'est l'alimentation qui est le point faible des portables : les batteries supportent mal le froid. Dès que vous le pouvez, branchez-le sur le secteur pour économiser les batteries et les recharger. Si vous êtes amené à présenter des projets à des clients, un portable est un outil précieux pour montrer des images, les imprimer, voire les modifier en direct. Un portable muni d'un port vidéo permet d'afficher les images sur un moniteur plus grand, voire de les projeter sur un écran. Un graveur de CD-RW alimenté par un port USB permet de sauvegarder sur place les fichiers importants.

Déplacement à l'étranger

Il est essentiel de disposer de tous les adaptateurs de secteur qui vous permettront de recharger les batteries du portable à l'étranger. Il existe même un kit spécial qui permet l'adaptation d'un jack de téléphone à toutes les prises qui existent dans le monde. Le transfert des données par Internet est la meilleure solution lorsque vous êtes en déplacement ; de votre chambre d'hôtel, vous envoyez vos fichiers compressés et vous les récupérerez dès que vous serez rentré chez vous.

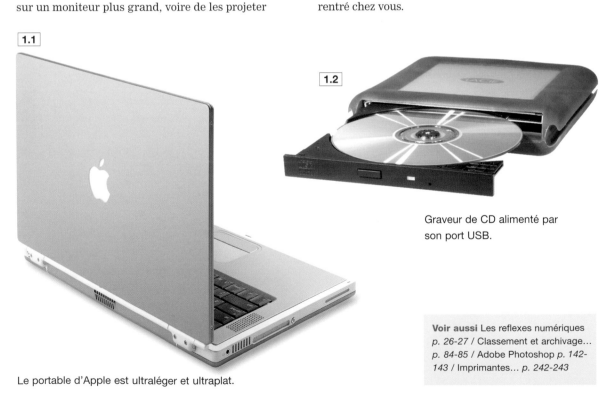

1.1

Le portable d'Apple est ultraléger et ultraplat.

1.2

Graveur de CD alimenté par son port USB.

> **Voir aussi** Les reflexes numériques p. 26-27 / Classement et archivage... p. 84-85 / Adobe Photoshop p. 142-143 / Imprimantes... p. 242-243

Logiciels

Il est peu probable que vous soyez amené à finaliser des images sur le terrain, en revanche, vous aurez peut-être envie de faire des corrections de couleurs. La version complète de Photoshop assure une gestion précise des couleurs et offre la possibilité, par le biais du traitement par lot, d'appliquer des fonctions et des commandes automatiques à une série d'images. Les navigateurs livrés avec les meilleurs appareils donnent accès aux principales fonctions de base – Rotation, Loupe et Recadrage – et utilisent beaucoup moins de mémoire que la version complète d'un logiciel.

Périphériques

En plus d'un reflex numérique de bonne qualité, il est utile de prévoir un lecteur de carte mémoire alimenté par son port USB pour éviter de solliciter les batteries de l'appareil pendant le transfert des images. Si vous souhaitez imprimer sur place, une petite imprimante à jet d'encre, capable de faire des sorties qualité photo de 20 x 27 cm, fera l'affaire et sera facile à loger dans une sacoche. Avant l'impression, assurez-vous que les têtes d'impression sont bien alignées en utilisant le réglage « Aligner les têtes d'impression ». Si des tirages basse résolution suffisent, l'imprimante peut être réglée sur 720 dpi, au lieu de 1 440 ou 2 880 dpi, l'impression sera beaucoup plus rapide.

Ajouts et évolution

Les composants destinés aux portables sont toujours un peu plus chers, c'est entre autres le cas des barrettes de mémoire, vous n'en achèterez peut-être pas tout de suite. Beaucoup de portables peuvent être connectés à un téléphone portable, ce qui permet d'envoyer des images par Internet, même si on est au milieu du désert !

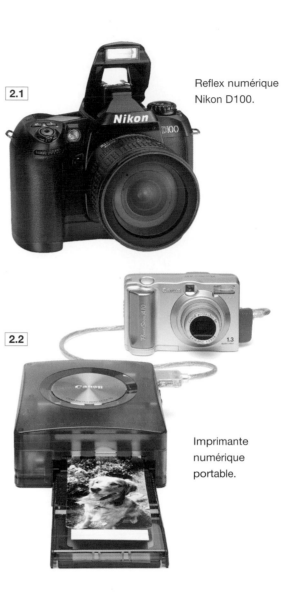

2.1

Reflex numérique Nikon D100.

2.2

Imprimante numérique portable.

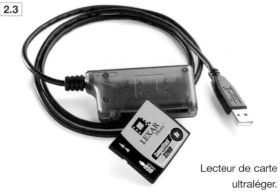

2.3

Lecteur de carte ultraléger.

5 Fonctionnement des scanners

Comment fonctionnent les scanners

Élément clé de tout poste de travail, même le plus modeste, le scanner sert à convertir des tirages papier et des films positifs ou négatifs en images numériques.

Scanner à plat 1

Comme les appareils photo numériques, les scanners à plat possèdent un capteur optique (CCD), mais dont les cellules photosensibles sont disposées en ligne au lieu d'être organisées sur un treillis rectangulaire. Un scanner ressemble à un mini-photocopieur ; son capteur est fixé à un chariot qui se déplace le long de deux rails en un mouvement lent. L'image est éclairée pendant sa capture par une lampe fluorescente située près du capteur. Chaque cellule du capteur crée un seul pixel de l'image numérique finale. On peut également scanner des objets, à condition de pouvoir enlever le capot du scanner. Les scanners récents se connectent à un ordinateur par un port USB ou FireWire ; certains modèles sont alimentés directement par leur port USB et n'ont pas besoin d'être reliés au secteur.

Résolution et qualité

Les scanners à plat sont classés en fonction de leur résolution, qui détermine la qualité de l'image capturée. Cette résolution n'est pas mesurée en mégapixels mais en nombre de pixels par pouce linéaire (2,5 cm). Un scanner qui a une résolution de 600 ppp (on écrit plutôt, improprement, dpi pour dot per inch) générera une image numérique de 2 400 x 3 600 pixels à partir d'un tirage papier de 10 x 15 cm. Ne soyez pas effrayé par ce genre de calcul un peu rébarbatif : les logiciels de pilotage des scanners sont beaucoup moins techniques. Même les scanners d'entrée de gamme (1 200 dpi) créent plus de données que vous ne pourrez en exploiter ; 2 400 dpi, c'est beaucoup plus que ce qu'une imprimante à jet d'encre peut gérer. Les scanners à plat capturent plus de données qu'un reflex numérique et ils représentent un accès facile à l'imagerie numérique de qualité.

Scanner à plat.

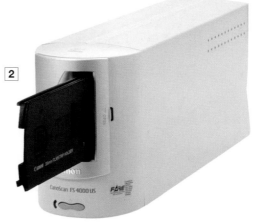

Scanner de film 35 mm.

Scanner de film 2

Les scanners de film sont conçus pour numériser des données à partir d'originaux très petits, en général des bandes de film 24 x 36 mm. Le capteur est intégré dans un boîtier compact. Soit le capteur est fixe, le film passe alors par-dessus, soit il est fixé sur un chariot mobile qui se déplace sur le film. Les scanners de film existent en plusieurs formats : le format le plus courant accepte les films 35 mm (24 x 36) et l'APS ; d'autres modèles acceptent les films 35 mm et 120 ; les scanners professionnels peuvent numériser des films de grand format (10 x 13 cm). Le scanner est livré avec des passe-vues correspondant aux différents types de films qui peuvent être traités. Un scanner de film peut numériser des films négatifs et positifs, couleur et noir et blanc. Dès que le passe-vues est inséré, le scanner entre en action.

Résolution et Dmax 3

La résolution des scanners de film est également mesurée en pixels par pouce linéaire, par exemple 2 800 dpi. Leur résolution est très élevée, grâce à la taille réduite des originaux qu'ils numérisent. On peut parler d'un scanner de bonne qualité à partir d'une résolution de 2 500 dpi, qui permettra l'impression d'une image 27 x 42 cm d'une grande netteté. Pour être capable d'interpréter les variations importantes de densité des films, de lire les détails dans les basses lumières et dans les hautes lumières, les scanners de film doivent avoir une plage dynamique plus étendue que les scanners à plat. La Dmax d'un scanner est la densité maximale théorique détectable ; n'achetez pas un scanner de film qui a une Dmax inférieure à 3,6.

> **Voir aussi** Anatomie d'un appareil photo numérique
> *p. 10-11* / Pilotage d'un scanner à plat *p. 124-125* /
> Pilotage d'un scanner de film *p. 126-127*

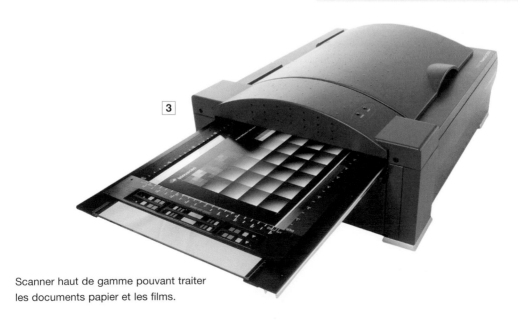

3

Scanner haut de gamme pouvant traiter
les documents papier et les films.

Pilotage d'un scanner à plat

Les scanners à plat et leurs logiciels de pilotage ont un fonctionnement similaire à celui des photocopieurs.

Choix du mode de pilotage

Les scanners peuvent, en général, être pilotés de deux façons : par un logiciel de pilotage autonome ou par un logiciel qui est en fait une extension d'un logiciel de retouche d'images. La première option est moins gourmande en mémoire et il suffit d'appuyer sur un bouton pour lancer le logiciel. L'inconvénient avec cette méthode vient du fait que les fichiers doivent être enregistrés, fermés puis rouverts dans le logiciel de retouche d'images. En pilotant le scanner depuis Photoshop, grâce à une extension (plug-in), l'image numérisée sera directement accessible dans Photoshop, prête à être corrigée ou imprimée.

Logiciel de pilotage

Les logiciels de pilotage des scanners ont deux modes de fonctionnement : normal et avancé. Le mode normal ne propose que peu ou pas de réglages, les images sont numérisées en basse résolution, elles pourront être utilisées sur Internet ou imprimées sur une imprimante à jet d'encre. Le mode avancé donne accès à différents réglages qui déterminent les caractéristiques de l'image, mode d'acquisition et qualité.

Réglages disponibles

Lorsqu'on pépare un original pour le scanner, différentes options peuvent être sélectionnées.

Rectangle de sélection

Cet outil est utilisé pour recadrer l'original, pour ne pas scanner la marge blanche qui l'entoure.

Voir aussi Postes de travail *p. 112-119* / Comment fonctionnent les scanners *p. 122-123* / Scanner *p. 128-137*

Mode image

La terminologie standard utilisée dans les logiciels d'images (RVB, CMJN et niveaux de gris) n'a pas été reprise par les fabricants de scanners. Dans le menu déroulant, les termes utilisés sont couleur RVB, Bitmap (ou trait), Niveaux de gris (ou mono) et Couleur web (ou 256 couleurs).

Résolution

Elle décrit le nombre de pixels par pouce de l'image. Dans le menu du scanner, des valeurs interpolées sont affichées dans une couleur ou un style différent.

Échelle

Tout comme la fonction agrandir/réduire d'un photocopieur, cette option permet de déterminer la taille finale d'une image scannée. Il n'est pas inutile de rappeler qu'en scannant une carte postale on n'a aucune chance d'imprimer une affichette nette.

Exposition automatique

L'exposition automatique, sans réglage manuel, fournit des résultats satisfaisants dans la plupart des cas, après avoir éliminé les zones périphériques en recadrant.

Choix d'un profil

Il vaut mieux éviter de cocher cette option qui propose d'attribuer à l'image scannée un profil de gestion des couleurs, pour éviter de choisir un profil qui ne sera pas compatible avec l'imprimante connectée à l'ordinateur.

Pipette

Les trois options de cet outil permettent de régler les basses lumières, les tons moyens et les hautes lumières.

Cette fonction n'est utile que si l'original présente une plage de couleurs qui n'est pas capturée de façon satisfaisante avec le mode exposition automatique.

Luminosité et contraste
Des changements minimes peuvent être effectués avant de scanner l'original, mais ces valeurs seront réglées avec plus de précision, à un stade ultérieur, dans le logiciel de retouche d'images.

Aperçu
Tous les logiciels offrent la possiblité de tester le résultat de la numérisation sur une fenêtre de prévisualisation ; cela permet d'effectuer les corrections nécessaires avant de scanner le document.

Acquisition
Si l'aperçu correspond au résultat que vous souhaitiez, cliquez sur la commande Scan pour lancer la numérisation. Dès que le document sera scanné, le logiciel de pilotage du scanner se fermera.

Menus déroulants
La plupart des scanners ont des réglages accessibles directement ou dans des menus déroulants, notamment des filtres de détramage ou de renforcement.

Boîtes de dialogue
Les meilleurs logiciels de pilotage proposent des outils supplémentaires, destinés aux utilisateurs expérimentés. Ils sont accessibles dans des boîtes de dialogue comme Niveaux et Courbes, que l'on retrouve sur Photoshop, et qui permettent de corriger le contraste, la luminosité et la couleur. Des originaux peu ou trop contrastés, corrigés au moment de la numérisation, risqueront moins d'être postérisés.

Pilotage d'un scanner de film

Un scanner de film fonctionne comme un scanner à plat, mais avec des fonctions supplémentaires qui permettent de corriger les imperfections des originaux.

Le mode de pilotage

Les scanners de film sont livrés avec leur propre interface qui fonctionne comme un logiciel à part entière ou comme extension de Photoshop. Pour numériser une série de films en haute résolution, il est préférable d'utiliser le mode autonome pour éviter d'encombrer la mémoire vive de l'ordinateur. Il faut prévoir d'installer le plus possible de mémoire vive (RAM) parce qu'une grande quantité de données sera traitée à chaque numérisation. Les scanners se réinitialisent ou s'étalonnent au début de chaque session ; il faut attendre que cette opération soit terminée avant d'introduire le passe-vues. En principe, le logiciel affiche dans un premier temps toutes les vues présentes dans le passe-vues. Chaque image peut être corrigée individuellement avant de lancer la numérisation définitive. Les scanners de film sont équipés d'une connexion : SCSI, USB ou FireWire ; si votre ordinateur a un port FireWire, choisissez ce mode de connexion qui est le plus rapide.

Logiciel de pilotage [1]

L'interface du scanner Nikon affiche une série de contrôles clairs et cohérents qui permettent d'obtenir la meilleure qualité à partir des originaux. La taille de la fenêtre de prévisualisation peut être ajustée selon la taille du moniteur ; il vaut mieux qu'elle soit la plus grande possible, surtout si vous comptez régler les niveaux ou vous servir des outils de la Pipette. Ce logiciel reste actif lorsque la numérisation est terminée, ce qui évite d'avoir à réinitialiser le scanner. Il est recommandé de numériser tous les films à la plus haute résolution disponible et d'enregistrer les images numériques générées sur CD-R pour les archiver. Chaque fois que vous souhaiterez utiliser une de ces images, vous la copierez sur le disque dur, pour pouvoir éventuellement la modifier dans Photoshop, tout comme vous pouvez interpréter un négatif à l'agrandisseur. La numérisation peut être assez longue, scanner les images une fois pour toutes fait gagner du temps.

Réglages disponibles

Mode image

Les trois principaux modes sont : RVB, Niveaux de gris et, sur les meilleurs scanners, le mode CMJN pour l'impression en quadrichromie.

Original

Ce réglage est utilisé pour définir le type de film à numériser : négatif couleur, positif couleur, négatif noir et blanc, positif noir et blanc.

Résolution d'entrée

Ce menu détermine la résolution de l'image numérisée et la taille du fichier généré. La taille du fichier est inversement proportionnelle à la résolution de l'image.

Résolution de sortie

Ce réglage n'a pas d'incidence sur la taille du fichier, mais il règle la résolution de l'image en fonction de l'utilisation qui en sera faite. Si l'image est imprimée sur une imprimante à jet d'encre, la valeur choisie doit être 200 ppp et 300 ppp pour une impression professionnelle en quadrichromie.

Sélecteur d'image

Cette fonction attribue un nombre à chaque image
du passe-vues, pour gérer plus facilement leur
prévisualisation. Vous pouvez sélectionner un groupe
d'images en gardant la touche majuscule enfoncée
et en cliquant sur les images souhaitées.

Commande Prévisualisation

Si on active cette commande après avoir sélectionné
une image, une numérisation simulée mesure
et corrige les contrastes et la luminosité.

Commande Scan

Cette commande active la numérisation. Il est possible
de traiter les images par lots, c'est-à-dire d'attribuer
les mêmes valeurs de réglages à un groupe d'images.

Menus et panneaux de contrôle

En plus des outils des boîtes de dialogue Niveaux
et Courbes et des filtres, les scanners haut de gamme
disposent de trois fonctions de réglages automatiques :
ICE dépoussière l'image et élimine les rayures ;
GEM atténue le grain des films ; ROC reconstitue
les couleurs altérées sur l'original. Si toutes
ces fonctions du mode avancé sont sélectionnées,
la numérisation peut durer quelques minutes,
mais ce sera toujours plus rapide que d'avoir
à corriger manuellement ces défauts dans Photoshop.

Voir aussi Poste de travail professionnel *p. 116-117* /
Comment fonctionnent les scanners *p. 122-123* / Scanner en
niveaux de gris *p. 128-129* / Scanner en couleur *p. 130-131*

Scanner de film
professionnel.

Scanner en niveaux de gris

En suivant quelques règles de base, il est facile de scanner les documents noir et blanc ou monochromes.

Tirages papier [1]

Numériser des tirages photographiques noir et blanc de bonne qualité ne devrait pas poser de problèmes techniques particuliers, même à un débutant. Il s'agit soit de tirages standards effectués par un laboratoire commercial qui traite le tout-venant selon des procédures automatiques, soit de tirages manuels et personnalisés, réalisés en chambre noire. Un tirage standard peut manquer de contraste et présenter des défauts d'exposition, par exemple, des hautes lumières surexposées et des zones sombres bouchées. Ce manque de détail ne peut pas être récupéré par le processus de numérisation. Les meilleurs tirages sont réalisés en chambre noire par des professionnels expérimentés, et même des photographes amateurs, qui prennent le temps de traiter de façon sélective les zones de densité différente. Ce type de documents donnera des images numériques de qualité optimale. Des problèmes peuvent se manifester quand les images sont imprimées sur du papier photo texturé : il peut y avoir une perte de netteté ou bien la texture du papier peut apparaître sur l'image numérique, surtout si le taux d'agrandissement est important.

Voir aussi Modes colorimétriques p. 80-81 / Formats de fichier p. 86-87 / Comment fonctionnent les scanners p. 122-123 / Pilotage d'un scanner p. 124-127

1.1

La densité peut être modifiée en intervenant sur la commande Niveaux. Les différentes valeurs de contraste ont chacune leur attrait.

1.2

Quand on scanne un film, le contraste et la luminosité peuvent être rehaussés avec l'outil Pipette.

Films

Les films noir et blanc ont des caractéristiques qui doivent être prises en compte. Ces films ont une sensibilité qui va en général de 25 ISO à 1 600 ISO, les films lents (ISO 25) ayant un grain beaucoup plus fin que les films rapides. Les films à grain fin donnent de très bons résultats, mais les films à gros grain peuvent manquer de résolution parce qu'il n'y a pas assez de détails sur l'original. Les erreurs simples de surexposition et sous-exposition sont faciles à corriger, mais les négatifs très denses, souffrant d'une surexposition excessive, ne donneront pas de résultats convaincants. Les films noir et blanc chromogéniques, le XP2 d'Ilford, par exemple,

basés sur une technologie de film négatif couleur, et ayant un grain très fin, donnent d'excellents résultats quand ils sont scannés en niveaux de gris.

Préparer les originaux à scanner

Suivant les caractéristiques des originaux à scanner le résultat sera plus ou moins satisfaisant. Les tirages papier ne doivent pas être trop denses, avec des détails bien visibles. Les hautes lumières et les zones sombres pourront être accentuées ultérieurement dans Photoshop. Pour les films, le choix de révélateurs comme Agfa Rodinal ou Ilford LC 29 permettra de relever les contrastes, mais sans densifier l'image, ce qui permettra une exploitation élevée de la gamme des gris et des contours d'une grande netteté. Des problèmes peuvent se présenter quand un film spécialisé, comme le T-Max de Kodak, n'est pas développé avec les produits adaptés ; le résultat sera une image très dense, difficile à scanner. On peut enlever les traces de séchage sur un négatif avec de l'eau additionnée d'une goutte de produit à vaisselle ; la poussière sera éliminée avec une soufflette.

Paramètres de réglage pour le noir et blanc

Mode image : Niveaux de gris.
Résolution d'entrée (scanner à plat) : 300 ppp pour un usage professionnel, 200 ppp pour une impression à jet d'encre, 72 ppp pour Internet.
Résolution d'entrée (scanner de film) : Scannez l'original avec la meilleure résolution possible.
Agrandissement : Un taux d'agrandissement supérieur à 125 % ne donnera pas de bons résultats, choisissez l'original le plus grand possible.
Filtres : Assurez-vous que les filtres de détramage et de renforcement sont désactivés. Si le film a du grain, activez, s'il existe, le mode avancé GEM.
Contraste et luminosité : Pour un négatif sous-exposé (pâle) ou surexposé (sombre), effectuez une correction dans Niveaux.
Format d'enregistrement : TIFF non compressé.

Conseil de pro

Sélectionnez la profondeur d'analyse maximale du scanner : 16 bits par couche, pour obtenir une gamme tonale plus douce, vous convertirez ensuite l'image en 8 bits par couche dans Photoshop.

Scanner en couleur

La reproduction des couleurs est une tâche particulièrement délicate, surtout si elles ne sont pas excellentes sur l'original.

Tirages papier 1

Les tirages des photographies en couleur sont en général confiés à des comptoirs photo express qui traitent à la chaîne les films et livrent des images au format standard 11 x 15 cm. Les laboratoires équipés de la technologie la plus récente utilisent un système d'imagerie laser qui transfère des images numériques directement sur du papier photo traditionnel, remplaçant ainsi l'ancien système de l'agrandisseur. Les résultats sont d'une qualité tout à fait acceptable, mais si ces tirages sont rescannés, les effets du filtre de netteté appliqué par le labo deviennent très visibles. Ce genre d'original donnera, au mieux, une image numérique de qualité égale ou de qualité moindre si elle est agrandie. Mis à part les limites de qualité, les tirages industriels de photos en couleur ne posent pas de problème particulier pour la numérisation. Les meilleurs résultats sont obtenus en partant de tirages effectués sur du papier brillant, dont la netteté et la saturation des couleurs n'ont pas été trop poussées.

Conseil de pro

Si vous préparez des images pour illustrer une page web ou les envoyer par Internet, scannez-les en RVB, et prévoyez de les compresser dans Photshop.

1.1

Selon les réglages sélectionnés, l'image numérisée peut présenter des différences notables.

Les détails d'une petite image agrandie ont perdu de leur netteté.

Films

Les films négatifs couleur ne sont pas difficiles à scanner car ils sont rarement surexposés. Avec une densité moyenne, il est facile de rendre les couleurs et le contraste de l'original. Les meilleurs résultats sont obtenus avec les films de bonne qualité, comme les négatifs professionnels Fuji et Kodak. Ils ont un grain très fin et reproduisent mieux les tons subtils que les films premier prix. En revanche, les erreurs d'exposition sont fréquentes avec les films positifs couleur (diapositives). Les problèmes les plus courants se manifestent lorsque la lumière est dure, avec un contraste élevé qui crée des ombres profondes et des zones de très hautes lumières.

Préparer les originaux à scanner

Dans la mesure où le développement et le tirage des films couleur ont été confiés à un laboratoire, il existe peu de possibilités d'intervenir sur les originaux à scanner. Pour augmenter les chances d'avoir des films et des tirages papier de qualité, il est recommandé de confier ses négatifs à un laboratoire professionnel ou à un laboratoire qui s'engage à respecter un protocole ; Kodak Q-Lab par exemple garantit un contrôle régulier et indépendant du traitement des photos. Si des films inversibles sont destinés à être scannés, choisissez des films de qualité professionnelle (Fujichrome Velvia ou Provia) qui ont un grain fin et assurent la fidélité de reproduction des couleurs. Éliminez bien toute trace de poussière avec une soufflette.

Paramètres de réglage pour la couleur

Mode image : RVB. Sélectionnez CMJN, uniquement si vous faites des « bruts de scan » qui seront traités dans un environnement CMJN.
Résolution d'entrée (scanner à plat) : 300 ppp pour un usage professionnel, 200 ppp pour une impression à jet d'encre, 72 ppp pour Internet.
Résolution d'entrée (scanner de film) : Scannez l'original avec la meilleure résolution possible.
Filtres : Assurez-vous que les filtres de détramage et de renforcement sont désactivés. Si les couleurs sont fanées, activez, s'il existe, le mode avancé ROC.
Contraste et luminosité : Pour un négatif sous-exposé (pâle) ou surexposé (sombre) effectuez une correction dans Niveaux.
Format d'enregistrement : TIFF non compressé.

Voir aussi Modes colorimétriques *p. 80-81* / Formats de fichier *p. 86-87* / Comment fonctionnent les scanners *p. 122-123* / Piloter un scanner *p. 124-127*

Scanner des dessins au trait

Un grand soin doit être apporté à la numérisation des dessins, diagrammes et autres originaux en une seule couleur, afin de ne perdre aucun détail.

Tirages papier [1]

Les dessins au trait d'une seule couleur ont des formes, des tailles et des formats différents, qu'il faut prendre en compte pour obtenir des résultats satisfaisants. Ils peuvent cependant être numérisés par n'importe quel bon scanner à plat, sans que l'on n'ait plus besoin de demander ce travail à un photograveur. Pour que l'image numérique ne soit pas pixellisée, les dessins au trait doivent être scannés à très haute résolution : 600 ou 1 200 ppp. Si la résolution n'est pas assez élevée, les pixels étant carrés, le contour des courbes sera mal défini. Le support du dessin peut poser un problème, papier texturé ou qui a jauni par exemple. Tout document qui contient des traits fins doit être scanné en mode Trait. En revanche, il est préférable de scanner en Niveaux de gris les dessins au crayon, parce qu'ils présentent des nuances de gris.

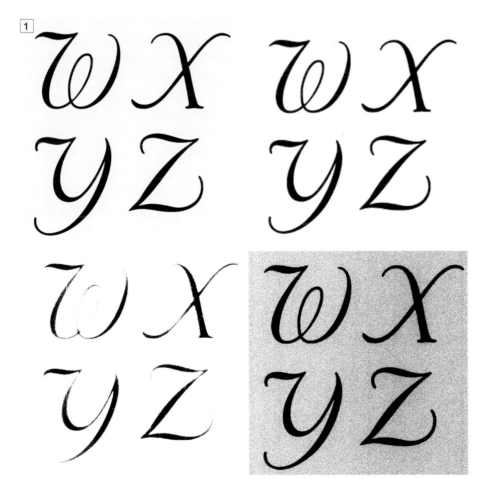

Si le scanner n'est pas bien réglé, certains détails peuvent disparaître. En haut à gauche : original à scanner ; en bas à gauche : la surexposition a fait disparaître des détails ; en bas à droite : un manque de lumière a fait monter le fond ; en haut à droite : les réglages sont bons.

2

Une image en mode Bitmap peut être convertie en RVB.

Préparer les originaux à scanner

Il n'y a pas grand-chose à faire pour améliorer la qualité d'un document ancien, si ce n'est de toujours privilégier l'original le plus grand. Vérifiez que les bords du document sont bien droits et, éventuellement, rectifiez-les avant de placer le document sur la vitre, bien parallèle au bord. Cela vous évitera d'avoir à redresser l'image plus tard dans Photoshop.

Voir aussi Modes colorimétriques *p. 80-81* / Formats de fichier *p. 86-87* / Comment fonctionnent les scanners *p. 122-123* / Pilotage d'un scanner à plat *p. 124-125*

Retoucher l'image scannée   **2**

Dans Photoshop, une image scannée en mode Bitmap ne donne accès qu'à un nombre restreint d'outils et de réglages. Un simple nettoyage et des retouches sommaires peuvent être effectués avec l'outil Gomme, la couleur du premier plan et de l'arrière-plan étant réglée par défaut sur noir et blanc. Pour ajouter de la couleur à une image Bitmap, il faut d'abord la convertir en Niveaux de gris avant de la transformer en RVB. Ajouter de la couleur à une image fortement contrastée n'est pas évident, mais on peut utiliser n'importe lequel des outils de peinture, à condition de les régler en mode Produit. Ensuite, il ne reste plus qu'à sélectionner une couleur et à peindre les zones blanches.

Utilisations

Si on prévoit de faire des montages, il est intéressant de scanner en mode Bitmap des textures et des bordures. Ces images 1 bit occupent peu de mémoire et peuvent être facilement redimensionnées. Des feuilles de papier aux bords irréguliers feront un excellent support pour des portraits.

Paramètres de réglage pour le trait

Mode image : Bitmap ou Trait.
Résolution d'entrée : de 600 à 1 200 ppp.
Seuil : Au lieu d'avoir à régler la luminosité et le contraste, on peut éclaircir ou assombrir l'image en déplaçant le curseur de la commade Seuil.
Format d'enregistrement : Enregistré au format Bitmap TIFF, le fichier est très petit, puisque c'est une image 1 bit.

Scanner des objets

Il est tout à fait possible de scanner des objets avec un scanner à plat, pour les inclure ultérieurement dans un montage.

Préparer le scanner 1

On peut scanner un objet posé sur la vitre du scanner, de la même façon qu'on peut photocopier sa main si on la pose sur la vitre d'un photocopieur. La photocopie sera sur-contrastée, avec un relief aplati ; en revanche, l'image numérique de l'objet pourra, après retouche dans Photoshop, permettre des impressions très réalistes. Quand on a besoin de l'image d'un objet, c'est beaucoup plus rapide de le scanner que de le photographier en studio. La vitre du scanner est fragile, protégez-la avec une feuille d'acétate transparente, que vous n'oublierez pas d'enlever ensuite. Aussi surprenant que cela puisse paraître, le capteur peut enregistrer jusqu'à 5 cm d'épaisseur d'un objet. Enlevez provisoirement le capot du scanner, posez la face la plus intéressante de l'objet contre la vitre. Une grande feuille de papier blanc étalée sur l'objet empêchera la lumière ambiante d'influencer « l'exposition ».

Choisir les objets 2

Scannez des objets qui entreront dans la composition d'une nature morte : des fleurs, des feuilles, du bois, des outils en métal, du plastique de couleur. Les objets qui ont tendance à s'affaisser, les fleurs par exemple, seront soutenus par des allumettes ou des trombones. Les objets brillants ou transparents : le verre, la céramique, certains métaux, sont difficiles à scanner.

Ci-contre : une clé à molette, ci-dessous : une fleur et, à gauche : la boîte de dialogue du navigateur du scanner.

Paramètres de réglage

Mode d'acquisition : couleur RVB
Résolution d'entrée : 200 ppp pour une impression
à jet d'encre, 72 ppp pour Internet.
Filtres : Netteté désactivé.
Format d'enregistrement : TIFF.

Méthode de travail

Avec le Rectangle de sélection, recadrez l'objet
pour enlever un maximum de fond. Plus l'arrière-plan
sera nettoyé à ce stade, meilleure sera la qualité
de la numérisation. Contrairement aux documents
numérisés, les objets en volume ont besoin de retouches
importantes dans Photoshop afin de raviver les
couleurs fanées et de corriger les erreurs. Ouvrez
l'image dans Photoshop et renommez immédiatement
le calque arrière-plan. Sélectionnez avec précision
le contour de l'objet avec l'outil Plume, et éliminez
l'arrière-plan. Effectuez des corrections de contraste
dans la boîte de dialogue Niveaux et des corrections de
couleur dans la boîte de dialogue Balance des couleurs.

Regrouper plusieurs calques

3

L'objet détouré est isolé
sur un calque, prêt pour
une utilisation ultérieure
dans un projet de montage.
En enregistrant le fichier
au format multicouche
Photoshop, le fond
transparent sera conservé.
À droite, plusieurs objets
scannés ont été regroupés
sur une même image.
L'ajout d'une ombre portée
apporte de la cohésion
à l'ensemble.

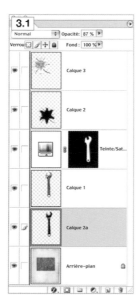

Conseil de pro

Veillez à ce qu'il n'y ait aucune trace de doigts
sur la vitre du scanner. Vous pouvez la nettoyer
avec un chiffon ou du liquide spécial lunettes.

Corriger les erreurs d'interprétation

Il arrive que le scanner n'arrive pas à interpréter
certaines couleurs de l'objet, il invente alors
des pixels rouges ou verts. Ce phénomène concerne
en général les parties de l'objet qui réfléchissent
la lumière. Une correction peut être effectuée
avec l'outil Éponge réglé sur densité – ou l'outil
Réduction yeux rouges.

Nature morte composée de divers objets scannés.

Voir aussi Modes colorimétriques *p. 80-81* / Formats
de fichier *p. 86-87* / Comment fonctionnent les scanners
p. 122-123 / Pilotage d'un scanner à plat *p. 124-125*

Scanner des documents tramés

Il faut effectuer des réglages particuliers pour numériser des documents
déjà imprimés parce qu'ils ont été tramés.

Simili et quadri

Les illustrations – photographies, dessins,
graphismes – imprimées en une couleur ou en
quadrichromie sont tramées au préalable. Il n'est pas
impossible de scanner des images tramées, mais
les résultats seront moins bons que lorsqu'on scanne
un film ou un tirage photographique. Certains
documents iconographiques n'existent qu'en version
imprimée ; quelques astuces techniques permettent
de trouver un compromis acceptable pour pouvoir
les utiliser. Pour être imprimées, dans la presse
par exemple, les photographies noir et blanc sont
transformées en simili, c'est-à-dire que pour simuler
les tons continus et la gamme des gris, l'image
est décomposée en une série de points de trame.
Les illustrations en couleur subissent un processus
analogue de séparation des couleurs en trois teintes
(cyan, magenta, jaune) plus le noir.

Problèmes de moirage [2]

Regardée à la loupe, une image en couleur imprimée
et donc tramée est composée de minuscules points
organisés en rosettes. À l'œil nu, les points de trame
ne sont pas visibles et on a l'impression que l'image
est en tons continus. La trame qui a été appliquée
est plus ou moins fine : elle est grossière sur
une affiche prévue pour être vue de loin, moyenne
dans les illustrations des journaux et fine dans
les reproductions des livres d'art. Si on n'effectue
pas de réglages spéciaux, il se produit un effet de
moirage, résultat du conflit entre la trame existante
et la décomposition des couleurs en pixels.
L'application d'un filtre de détramage estompera
les points de trame. L'image sera légèrement moins
nette, mais il n'y aura pas de moirage.

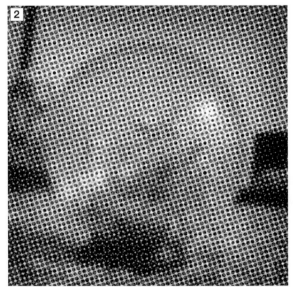

Image scannée après détramage, sans correction de netteté.

Image scannée après détramage, avec correction de netteté.

Préparer les originaux à scanner

Il n'y a pas grand-chose à faire, si ce n'est bien
aplatir le livre ou le magazine contre la vitre si on
ne peut pas couper la page. Les meilleurs résultats
sont obtenus à partir d'originaux de grande taille,
qui seront reproduits à plus petite échelle sur
la nouvelle impression.

Retoucher l'image scannée 3

Un grand original amené à être réduit récupérera en
grande partie sa netteté grâce au filtre de renforcement
Accentuation. Après avoir corrigé le contraste
et la luminosité dans la boîte de dialogue Niveaux,
on agit sur la netteté en deux fois: d'abord avant
de redimensionner l'image, puis après.

Rescanner une impression jet d'encre

Bien que les gouttes d'encre soient minuscules,
il peut y avoir un effet de moirage lorsqu'on scanne
une photo imprimée sur une imprimante à jet d'encre
qualité photo. Pour pallier ce problème, on peut
utiliser le réglage le plus fin du filtre Détramage,
ou dans Photoshop le filtre d'atténuation
Flou gaussien, avec un rayon de 0,5 pixel avant
d'appliquer le filtre de renforcement Accentuation.

Voir aussi Modes colorimétriques *p. 80-81* / Formats de fichier
p. 86-87 / Comment fonctionnent les scanners *p. 122-123* /
Pilotage d'un scanner à plat *p. 124-125* / Scanner *p. 128-131*

Prestations des laboratoires

Si vous ne possédez pas de scanner de film, vous pouvez commander
des scans haute résolution de vos films à un laboratoire.

Pour commencer à manipuler des images
numériques, vous pouvez utiliser les services
offerts par les laboratoires. La plupart d'entre eux
proposent, lorsque vous faites développer un film,
de vous livrer en plus des tirages papier une version
numérisée des photos, enregistrée sur un CD. Kodak
a mis au point deux procédures de stockage sur CD :
Photo-CD et Picture CD.

Photo-CD [1]

Les images Photo-CD sont enregistrées dans
un format dont Kodak détient la propriété.
Après développement et impression, le film est
scanné et enregistré dans le format conçu par Kodak.
Les photos sont livrées dans un coffret qui inclut
les tirages papier accompagnés d'un index,
les négatifs et un CD. Les images sont enregistrées

Image Photo-CD brute.

Image Photo-CD retouchée.

dans cinq résolutions différentes. Elles font 18 Mo dans la résolution la plus élevée, ce qui est largement suffisant pour effectuer une impression jet d'encre de qualité photo. D'autres résolutions plus faibles sont réservées à un affichage à l'écran. La numérisation est en général de bonne qualité. On peut également demander de faire numériser et enregistrer des films déjà développés et tirés, mais l'opération coûte beaucoup plus cher. Films négatifs et diapositives peuvent être scannés et, pour un petit supplément, on peut demander le service Pro Photo-CD. Kodak ayant décidé de garder la propriété de sa technologie, il n'est pas possible d'enregistrer sur son ordinateur des fichiers dans le format Photo-CD, mais les formats TIFF ou Photoshop (PSD) donnent des résultats équivalents. Les CD sont compatibles Mac et PC et les images peuvent être ouvertes dans la plupart des logiciels de retouche d'images. Toutes les images Photo-CD sont légèrement floues pour diminuer la taille des fichiers, mais aussi pour faciliter l'utilisation du filtre de renforcement Accentuation de Photoshop.

Picture CD

Moins cher, Picture CD offre un service similaire, disponible en magasin ou en expédiant le film à Kodak. La différence tient essentiellement au fait que les images sont scannées à plus basse résolution et enregistrées en format JPEG. La qualité de l'image est moins bonne, c'est donc un service destiné au grand public plutôt qu'aux photographes expérimentés. Les fichiers JPEG sont reconnus par tous les logiciels et peuvent être envoyés par e-mail ou insérés sur une page web moyennant quelques retouches.

Numérisations de qualité 2

Vous pouvez avoir recours aux services d'un laboratoire professionnel, surtout si vous voulez faire numériser des films moyen ou grand format. Ces laboratoires sont équipés de scanners à ultra-haute résolution tels que le Imacon Flextight, qui est capable de générer des fichiers de plus de 100 Mo. Les résultats sont livrés sur CD-R ou tout autre support souhaité. Le recours occasionnel à un service professionnel est plus raisonnable que d'investir une grosse somme dans un scanner qui accepte le moyen format, mais donne des résultats médiocres.

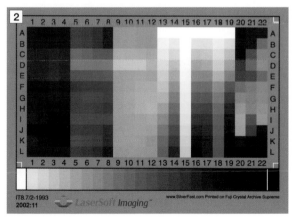

Les laboratoires professionnels utilisent des utilitaires de gestion des couleurs d'une grande précision, ce qui permet d'assurer une grande fidélité dans la reproduction des couleurs. L'excellent logiciel de pilotage des scanners Silverfast est doté d'un outil très performant de calibrage des couleurs.

Voir aussi Choisir un format d'enregistrement *p. 90-91* / Poste de travail petit budget *p. 112-113*

6 Les principaux logiciels

Adobe Photoshop

Le logiciel créé par Adobe est tout simplement le meilleur logiciel de retouche d'images actuellement sur le marché.

Chaque mise à jour de Photoshop apporte son lot d'améliorations. La première version était rudimentaire ; Photoshop 7, le plus perfectionné des logiciels de retouche d'images, est aujourd'hui l'outil indispensable des graphistes, maquettistes et photograveurs. Ce logiciel fonctionne aussi bien sur Mac que sur PC, il peut gérer tous les formats standards de fichiers image et peut travailler dans huit modes différents. Le photographe qui se lance dans le numérique va trouver dans Photoshop de nombreuses fonctions qui vont lui permettre de retravailler ses images comme il le ferait dans une chambre noire pour la photographie argentique. Le plus difficile est de savoir où trouver les fonctions et comment les utiliser.

Destiné à l'origine à des professionnels (graphistes, photograveurs, imprimeurs, photographes, etc.), Photoshop devait permettre d'effectuer sur ordinateur les travaux graphiques réalisés manuellement ou avec des machines peu performantes jusque-là. Au cours des quinze dernières années, le secteur de l'imprimerie et de la reprographie a connu une véritable révolution tant dans le domaine de l'acquisition des données que dans celui de leur restitution. Lorsqu'Internet s'est imposé comme moyen de communication dominant, Adobe a su doter Photoshop de toute une gamme d'outils supplémentaires destinés à préparer les images selon les contraintes imposées pour leur utilisation sur le web.

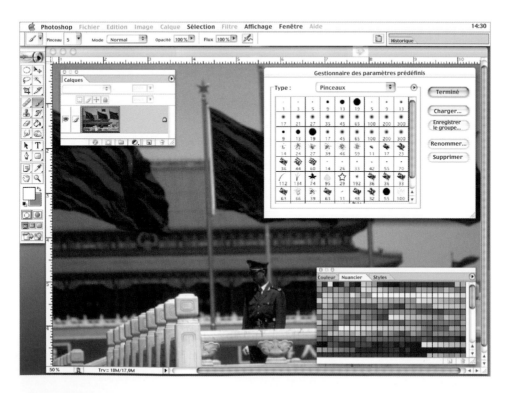

Photoshop offre une gamme très complète d'outils pour retoucher les images numériques.

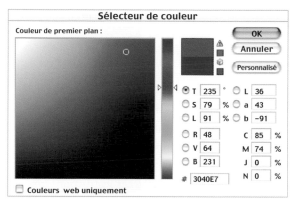

On peut choisir une couleur dans la boîte de dialogue Sélecteur de couleur.

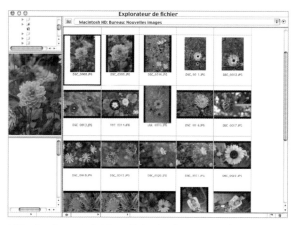

L'Explorateur de fichier affiche les images contenues dans un dossier sous forme de vignettes.

La commande Fluidité donne accès à différents réglages dans une boîte de dialogue de format plein écran.

Un des atouts de Photoshop est d'offrir une large gamme d'outils correspondant aux différents niveaux de compétence des utilisateurs : des réglages simples que l'on effectue en déplaçant un curseur à la boîte de dialogue donnant accès à des commandes complexes. Une fois les bases d'une procédure acquises, on peut tenter d'effectuer la même opération en utilisant des commandes plus sophistiquées, sachant que la palette Historique permet d'annuler les erreurs et de revenir en arrière jusqu'à une centaine d'états précédents.

Les outils de gestion des couleurs des versions récentes de Photoshop permettent d'éviter les modifications désastreuses du profil colorimétrique d'un document. Conçus pour être compatibles avec les standards des divers milieux professionnels, les fichiers issus de Photoshop doivent pouvoir être intégrés sans problème dans un montage. Les boîtes de dialogue donnent accès à des commandes faciles à exécuter, et des menus contextuels apparaissent automatiquement dès qu'un outil est sélectionné. Néanmoins, les meilleurs outils sont bel et bien les plus difficiles à maîtriser, comme l'outil Plume pour effectuer des sélections précises, la boîte de dialogue Courbes pour modifier simultanément la tonalité d'une quinzaine de zones de l'image ou encore le mode Bichromie qui peut rivaliser en sophistication avec les meilleurs experts de la retouche en chambre noire.

En plus de tous les outils nécessaires à la création de très belles images, Photoshop possède de multiples fonctions automatisées, telles qu'une Galerie web instantanée, la fonction Collection d'images et la très utile palette Scripts qui permet d'enregistrer des commandes. Les fonctions et les formules de couleurs enregistrées pourront ainsi être utilisées sur d'autres images.

Voir aussi Les bases de Photoshop *p. 164-191* / Effets artistiques avec Photoshop *p. 193-219* / Photomontage avec Photoshop *p. 221-239*

Jasc PaintShop Pro

Adopté par des photographes du monde entier, PaintShop Pro offre une panoplie d'outils faciles à utiliser pour un prix très abordable.

L e prix de vente de PaintShop Pro est peu élevé, mais ce logiciel ne fonctionne que sur PC. On retrouve bon nombre de caractéristiques des logiciels professionnels comme Photoshop : les calques, la commande Niveaux, ainsi que la possibilité de revenir de nombreuses fois en arrière grâce à un équivalent de la palette Historique (Historique des commandes). Les performances de ce logiciel, de plus en plus destiné aux professionnels, ont été régulièrement améliorées. Le succès que rencontre ce produit a sans doute influencé la décision d'Adobe de mettre sur le marché Photoshop Elements et d'inclure le logiciel d'animation Image Ready dans la version complète de Photoshop.

Livré avec un excellent manuel d'utilisation et doté de fonctions très utiles, permettant entre autres de réaliser des animations, PaintShop Pro a été conçu pour les photographes qui sont prêts à dépasser le stade de la photo de famille et de l'impression basique. Il est équipé

d'une bonne gamme d'outils de peinture et de dessin, ainsi que des fonctions élémentaires de retouche permettant de corriger les erreurs de prise de vue ou de numérisation, telles que les yeux rouges ou la présence de poussière. Comme Photoshop, il comporte des boîtes de dialogue permettant d'intervenir efficacement sur les teintes et les couleurs.

PaintShop Pro est un bon choix pour les débutants ; partageant certains outils avec des logiciels plus spécialisés, il permet à ceux qui souhaitent évoluer vers ces derniers de transférer les connaissances et la pratique acquises. Bien que ce logiciel ne fonctionne que sous Windows, il peut ouvrir et enregistrer les fichiers dans 50 formats différents, y compris le format psd propre à Photoshop, ce qui permet le transfert des images d'une plate-forme à l'autre, sans avoir besoin d'investir dans un logiciel cher.

PaintShop Pro ne se limite pas à la préparation des images pour l'impression ; il est doté d'outils permettant de préparer des images à une utilisation sur Internet. Il offre notamment la possibilité de créer des fichiers GIF animés sous forme de boutons et

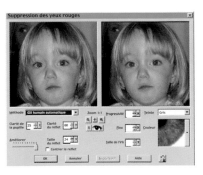

La suppression des yeux rouges a sa propre boîte de dialogue.

L'Historique des commandes permet d'annuler plusieurs commandes.

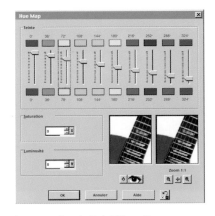

Le nuancier de PaintShop Pro.

de bannières qui se déroulent et s'exécutent en boucle ; il possède également une gamme d'outils permettant de compresser les images au format JPEG. Certaines fonctions s'adressent aux concepteurs confirmés de pages web : possibilité de créer des images cliquables ayant un lien hypermédia avec d'autres pages web ; découpage d'images en tranches pour accélérer le téléchargement ; de plus, des images s'affichant progressivement donnent l'impression que les pages sont plus interactives qu'elles ne le sont en réalité.

Compatible avec TWAIN, PaintShop Pro peut importer des images numérisées par un scanner à plat ou un scanner de film, ou les charger directement à partir d'un appareil photo numérique. Il propose un choix de fonctions de prévisualisation qui permettent de voir à quoi ressembleront les impressions sur papier.

Doté de moins d'outils de gestion des couleurs que Photoshop, PaintShop Pro s'adresse plus, malgré ses performances, aux particuliers qu'aux professionnels.

Compatibilité

Ne fonctionne que sur PC : Windows 95/98/2000/NT/XP.

Site du fabricant

www.jasc.com

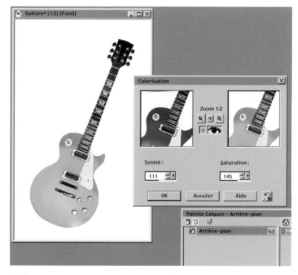

Boîte de dialogue de la fonction Colorisation

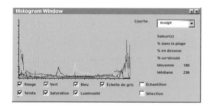

Boîte de dialogue de l'histogramme.

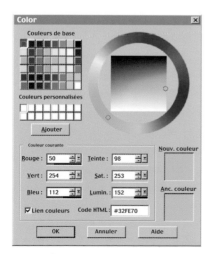

Palette Couleur de PaintShop Pro.

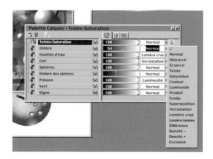

Boîte de dialogue de la palette Calques.

Voir aussi Poste de travail budget moyen *p. 114-115*

MGI PhotoSuite

Destiné principalement aux débutants, MGI PhotoSuite offre une boîte à outils très pratique pour le traitement des images numériques.

La fenêtre de travail de ce logiciel, qui fonctionne uniquement sur PC, ressemble à un navigateur Internet, car on ne retrouve pas les menus déroulants présents sur la plupart des logiciels graphiques. Les adolescents et les adultes plus habitués à surfer sur Internet qu'à se plonger dans la complexité d'un logiciel professionnel de traitement d'images y trouveront leur compte. Les commandes sont accessibles par des boutons, présentation qui rappelle les bornes interactives présentes dans certains lieux publics. Sachant qu'un photographe débutant dans le numérique est souvent également débutant en informatique, la présentation de l'interface utilisateur permet de démarrer sans appréhension.

PhotoSuite est un bon choix pour les débutants, même si le manuel qui l'accompagne est beaucoup moins détaillé que ceux de PaintShop Pro ou de Photoshop Elements. Les concepteurs ont supposé, à juste titre, que les utilisateurs de leur logiciel ne maîtrisaient pas forcément l'organisation de l'archivage ni la recherche de fichiers dans le disque dur de l'ordinateur, ils ont donc mis au point une fonction utile de recherche des images par mots clés. Les outils de retouche les plus fréquemment utilisés, comme la suppression des yeux rouges ou la correction des numérisations de mauvaise qualité, sont facilement accessibles.

La fonction Panorama offre la possibilité de mettre bout à bout jusqu'à 48 photos numériques. Le résultat peut être imprimé ou enregistré pour être inséré dans une page web. Ces images virtuelles à 360° permettent de montrer sur Internet un paysage, le centre historique d'une ville ou l'architecture intérieure d'un immeuble.

PhotoSuite n'utilise pas le système des calques et n'offre pas le contrôle manuel disponible sur les logiciels plus sophistiqués. Des commandes précises concernant les sélections, le contrôle de la compression des fichiers, la gestion des couleurs et les liens avec d'autres logiciels font défaut.

En revanche, comme tous les autres logiciels de traitement d'images présents sur le marché, PhotoSuite offre une grand nombre de commandes permettant de diffuser des images numériques sur Internet. Des connaissances particulières ne sont pas nécessaires, car les outils de création et de publication instantanée de pages web prennent en charge les opérations les plus complexes de façon automatique, la seule contrainte est d'avoir un compte connexion Internet. Une fois installé, le programme offre un grand choix de modèles pour créer sa page d'accueil. Ceux qui souhaitent un site plus dynamique ont la possibilité de créer des fichiers GIF animés.

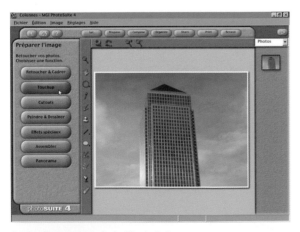

La fenêtre de travail de PhotoSuite.

Fonction Panorama.

Fonction Création d'une page web.

Fonction Diaporama.

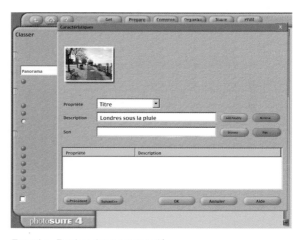

Fonction Recherche par mot clé.

Compatibilité

Fonctionne uniquement sur PC : Windows 95, 98 ME, NT/2000.XP. Internet Explorer (essentiel pour tout projet destiné au web) est inclus.

Les sites du fabricant

www.mgisoft.com

www.photosuite.com

Voir aussi Poste de travail petit budget *p. 112-113* / Adobe Photoshop Elements *p. 144-145* / Jasc PaintShop Pro *p. 146-147*

Filtres et autres modules externes

Tous les logiciels de traitement d'images peuvent être personnalisés par l'ajout de filtres ou d'autres modules externes qui procurent des fonctions supplémentaires.

Corel KPT 6.0

Cette série de filtres (précédemment appelés Kai's Power Tools) conçue par Corel permet de réaliser de nombreux effets spéciaux, elle vient s'ajouter au choix des filtres intégrés dans Photoshop. Ces filtres qui portent des noms anglais (Lightning, Ink Dropper, Goo, Sky Effects, LensFlare…) permettent d'obtenir des déformations spectaculaires. Ils sont compatibles avec Photoshop à partir de la version 4.0 et peuvent s'utiliser avec les logiciels « Corel compatibles », dont Photo-Paint, CorelDraw et Painter.

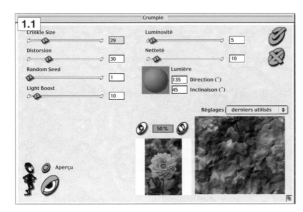

Boîte de dialogue des filtres Xenofex.

Voir aussi Adobe Photoshop *p. 142-143*

Xenofex 1

Les filtres Xenofex permettent d'ajouter des textures aux images. La série de filtres constitue un module externe (plug-in) qui une fois ajouté au logiciel de traitement d'images apparaît comme une option supplémentaire du menu déroulant Filtre. Les filtres Xenofex comportent leur propre boîte de dialogue dont les commandes permettent de faire varier l'intensité de la lumière, la texture et la distorsion. Les résultats sont convaincants, notamment sur des

Application d'un filtre Xenofex sur une image.

sujets simples comme cette fleur. Une version démo peut être téléchargée sur le site www.xenofex.com

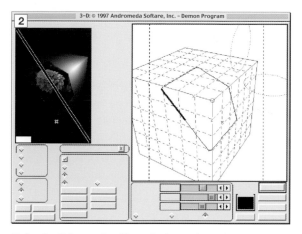

Boîte de dialogue des filtres Andromeda.

Andromeda 2

Ce plug-in de Photoshop permet de draper une image autour d'une forme en trois dimensions, un cube ou une sphère par exemple. Il propose également des méthodes sophistiquées d'éclairage en simulant un éclairage de studio. On peut télécharger une version démo sur le site www.andromeda.com

Jeux de lumière avec les filtres Light ! 3

Le plug-in Light ! de Digital Film Tools ajoute une option supplémentaire au menu Filtre de Photoshop. Ces filtres utilisent des motifs préenregistrés pour ajouter des effets de lumière naturelle, sous forme de hautes lumières et/ou d'ombres. La version démo est livrée avec plusieurs exemples de motifs qui imitent la lumière filtrée par des stores vénitiens, par des vitraux ou par des volets. Ces filtres cherchent à reproduire les effets obtenus par les photographes, en studio, par l'utilisation d'écrans pare-lumière. Les motifs proposés ajoutent un effet réaliste de lumière naturelle

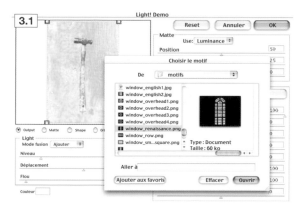

Boîte de dialogue des filtres Light !

Effet de lumière réalisé avec un filtre Light !

à une photographie. On peut télécharger gratuitement la version démo de Light ! sur le site de Digital Film Tools : www.digitalfilmtools.com

Extensis PhotoFrame

PhotoFrame d'Extensis est l'un des meilleurs plug-ins de Photoshop et Photoshop Elements : plus de 2 000 cadres, bordures et effets sont rassemblés sur un simple CD.

C e module externe ajoute un menu supplémentaire à Photoshop et, lorsque ce menu est sélectionné, une fenêtre plein écran s'ouvre, permettant de tester les différents effets proposés avant de les appliquer. Il y a deux façons d'utiliser ce module logiciel : soit en copiant la totalité des modèles dans un dossier du disque dur, soit en laissant les fichiers sur le CD d'installation pour y accéder au fur et à mesure des besoins. Les bordures proposées par PhotoFrame vont des classiques contours d'aquarelle aux bords dentelés les plus originaux.

Voir aussi Adobe Photoshop p. 142-143 / Adobe Photoshop Elements p. 144-145 / Supports d'impression p. 244-245

Utiliser PhotoFrame [1]

Lorsque l'image numérique est prête à être encadrée, il faut lancer PhotoFrame et attendre que la fenêtre de prévisualisation apparaisse. Les cadres sont de simples formes noires qui adoptent la taille et la résolution de l'image concernée. Trouver la bordure la plus adaptée n'est pas facile au début, étant donné l'étendue du choix et la difficulté à visualiser le résultat final. Plusieurs cadres peuvent être chargés, de façon à pouvoir basculer rapidement de l'un à l'autre pour faire un choix. Comme un élément graphique présent sur un calque séparé, taille, position, épaisseur, netteté et même transparence du cadre peuvent être modifiées à l'infini jusqu'à l'obtention de l'effet désiré. La couleur des cadres et des bordures peut être sélectionnée à partir

Boîte de dialogue de PhotoFrame.

d'un nuancier ou prélevée sur l'image elle-même avec la Pipette. Lorsque l'on est satisfait du résultat, le cadre peut être converti en un calque supplémentaire qui sera ensuite ajouté ou supprimé dans Photoshop.

Imprimer et afficher à l'écran des images au contour irrégulier   2

Une bordure au contour irrégulier apportera une touche d'originalité à votre image numérique. L'impression ne devrait poser aucun problème ; vous pouvez en plus choisir un papier qui renforce l'effet créé par la bordure, du papier aquarelle par exemple.

Le choix de bordures fantaisie convient aux images qui illustrent une présentation PowerPoint ou une page web personnalisée. Si des images au contour irrégulier sont destinées à être utilisées sur Internet, la couleur de la bordure sera choisie parmi la gamme des couleurs web et la même couleur sera sélectionnée pour l'arrière-plan de la page, pour que la bordure s'y fonde. L'autre façon d'intégrer une image au contour irrégulier est de l'enregistrer au format GIF avec un contour transparent, tout en sachant que ce format ne donne pas de très bons résultats pour les photos.

2.1

Paysage avec application d'un contour irrégulier.

2.2

Nature morte avec bordure aquarelle translucide.

Recherche d'infos sur Internet

Une fois le logiciel de traitement d'images installé, sur Internet, les forums d'utilisateurs permettent de découvrir des astuces et les téléchargements gratuits.

Les deux principales sources d'informations en ligne sont les sites officiels des fabricants et ceux, officieux, des utilisateurs passionnés. Pour chacun de ses produits, Adobe a mis en place un service d'aide en ligne où des professionnels des arts graphiques dispensent gratuitement des conseils. Les conseils de pros sont toujours très utiles et parfois plus faciles à comprendre que les instructions figurant dans les manuels.

Photoshop et Photoshop Elements peuvent être personnalisés par l'ajout de fichiers recettes qui permettent d'appliquer des effets spéciaux. Des réglages précis, effectués dans les boîtes de dialogue Niveaux, Courbes et Mélangeur de couches, peuvent être enregistrés afin de pouvoir être utilisés à l'identique ultérieurement. Les petits fichiers contenant ces données peuvent être partagés avec d'autres internautes ou envoyés en pièces jointes par e-mail. Il est également possible de créer ses propres effets de filtre en passant par le menu Filtre>Divers>Autre. Des pinceaux personnalisés et des nuanciers peuvent être téléchargés gratuitement sur le site d'Adobe.

Les outils personnalisés les plus pratiques que l'on puisse générer sont les scripts. Similaire à une macro sur Word, un script est une série de commandes préenregistrées que l'on peut appliquer à une image existante ou à un document vierge pour réaliser une création artistique. De nombreux scripts sont fournis avec Photoshop, mais on peut en créer d'autres à l'aide de la palette Scripts. Les scripts créés peuvent être échangés avec d'autres utilisateurs, qu'ils aient un Mac ou un PC. Les scripts peuvent être activés à partir de leur propre palette ou en passant par Fichier>Automatisation>Traitement par lots, pour les appliquer à plusieurs images. On peut enregistrer dans un script des formules de couleurs ou des effets d'impression ou en télécharger gratuitement sur

Site sur lequel on peut trouver des conseils d'utilisation de Photoshop.

Les instructions
peuvent être précises,
développées étape
par étape.

Le site web
du Photocollege
britannique est
une précieuse source
d'informations pour
les photographes.

Internet. Pour associer un script à plusieurs images,
on peut créer un droplet. C'est une petite application
qui va s'enregistrer sur le bureau de l'ordinateur ;
lorsqu'on fait glisser le fichier d'une image sur
le droplet, les commandes prédéfinies par le script
s'appliquent à l'image.

Pour tout accès à Internet et avant de télécharger
des fichiers, à partir de forums d'utilisateurs
notamment, il est fortement recommandé d'installer
un antivirus, McAfee Virus Scan par exemple.

Sites web à consulter   1

www.adobe.com

www.photocollege.co.uk

Voir aussi Adobe Photoshop *p. 142-143* / Adobe
Photoshop Elements *p. 144-145* / Services d'impression
en ligne *p. 264-265*

Logiciels de création de pages web

Pour créer un site web, il est préférable d'utiliser un logiciel conçu à cet effet. Les photos numériques sont tout indiquées pour illustrer le site.

L e succès d'Internet a obligé les fabricants de logiciels à fournir un effort soutenu pour suivre l'évolution constante de la technologie et des normes, afin de répondre aux attentes des utilisateurs. Les logiciels dédiés à la conception de pages web permettent d'exercer un contrôle complet de l'aspect graphique d'un site, ce que ne peuvent assurer les logiciels de traitement d'images malgré leur fonction Galerie web photo, très utile mais peu imaginative. De plus, grâce aux logiciels de conception de pages web, il n'est plus nécessaire de comprendre les codes html, les trois meilleurs produits étant dotés d'une interface graphique, comme les logiciels de PAO. En tête de liste on trouve : Macromedia Dreamweaver, le préféré de l'industrie, Microsoft FrontPage, adopté par les entreprises, et Adobe Golive, le moins utilisé des trois.

De nombreux logiciels de bureautique sont capables d'enregistrer et d'exporter des fichiers html, mais il est préférable d'utiliser un logiciel conçu pour cette tâche.

Dreamweaver qui fonctionne comme un logiciel de PAO permet de placer des images et des textes à l'intérieur de trois types de boîtes appelées tables, cellules et calques. Au même titre que les éléments d'une maquette complexe, tout ce qui entre dans la composition d'un site web, images et éléments html, doit rester dans le même dossier pour maintenir les liens complexes qui les unissent. Des sites simples sont constitués de pages html individuelles liées entre elles de façon linéaire, comme les pages d'un livre. Le format html de base offre des outils fonctionnels pour la disposition et l'affichage de textes et de graphiques, avec très

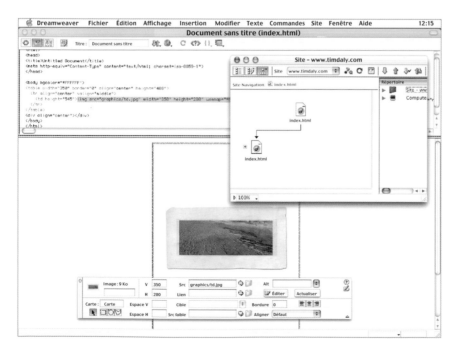

Dreamweaver offre un double affichage : une interface html et une interface graphique plus facile à utiliser.

peu d'interactivité. Des sites plus dynamiques et plus interactifs utilisent le langage informatique JavaScript et des logiciels d'animation comme Flash.

En plus du logiciel de conception de pages web, il faut prévoir un logiciel de traitement d'images, tel que Photoshop ou Photoshop Elements, capable d'enregistrer les images en JPEG et en GIF, ainsi qu'un navigateur pour visionner le contenu html. Macromedia possède son propre éditeur d'images, appelé Fireworks, mais il est beaucoup moins performant que Photoshop. Idéalement il faudrait utiliser au moins deux types de navigateur pour avoir un aperçu des pages tel qu'elles sont affichées par Internet Explorer et par Netscape. Pour transférer les fichiers vers le serveur, un petit logiciel appelé FTP (File Transfer Protocol) est requis. Il existe

Voir aussi Adobe Photoshop *p. 142-143* / Adobe Photoshop Elements *p. 144-145* / Créer des cartes-images *p. 270-271*

un grand choix de partagiciels (Shareware) FTP dont une version intégrée dans Dreamweaver.

Lorsque le site web est prêt, il faut prévoir son hébergement pour qu'il puisse être visionné par les internautes du monde entier. Cet hébergement peut être fourni gratuitement par un fournisseur d'accès, comme AOL ou Freeserve, ou loué chez un prestataire de service moyennant une redevance mensuelle. Enfin, une connexion Internet fiable (et si possible rapide) est essentielle pour un transfert instantané des fichiers vers le serveur.

Des maquettes complexes peuvent être conçues, en ajoutant des cadres aux images, par exemple ; la barre de menu reste la même.

Utilitaires de maintenance

Pour garder un ordinateur en parfaite condition et protéger logiciels et travaux, il est vivement conseillé d'installer un utilitaire de maintenance.

Prévoir un entretien régulier

L'idée d'avoir à réparer son ordinateur n'est pas rassurante, en revanche, n'importe qui peut se servir d'un utilitaire pour optimiser les performances de son ordinateur. La plupart de ces derniers sont fournis, au mieux, avec un utilitaire de dépannage et de maintenance rudimentaire, il est donc sage d'investir dans un produit tel que Norton Utilities de Symantec.

Le disque dur d'un ordinateur ressemble à une bibliothèque dans laquelle on prélève des livres qui ne sont pas remis à leur place ; il est donc nécessaire de mettre au point un processus de rangement, tel que la défragmentation, au moins deux fois par an.

La défragmentation consiste à regrouper sur des secteurs contigus du disque dur des fichiers fragmentés, comme on rangerait sur la même étagère plusieurs tomes d'un ouvrage. La défragmentation augmente la rapidité d'accès au disque dur ; les livres

rangés à leur place sont plus faciles à trouver. Parmi les Norton Utilities, Speed Disk permet d'effectuer facilement la défragmentation d'un disque dur grâce à une procédure étape par étape.

Il est indispensable d'effectuer un nettoyage régulier de son ordinateur pour éliminer les fichiers inutiles et les versions démo des logiciels. Toute place disponible sur le disque dur est utilisée par les logiciels de traitement d'images comme espace de travail ; ces logiciels sont donc ralentis de manière significative lorsque le disque dur est surchargé de fichiers inutiles.

Norton Disk Doctor, qui fait partie des Utilities, peut également effectuer des réparations sur les supports amovibles et les disques durs internes

Voir aussi Matériel informatique : notions de base *p. 96-97* / Recherche d'infos sur Internet *p. 154-155*

Après un examen général du disque dur, Norton Disk Doctor rectifie les erreurs et les problèmes qui sinon risqueraient de s'aggraver et d'affecter les performances de l'ordinateur.

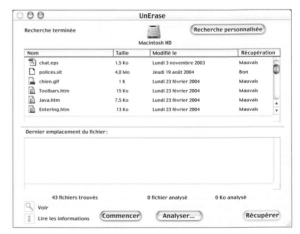

La fonction UnErase permet de retrouver des fichiers effacés par erreur, à condition que de nouvelles données n'aient pas été écrites par-dessus.

supplémentaires. Après un diagnostic initial,
le logiciel peut réparer automatiquement la plupart
des anomalies. Si un ordinateur plante régulièrement,
essayez de régler le problème avec Norton Disk Doctor.

UnErase est peut-être la fonction la plus utile
des Norton Utilities : elle permet de récupérer
des données qui ont été effacées par erreur. (Quand
un fichier est effacé, il demeure au même endroit sur
le disque dur ou la disquette ; c'est uniquement son
lien qui est supprimé.) Pour que l'opération réussisse,
il est important que d'autres données n'aient pas été
écrites sur le même secteur du disque avant que
le processus de récupération soit effectué. Si l'erreur
est décelée rapidement, la probabilité de récupération
est plus grande. UnErase peut récupérer des données
aussi bien sur un disque dur que sur des supports
amovibles, il faut prévoir de copier les données
récupérées sur un support différent de celui
où elles ont été effacées par mégarde.

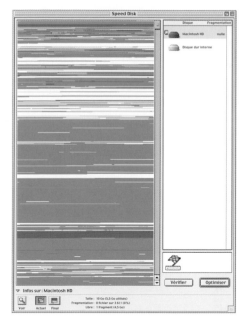

Un disque dur très utilisé se fragmente comme le
montre les rayures de l'illustration. Les gros fichiers
se morcellent en petits blocs disséminés dans les
espaces libres du disque et l'accès aux données
est moins rapide. La défragmentation regroupe
les blocs disséminés dans des secteurs contigus.

Lorsque Disk Doctor rencontre une erreur, il en fait
un compte rendu et vous demande l'autorisation
de la corriger.

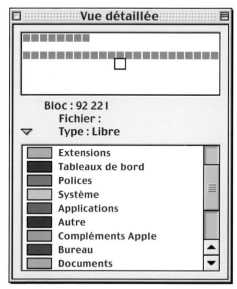

L'option Voir de Speed Disk donne accès à une
représentation graphique du disque qui permet
de visualiser où sont stockées les différentes
données, par exemple les logiciels et les polices.

Quicktime VR

Version payante du logiciel créé par Apple, Quicktime VR est devenu le standard pour la création de documents interactifs.

Peu cher et fonctionnant sur les deux systèmes d'exploitation (Windows et Mac), le logiciel Quicktime VR offre une gamme d'outils bien plus étendue que les logiciels du domaine public pour créer des images panoramiques. Il permet de coller bout à bout des images numériques dans le but de créer une vue panoramique à 360° que l'on peut regarder sur un écran ou imprimer. Ces fichiers panoramiques peuvent être visualisés avec un navigateur web doté du plug-in approprié et compressés pour accélérer leur vitesse de transfert. Une fois le chargement des fichiers Quicktime VR terminé, on peut naviguer à l'intérieur de gauche à droite et de haut en bas ; il y a même une fonction zoom. Ce logiciel est utilisé pour promouvoir les luxueuses résidences de vacances et pour visionner l'intérieur des nouveaux modèles de voitures, des maisons à vendre et autres produits de consommation.

Faire des prises de vue pour un panorama virtuel　1

Les meilleurs exemples de réalité virtuelle sont obtenus en respectant un certain nombre de règles de prises de vue. Un trépied est indispensable et un modèle doté d'une tête panoramique le meilleur choix ; une bonne maîtrise de l'exposition est obligatoire. Faire des prises de vue verticales (format portrait) permettra un défilement vertical en plus du défilement horizontal. Le trépied doit être placé au centre de la scène et l'appareil bien horizontal. Si vous utilisez un zoom il doit garder la même distance focale pour toutes les prises de vue. Il faut prendre une série d'images à l'intérieur d'un arc de 360°, sans oublier de faire chevaucher les images. L'exposition ne devant pas varier, le mode manuel est plus indiqué que le mode automatique afin d'éviter tout changement des valeurs d'ouverture.

Faire le montage　2

Quicktime VR prend en charge les tâches délicates d'assemblage et de fusion et rend un résultat final basé sur les informations qu'on lui a données, telles que le nombre d'images et la longueur focale utilisée pour les prises de vue. Si les images sont destinées à être diffusées sur Internet, leur taille doit être adaptée à cette utilisation avant l'assemblage. Le fichier sera alors enregistré pour le web ou dans un format permettant de l'importer dans Photoshop pour éventuellement retoucher les images.

Palette des images qui doivent être incluses dans
le panorama.

Le positionnement manuel des images permet de réaliser
un assemblage aux raccords invisibles.

Le chevauchement des images est invisible.

Visionnage du panorama sur Quicktime.

Du panorama au lien hypertexte

Comme les images interactives, des zones d'un fichier
Quicktime peuvent être dotées d'un lien hypertexte
avec d'autres pages web. Cette technologie de réalité
virtuelle est à l'origine de la création de boutiques
en ligne où l'on peut découvrir l'article que l'on va
acheter en «l'ajoutant à son panier» ou «cheminer»
d'un fichier de réalité virtuelle à un autre en passant
par un portail.

La réalité virtuelle sur le site d'Apple

Des exemples de réalité virtuelle peuvent être
consultés sur le site d'Apple : www.apple.com

Voir aussi Fonctions multimédia *p. 24-25*

Logiciels de création de diaporamas

Il n'est pas nécessaire d'être un pro du multimédia pour créer un diaporama avec des photos numériques.

iView [1]

De nombreux sharewares permettent de séquencer des photos numériques en diaporamas, mais les résultats ne sont pas excellents. Il vaut mieux investir dans un logiciel tel que iView Media Pro. Très polyvalent, ce dernier intègre des fonctions de navigateur, de base de données, d'éditeur d'images et de traitement par lots des images, afin de créer des diaporamas et des films très réussis.

Comment ça fonctionne

L'interface d'iView propose deux façons de créer un diaporama : soit en faisant glisser des fichiers stockés dans le disque dur ou sur un support amovible vers la fenêtre de prévisualisation, soit en les transférant directement à partir d'un appareil photo numérique. Chaque fichier importé dans la fenêtre de prévisualisation donne naissance à une vignette, ce qui permet de visualiser le diaporama. Les images sont classées par ordre numérique ou alphabétique, mais il est possible de modifier cet ordre par la suite. Le logiciel gère tous les formats de fichier courants, et retourne ou redimensionne les images afin qu'elles soient correctement affichées à l'écran, ce qui évite d'avoir à préparer les fichiers.

Enchaînement des images [2]

Le rythme de l'enchaînement des images peut être programmé et des effets de transition peuvent être ajoutés. Ajouter à la succession banale des images des effets de transition qui peuvent être aussi simples que le fondu enchaîné personnalise le diaporama et lui confère un caractère plus professionnel. Si le diaporama doit être présenté dans un lieu public, il faut prévoir un défilement lent des images pour que l'on puisse regarder posément chacune d'entre elles. Un accompagnement musical du diaporama peut être prévu.

Interface du module de présentation en diaporama d'iView Media Pro.

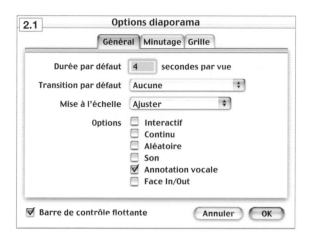

Plusieurs options sont disponibles pour personnaliser le diaporama.

On peut afficher des informations détaillées concernant chaque image du diaporama.

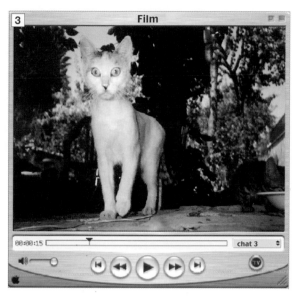

Les diaporamas peuvent être exportés au format universel Quicktime.

Exporter un diaporama 3

Une fois que le diaporama est terminé, il peut être enregistré sous forme de catalogue, ou exporté en tant que film Quicktime, visionnable aussi bien sur Mac que sur PC. Les dimensions et la compression des images vidéo sont à déterminer, et le diaporama peut être préparé pour être transformé en vidéo. Le fichier film importe les réglages du diaporama, tels que le minutage et les effets de transition. Après compression, les fichiers film peuvent être importés dans un site web ou envoyés par e-mail à des amis.

Site à consulter

Fonctionnant sur Mac et sur PC, une version de démonstration limitée à 45 exemples peut être téléchargée sur www.iview-multimedia.com

Voir aussi Fonctions multimédia *p. 24-25* / Formats de fichier *p. 86-87* / Compression *p. 88-89* / Supports de stockage *p. 92-93*

7 Les bases de Photoshop

La boîte à outils

Pour faire vos premiers pas dans Photoshop, commencez par vous familiariser avec le contenu de sa boîte à outils, auxiliaire précieuse de votre créativité.

Les outils de sélection

Rectangle de sélection (M)   1

Le rectangle de sélection et ses options permettent d'effectuer des sélections géométriques. En choisissant le style, on peut attribuer des paramètres à l'outil utilisé. Pour avoir accès aux outils masqués, il faut placer le pointeur dans l'angle en bas à droite de l'icône. Chaque outil de la boîte à outils est accessible par un raccourci clavier, pour le rectangle c'est M.

Déplacement (V)   2

L'outil Déplacement ressemble à la pointe d'une flèche, il sert à déplacer une sélection, un ou plusieurs calques.

Lasso (L)   3

Les outils Lasso sont utilisés pour effectuer des sélections à main levée. Cet outil comporte trois options : le Lasso, le Lasso polygonal – pour effectuer des sélections délimitées par des lignes droites – et le Lasso magnétique qui s'aligne sur les bords de zones définies de l'image.

Baguette magique (W)   4

La Baguette magique attire les pixels de couleur proche, elle permet de sélectionner une zone colorée de façon homogène. Sa tolérance va de 0, la plus faible, à 255, la plage de couleurs la plus étendue.

Recadrage (C)   5

Servant à recadrer les images, l'outil Recadrage obscurcit les zones que l'on souhaite supprimer, offrant ainsi un aperçu du résultat final.

Tranche (K)   6

Cet outil découpe une image en zones rectangulaires ; il peut être utilisé entre autres pour faciliter sa transmission par Internet. L'outil Sélection de tranche permet de rassembler les morceaux par la suite.

Les outils de peinture

Correcteur (J)   7

L'outil Correcteur permet de retoucher avec plus de précision que l'outil Tampon les imperfections d'une image. Des pixels sont copiés et étalés sur la zone endommagée.

Pièce   8

L'outil Pièce fonctionne comme le Correcteur, mais à l'intérieur de zones sélectionnées. Il est très utile quand les retouches concernent la zone de passage d'une couleur à une autre.

Pinceau et Crayon (B)   9

Pinceau et Crayon permettent d'appliquer de la couleur à une image ou à un graphisque en lignes diffuses et fluides (Pinceau), ou nettes et droites (Crayon). L'outil Pinceau a en option un effet aérographe.

Tampon de duplication et Tampon de motif (S)   10

Comme un tampon en caoutchouc, le Tampon de duplication remplit une partie de l'image avec des pixels copiés dans une autre zone. Le Tampon de motif applique un motif sur une zone étendue.

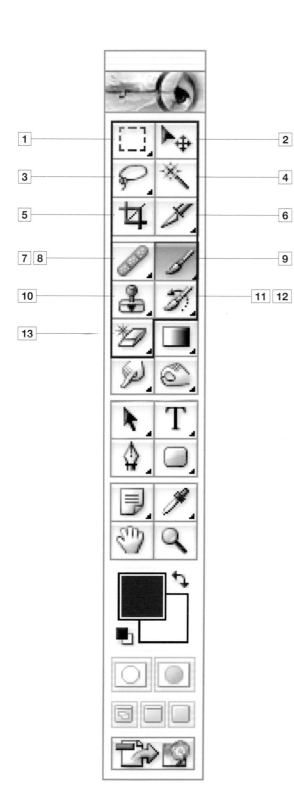

Forme d'historique (Y) `11`

La Forme d'historique permet de revenir à un état antérieur, plus satisfaisant, de l'image, enregistré dans la palette Historique.

Forme d'historique artistique (Y) `12`

Cet outil permet de mêler et d'estomper les couleurs afin de créer un effet d'image peinte. Différentes options permettent d'adapter cet outil au résultat que l'on désire obtenir.

Gomme (E) `13`

Trois outils d'effacement sont disponibles sous cette appellation. La Gomme efface des pixels pour les remplacer par ceux de la version enregistrée. La Gomme d'arrière-plan crée une transparence et révèle le calque inférieur. La Gomme magique efface les pixels de couleur similaire.

Voir aussi Les bases de Photoshop *p. 166-191* / Effets artistiques avec Photoshop *p. 193-219* / Photomontage avec Photoshop *p. 221-239*

Les outils de dégradé

Les outils de ce groupe permettent de créer des transitions de couleur précises. Ils peuvent également être utilisés en mode Masque.

Pot de peinture (G) [1]

Le Pot de peinture applique à un groupe de pixels la couleur de premier plan.

Goutte d'eau, Netteté, Doigt (R) [2]

La Goutte d'Eau et l'outil Netteté peuvent être comparés à un filtre d'atténuation ou de renforcement qui seraient fixés au bout d'un pinceau. L'outil Doigt permet d'étaler des pixels sur la couleur adjacente comme si on étalait de la peinture avec le doigt.

Densité (O) [3]

S'inspirant du travail du photographe dans son laboratoire, l'outil Densité, dont on peut régler la taille et l'intensité, éclaircit (Densité –) ou assombrit (Densité +) de petites sections de l'image.

Éponge (O) [4]

Cet outil très utile sert à augmenter ou à réduire la saturation des couleurs dans une zone réduite de l'image.

Plume (P) [5]

La Plume et la Plume libre servent à sélectionner et à découper des formes complexes. Ces deux outils, un peu difficiles à maîtriser, permettent de faire des sélections d'une grande précision. Les outils Ajout de point d'ancrage permettent de faire des corrections de tracé.

Texte (T) [6]

Il existe deux modes Texte dans Photoshop : le texte vectoriel dont on peut gérer la taille et la police, et le texte vectorisé et transformé en pixel.

Forme (U) [7]

Les outils de forme créent des formes géométriques dont les contours précis sont indépendants de la résolution.

Annotations (N) [8]

L'outil Annotation peut être utilisé pour ajouter une note dans la zone de travail de l'image ; l'outil Annotation audio enregistre un message audio, à condition qu'un micro soit branché sur l'ordinateur.

Pipette (I) [9]

Avec la Pipette, on prélève un échantillon de couleur dans l'image et on l'applique à la couleur de premier plan ou d'arrière-plan.

Mesure (I) [10]

L'outil Mesure sert à effectuer des mesures précises entre différentes zones de l'image, on l'utilise comme une règle graduée.

Main (H) [11]

La Main est utilisée pour déplacer une image à l'intérieur de sa fenêtre ; elle est particulièrement utile quand l'image agrandie dépasse de la fenêtre de travail.

Zoom (Z) [12]

Cet outil agrandit ou réduit l'image dans la fenêtre de travail.

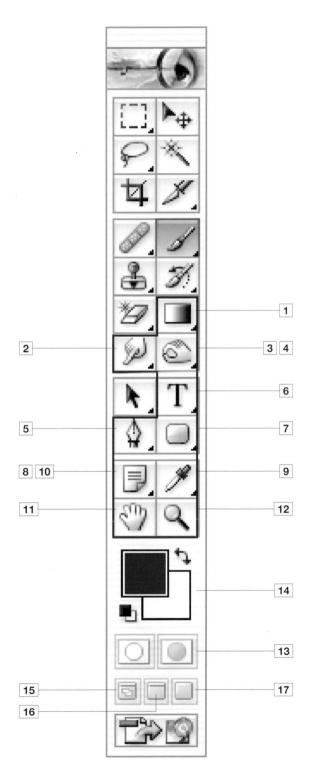

Autres outils

Mode Masque 13

Une autre façon d'effectuer des sélections est
de travailler en mode Masque avec le pinceau
ou un autre outil de dégradé.

Sélecteur de couleur de premier plan
et d'arrière-plan 14

Le Sélecteur de couleur de premier plan et d'arrière-plan
permet de définir les couleurs couramment utilisées.
Pour revenir au noir et blanc par défaut, cliquez sur
les deux petits carrés, en bas et à gauche de l'icône.

Modes d'affichage

Fenêtre standard 15

L'image est affichée dans une fenêtre, accompagnée
des menus et des outils.

Plein écran avec menu 16

La fenêtre de travail remplit l'écran, masquant
les fenêtres d'autres logiciels et tous les éléments
visibles présents sur le bureau.

Plein écran 17

La différence avec le mode précédent est l'absence
du menu déroulant. Lorsque vous connaîtrez
parfaitement tous les raccourcis clavier, vous pourrez
masquer la boîte d'outils, pour vous concentrer
entièrement sur l'image.

Voir aussi Les bases de Photoshop *p. 166-191* /
Effets artistiques avec Photoshop *p. 193-219* /
Photomontage avec Photoshop *p. 221-239*

Les calques

Les calques permettent d'aborder des projets de retouche d'images complexes avec un maximum de souplesse.

Qu'est-ce qu'un calque ?

Une image numérique générée par un scanner ou un appareil photo numérique est sur un seul calque, appelé calque de fond ou d'arrière-plan. Il est rectangulaire, comme la plupart des documents en deux dimensions, et pourra être agrandi ou réduit. Lorsqu'on retouche l'image, même sans vouloir effectuer de montage complexe, on est amené à créer plusieurs calques qui vont s'empiler comme des cartes à jouer. Sur ces calques, on peut insérer d'autres images, des graphismes, des pochoirs ou du texte. Pour parvenir à une composition élaborée, on peut jouer sur la relation entre chaque calque de la pile. Plus il y a de calques, plus le fichier est volumineux ; l'ajout d'un calque double la taille du fichier. Une image répartie sur plusieurs calques

peut être imprimée et enregistrée dans un format multicalque propre à Photoshop. L'intérêt de ne pas « aplatir » l'image et de conserver tous les calques est de pouvoir ultérieurement y apporter de nouvelles modifications.

Comment fonctionnent les calques

Chaque fois qu'on effectue l'opération « copier>coller », ou que des graphiques vectoriels ou des textes sont créés, un nouveau calque s'ajoute automatiquement à la palette Calques. Les calques sont appelés Calque 1, Calque 2, etc., mais on peut leur attribuer un nom correspondant à leur contenu en double-cliquant sur leur icône dans la palette. On peut également changer l'ordre d'empilement des calques en faisant glisser un calque vers le haut ou vers le bas. Lorsqu'ils sont créés, les calques sont opaques et masquent les calques sous-jacents, mais on peut modifier cet aspect en y découpant des trous ou en réglant leur opacité. L'application de modes

de fusion qui déterminent la façon dont les pixels du calque sont fusionnés avec ceux du calque en dessous permet de créer un grand nombre d'effets spéciaux. La méthode du glisser-déposer permet de transférer un calque d'une image ouverte à une autre en faisant glisser son icône sur l'autre image. Il faut savoir que ce sont les paramètres de l'image cible (résolution, espace colorimétrique, etc.) qui prévaudront.

La palette Calques

3

C'est le menu déroulant Fenêtres qui permet d'afficher la palette flottante Calques. Le calque de fond est toujours en bas de la pile et chaque nouveau calque créé se place au sommet. Des calques peuvent être liés entre eux ou rassemblés en un groupe pour faciliter le travail. Le menu déroulant Calques donne accès aux commandes importantes, mais les plus fréquemment utilisées sont accessibles sur la palette, par les petites icônes présentes en bas ou par le curseur déroulant situé en haut à droite. Des effets graphiques, également appelés effets de calque, peuvent être appliqués à une image : ajout d'une ombre portée, incrustation de motifs…

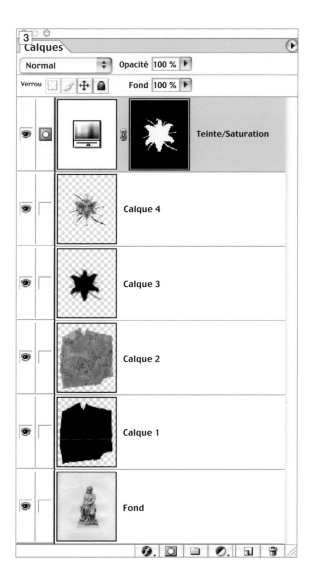

Voir aussi La boîte à outils *p. 166-169* / Choisir un fond *p. 206-207* / Position des calques *p. 226–227* / Calques de réglage inversés *p. 234-235*

Faire une sélection

Une des premières choses à faire, lorsqu'on veut retoucher une image est de sélectionner la ou les zones sur lesquelles on souhaite intervenir.

Qu'est-ce qu'une sélection ?

Il n'est pas aussi facile de retoucher une image que de corriger un texte. Lorsqu'on veut effectuer une correction sur une partie de l'image, il faut d'abord sélectionner la zone que l'on souhaite retoucher ; sans sélection pas de retouche sélective possible. Effectuer une sélection détermine la zone sur laquelle on va intervenir et, de ce fait, protège le reste de l'image de modifications inopportunes. Il n'est pas nécessaire d'effectuer une sélection si les modifications sont à appliquer à toute l'image. La plupart des logiciels de retouche d'images proposent plusieurs outils qui permettent de délimiter une sélection. Les logiciels les plus perfectionnés, comme Photoshop, permettent aussi de sélectionner des pixels de couleur identique ou proche sans avoir à dessiner les contours de la sélection.

Comment fonctionnent les sélections ☐1

Une sélection est délimitée par une ligne pointillée animée ; il est possible de sélectionner plusieurs zones indépendantes les unes des autres. La correction ou le filtre appliqué ne concerneront que les zones

sélectionnées, à l'exclusion des autres parties de l'image qui ne seront pas affectées, ce qui représente une méthode exacte et précise de correction de l'image.

Effectuer une sélection précise à main levée peut prendre du temps. Par défaut, des formes standards sont proposées, avec des contours nets, ce qui est très utile pour déplacer, copier ou supprimer une partie de l'image, mais peu satisfaisant pour appliquer un effet limité. Une fois la sélection effectuée, on peut en estomper les contours par la commande Sélection>Contours progressif : plus le rayon des pixels est élevé, plus le contour sera atténué. On peut attribuer une valeur préalable de contour progressif à certains outils, mais il vaut mieux régler le contour progressif après avoir fait la sélection. Si vous trouvez les pointillés gênants, vous pouvez les masquer dans Affichage>Options des extras.

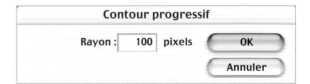

Sélection de la zone retouchée avec contour progressif.

Sélection de la zone retouchée sans contour progressif.

Outils de sélection

Tous les outils de sélection qui se trouvent dans
la boîte à outils – y compris la Plume, mais
à l'exception de la Baguette magique – permettent
de dessiner le contour d'une sélection. La Baguette
magique et le menu Sélection>Plage de couleurs
sélectionnent des zones de couleur proche. Pour
des formes au contour complexe, mais présentant
une couleur uniforme, ce mode de sélection est rapide
et n'exige pas de maîtriser les outils de dessin.
En mode Masque, la sélection ou l'extérieur
de la sélection est recouvert d'un filtre rouge.
Lorsqu'on est en mode Masque, les pointillés ne sont
plus visibles ; ils réapparaissent lorsqu'on passe en
mode standard. Le mode Masque est un bon moyen
d'aborder les sélections, surtout lorsqu'on n'est pas
très à l'aise avec les outils de dessin. On peut
appliquer des modifications à toutes les sélections
grâce aux commandes disponibles dans le menu
Sélection, par exemple : modifier, étendre,
généraliser. Des sélections complexes peuvent même
être enregistrées et stockées en tant que couches
alpha dans la palette Couches.

Le mode Masque peut servir à appliquer une couleur.

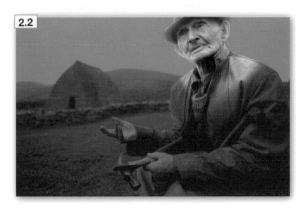

Il peut servir à isoler une zone de l'image.

De retour au mode standard, la zone isolée reste cernée.

Voir aussi La boîte à outils *p. 166-169* / Les bases de Photoshop *p. 166-191* / Effets artistiques avec Photoshop *p. 193-219* / Photomontage avec Photoshop *p. 221-239*

Choisir une couleur

Trouver la bonne couleur peut être une tâche ardue, surtout dans une palette de 16 millions de couleurs !

Les palettes de couleurs 1

Photoshop propose un grand choix de couleurs. La façon la plus simple et la plus directe de choisir une couleur est de cliquer sur le Sélecteur de couleur de premier plan dans la boîte à outils, mais d'autres boîtes de dialogue donnent accès au choix de couleur, notamment la palette flottante Couleur, Nuancier, Style. Dans la boîte de dialogue du Sélecteur de couleur, on peut sélectionner une couleur en cliquant dessus ou en changeant manuellement les valeurs de ses composantes dans l'un des quatre modes colorimétriques : RVB, CMJN, TSL et Lab ou en modifiant son code hexadécimal. Les deux modes colorimétriques les plus utilisés sont RVB et CMJN. Si on coche l'option couleurs web uniquement, la palette est plus restreinte, mais parfaitement adaptée aux images destinées à illustrer une page web ; la case précédée d'un dièse correspond à la valeur hexadécimale attribuée aux couleurs web.
En cliquant sur Personnalisé on ouvre la boîte de dialogue Couleurs personnalisées qui permet de choisir une couleur dans l'un des nuanciers Pantone, avec indication de l'équivalent CMJN.

Choisir une couleur 2

La valeur sélectionnée dans le Sélecteur de couleur devient immédiatement la couleur de premier plan, prête à être utilisée avec les pinceaux de la boîte à outils. Dans une image numérique standard, plus de seize millions de couleurs sont disponibles, mais beaucoup d'entre elles ne s'imprimeront pas avec l'intensité affichée à l'écran. Un petit triangle d'avertissement apparaît dans le Sélecteur quand une couleur non imprimable est choisie. On peut obtenir la couleur imprimable la plus proche en

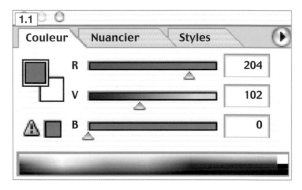

Palette Couleur, Nuancier, Style.

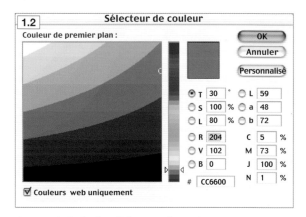

Aperçu de la fenêtre Sélecteur de couleur.

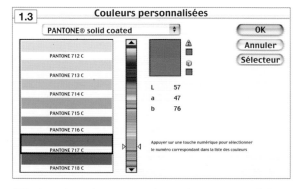

Sélecteur de couleur, aperçu des couleurs personnalisées.

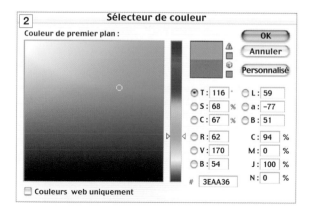

2 Sélecteur de couleur

Couleur de premier plan :

OK
Annuler
Personnalisé

- T : 116 °
- S : 68 %
- C : 67 %
- R : 62
- V : 170
- B : 54
- # 3EAA36

- L : 59
- a : -77
- B : 51

C : 94 %
M : 0 %
J : 100 %
N : 0 %

Couleurs web uniquement

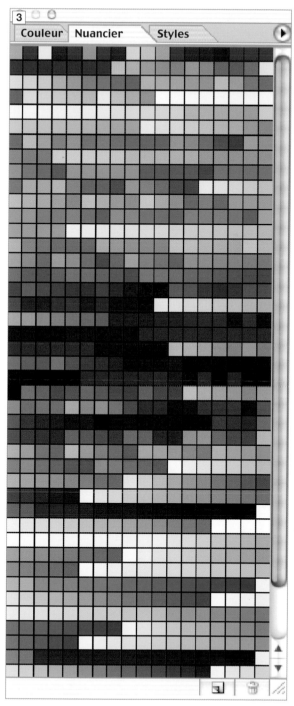

3 Couleur **Nuancier** Styles

cliquant sur le triangle. Pour sélectionner rapidement une couleur Pantone, placez le curseur au niveau de la teinte que vous recherchez, plutôt que de laisser défiler toutes les couleurs. Une autre façon de sélectionner une couleur de premier plan présente dans l'image consiste à cliquer avec la Pipette sur cette couleur. Cette fonction permet de sélectionner une couleur qui ne perturbera pas l'harmonie des couleurs de l'image. La palette flottante Couleur offre un choix plus limité que le Sélecteur de couleur et elle ne donne pas accès aux couleurs personnalisées.

Nuancier   **3**

Le Nuancier partage la même palette flottante que Couleur. Il contient un assortiment réduit, mais cependant utile, de couleurs, et il permet l'accès aux couleurs personnalisées grâce au curseur déroulant situé en haut à droite de la palette. Il est possible de le personnaliser et de l'enregistrer afin de l'importer dans les fichiers de travaux ultérieurs pour être sûr d'utiliser les mêmes couleurs.

Voir aussi La boîte à outils *p. 166-169* / Le mode Bichromie *p. 196-197* / Le Mélangeur de couches *p. 198-199* / Rehausser les couleurs *p. 202-203*

Recadrage et taille de l'image

La taille d'une image peut être modifiée pour s'adapter à un format d'impression ou tout simplement pour obtenir un meilleur cadrage.

Recadrage

1

Recadrer une image c'est en éliminer une partie afin d'améliorer la composition. En amenant l'outil Recadrage sur l'image, on sélectionne la zone que l'on souhaite conserver ; on pourra par la suite déplacer la sélection ou modifier sa taille en agissant sur les poignées situées aux quatre angles. Les zones qui seront supprimées sont grisées pour donner un aperçu du résultat final. Pour valider le recadrage, il faut cliquer sur l'icône de l'outil et confirmer Recadrage. Tous les calques de l'image sont affectés ; si on veut intervenir sur un seul calque, il est préférable d'utiliser un outil de sélection et de couper la zone sélectionnée en utilisant la commande Éditer>Couper. Si le projet sur lequel vous travaillez l'exige, vous pouvez spécifier les dimensions de l'image recadrée. Lorsqu'on recadre une image, des pixels sont éliminés et la taille du fichier diminue. Pensez à sauvegarder l'image originale avant d'enregistrer la version recadrée, au cas où vous souhaiteriez utiliser plus tard l'image de départ.

Les zones qui vont être éliminées sont grisées.

La même image, avec le sujet principal mis en valeur.

Un recadrage peut améliorer cette image.

Taille de l'image 2

Quand on parle de taille de l'image dans Photoshop, on se réfère en priorité à ses dimensions en pixels et à sa résolution. Le format de l'image peut être mentionné en centimètres, en pouces et, moins fréquemment, en picas ou en points. Dans la boîte de dialogue Taille de l'image, on peut intervenir sur ces différentes valeurs afin d'attribuer à l'image la résolution adaptée à son utilisation ; on peut également l'agrandir ou la réduire. Si on désactive le rééchantillonnage, la résolution de l'image peut être modifiée sans ajouter ou supprimer des pixels, ce qui maintient les dimensions en pixels et la taille du fichier. En revanche, si cette option est activée, la qualité de l'image est altérée par un changement important de format. Il est toujours difficile de juger comment une image sortira à l'impression, mais il est préférable de modifier le format d'impression dans la boîte de dialogue Options d'impression plutôt que dans la boîte de dialogue Taille de l'image.

Taille de la zone de travail 3

En principe, la taille de la zone de travail correspond à la taille de l'image, sauf si on la modifie ; c'est un peu comme la taille du papier par rapport au texte qui sera imprimé. On a accès à la boîte de dialogue Taille de la zone de travail dans le menu déroulant Image. Pour générer un cadre autour d'une image afin d'y ajouter du texte, des graphiques ou d'autres images, il faut donner à la zone de travail une taille plus grande que celle de l'image. Le cadre est rempli de pixels de la couleur de l'arrière-plan. La taille du fichier est donc augmentée. Pour indiquer la position de l'image dans la nouvelle zone de travail, cliquez sur l'un des carrés dans la boîte de dialogue Taille de la zone de travail. C'est également un moyen simple de créer un cadre de couleur autour d'une image.

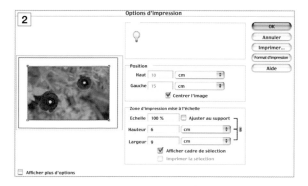

Voir aussi La boîte à outils *p. 166-169* / Faire une sélection *p. 172-173*

La boîte de dialogue Niveaux

Le réglage des niveaux est une des commandes les plus faciles à maîtriser, il permet d'appliquer des modifications tonales très précises.

La commande Niveaux

Le réglage des Niveaux est une fonction de base de Photoshop, qui est demeurée pratiquement inchangée depuis la création du logiciel. C'est dans cette boîte de dialogue qu'il faut régler le contraste et la luminosité d'une photo numérique plutôt que dans la boîte de dialogue Luminosité/Contraste. Représentées sur un histogramme, ces deux valeurs sont plus facilement mesurables sur une image numérique que sur un film. Dans une image RVB, la couleur des pixels est obtenue à partir de trois composantes d'une valeur de 0 à 255, ces valeurs pouvant être modifiées dans la boîte de dialogue Niveaux. Grâce à deux séries de curseurs, on peut régler efficacement la luminosité et le contraste dans Niveaux.

Interpréter l'histogramme

Pour accéder à l'histogramme, faire Image>Réglages>Niveaux. La distribution tonale exacte de tous les pixels d'une image est représentée de 0 à 255 sur un axe horizontal, et leur quantité sur une échelle verticale. Une image est composée d'un grand nombre de couleurs, la forme de l'histogramme est propre à chaque image. Trois curseurs triangulaires se trouvent sur l'axe horizontal : le triangle noir, à gauche, règle les tons foncés ; le gris, au milieu, règle les tons moyens ; le triangle blanc, à droite, gère les tons clairs. Le curseur des tons moyens peut être utilisé pour corriger des erreurs d'exposition ou de numérisation par un scanner.

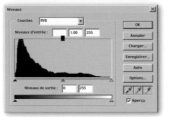

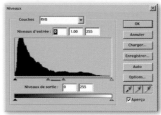

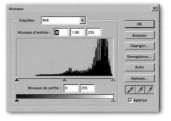

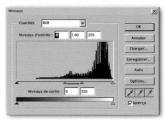

Voir aussi La boîte à outils *p. 166-169 /* La boîte de dialogue Courbes *p. 180-181*

Corriger une image sombre [1]

L'histogramme d'une image sombre présente un pic sur la gauche, dans les tons obscurs : l'image contient plus de noir et de gris foncé que de tons clairs. Pour l'éclaircir, il faut faire glisser le triangle gris vers la gauche, comme indiqué.

Corriger une image claire [2]

Au contraire, l'histogramme d'une image claire présente un pic sur la droite : l'image contient plus de tons clairs que de tons foncés. Pour la corriger, il faut faire glisser le triangle gris vers la droite, comme indiqué.

Améliorer le contraste

Des corrections de contraste sont souvent nécessaires avant de procéder à l'impression des photos numériques pour éviter des résultats plats et décevants. Quand l'histogramme présente un dôme central, sans relief dans les valeurs sombres et les tons clairs, l'image manquera de contraste, mais elle peut être facilement corrigée.

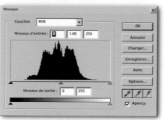

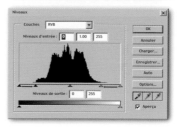

Augmenter le contraste [3]

Un histogramme pratiquement plat dans les valeurs extrêmes correspond à une image composée de tons moyens contenant peu de noirs et de blancs purs : l'image est plate et terne. Pour accentuer les tons clairs et les tons foncés, il faut déplacer vers le centre les deux curseurs extérieurs, comme indiqué.

Atténuer le contraste [4]

Pour corriger une image très contrastée, manquant de tons moyens, peut-être à cause d'une erreur de réglage du scanner, il faut rapprocher du centre les deux curseurs des Niveaux de sortie (en bas de la boîte de dialogue) : les tons noirs deviennent gris foncé et les hautes lumières se transforment en gris clair.

La boîte de dialogue Courbes

Les réglages disponibles dans Courbes permettent d'effectuer des contrôles de luminosité et de contraste encore plus précis qu'avec Niveaux.

La commande Courbes

Les Courbes permettent d'effectuer une légère modification de contraste pour améliorer une infime partie de l'image. Au premier abord, cette commande paraît complexe, avec peu de repères visuels pour se guider. On est tenté de tirer sur la courbe comme sur un élastique, puis d'abandonner parce qu'on s'est aperçu qu'on était allé trop loin. Pour simplifier, il s'agit de l'échelle de 0 à 255, utilisée dans Niveaux, représentée différemment. Les tons clairs sont en bas à gauche, les tons foncés en haut à droite et les tons moyens au centre. Pour modifier le contraste, il faut tirer ou pousser le centre de la courbe. Si vous poussez vers le haut la luminosité diminue, si vous tirez vers le bas, elle augmente. Si l'image nécessite simplement un léger ajustement du contraste général, c'est tout ce que vous avez à faire.

Modifier un ton précis de l'image

La commande Courbes peut être utilisée pour modifier un ton précis prélevé dans l'image. Après avoir ouvert la boîte de dialogue, placez le pointeur de la souris sur la zone de l'image que vous souhaitez modifier. Appuyez sur la touche Commande du clavier et cliquez pour charger la valeur tonale en tant que point modifiable sur la courbe. Ce point peut désormais être poussé ou tiré, pour éclaircir ou assombrir le ton. Si le reste de la courbe bouge en même temps, vous pouvez cliquer sur des points de part et d'autre pour verrouiller les tons voisins et éviter des changements indésirables.

Accentuer le contraste

L'image de cette maison grise se détachant sur le ciel manquait de couleurs saturées. Pour effectuer une

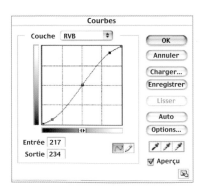

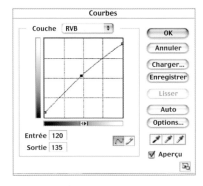

correction de contraste, on a légèrement déformé la courbe, en S. Après avoir cliqué sur l'intersection centrale pour verrouiller les tons moyens, deux points ont été créés : l'un, pour les tons clairs en haut à droite, a été poussé vers le haut et l'autre, pour les tons foncés en bas à gauche, a été tiré vers le bas. L'image qui en résulte est plus lumineuse sans que les couleurs soient saturées à l'excès.

Atténuer le contraste [2]

Une image très contrastée, avec beaucoup de blanc et de noir et peu de tons moyens, peut poser des problèmes à l'impression. Pour atténuer le contraste de ce paysage marin sous un ciel d'orage, on a d'abord tiré vers le bas le point des tons clairs, en haut à droite, ce qui a rendu les blancs moins lumineux. Ensuite, le point des tons foncés a été poussé vers le haut pour éclaircir les basses lumières. Au centre, le point des tons moyens a été poussé légèrement vers le haut pour les rendre plus lumineux.

Corriger une image sous-exposée [3]

Quand le capteur n'a pas reçu suffisamment de lumière, l'image est sombre et terne. Pour corriger ce défaut avec Courbes, il faut cliquer au centre du graphique et pousser légèrement le point vers le haut. Une petite impulsion suffit à modifier la luminosité.

Corriger une image surexposée [4]

La commande Courbes peut également être utilisée pour corriger l'erreur d'exposition inverse. Cliquez au centre du graphique et tirez doucement le point vers le bas. L'image changera instantanément et affichera des tons moyens plus sombres.

Voir aussi La boîte à outils *p. 166-169* / La boîte de dialogue Niveaux *p. 178-179*

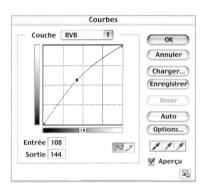
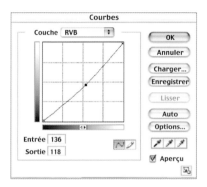

Faire des corrections de couleur

Des couleurs ternes et un manque de détails sont les principaux défauts
qui peuvent affecter une image.

Les principes de la correction   1

La reproduction fidèle des couleurs est une tâche
sans fin pour les professionnels de l'image et le
processus devient de plus en plus complexe en raison
de la multiplication des modèles d'appareils photo,
scanners et imprimantes, qui fonctionnent avec des
paramètres pas toujours compatibles. Une dominante
de couleur peut rendre une image terne, la privant
de luminosité. Les dominantes sont faciles à corriger,
lorsque l'on a compris les principes de base du cercle
chromatique. Dans toute reproduction de couleur,
il y a six couleurs, divisées en trois paires opposées :
rouge et cyan, magenta et vert, bleu et jaune. Une
dominante est toujours due à une quantité excessive
d'une de ces six couleurs et elle peut être corrigée en
augmentant la valeur de la couleur opposée jusqu'à
ce que la dominante disparaisse.

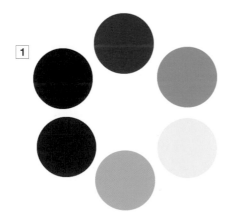

Le cercle chromatique.

Voir aussi Réglage des fonctions : couleur p. 14-15 /
La boîte à outils p. 166-169 / Gammes de couleurs
p. 184-185 / Rehausser les couleurs p. 202-203

Chercher les dominantes de couleur   2

Il faut rechercher les dominantes de couleur dans
les zones de couleur neutre, par exemple les gris
moyens. On a plus de mal à repérer les dominantes
dans les hautes lumières et les basses lumières ou
dans les couleurs saturées. En l'absence de gris, il
faut chercher les dominantes dans les tons chair.

C'est dans les tons neutres que l'on observe le mieux
les dominantes de couleur. Ici une dominante bleue.

Après correction, l'image est plus lumineuse.

La boîte de dialogue Variantes   3

C'est un excellent outil pour les débutants. L'image
est affichée en six versions différentes, placées autour
de l'original. Pour éliminer les dominantes, il suffit

de cliquer sur la version la plus satisfaisante qui vient remplacer l'image centrale. L'importance des changements de couleur se règle en faisant glisser le curseur Fort/Faible. Les meilleurs résultats sont obtenus en cochant l'option tons moyens. Si on n'est pas satisfait du résultat, il suffit de cliquer sur l'image Page d'origine, en haut à gauche, et d'effectuer de nouveaux réglages.

La Balance des couleurs

Le réglage est moins visuel, mais les contrôles disponibles sont plus nombreux. Pour utiliser cette commande, il faut d'abord avoir identifié la dominante de couleur. Les corrections sont effectuées en augmentant la valeur de la couleur opposée à la dominante, et le changement est visible immédiatement sur l'image. Lorsqu'on corrige les dominantes couleurs d'une photo prise en lumière artificielle, il faut cocher l'option tons clairs. Si les photos prises avec un appareil numérique présentent souvent des dominantes de couleurs, il est conseillé de vérifier que la Balance des blancs n'est pas réglée, par erreur, sur lumière artificielle.

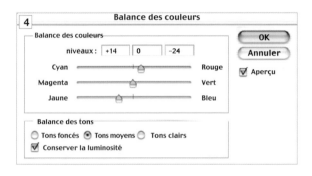

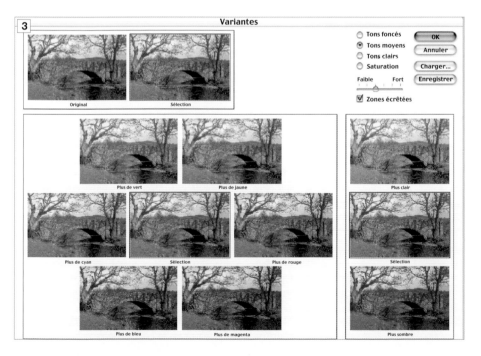

La boîte de dialogue Variantes est sans aucun doute la commande la plus facile pour aborder la correction de couleur.

Gammes de couleurs

À chaque périphérique correspond une gamme de couleurs, c'est l'éventail des couleurs qu'il peut afficher ou imprimer.

Qu'est-ce qu'une gamme de couleurs ?

Le spectre des couleurs perçues par l'œil humain est plus large que le spectre des couleurs reproductibles par n'importe quel périphérique. La gamme de couleurs des imprimantes est basée sur la synthèse soustractive, alors que celle des moniteurs qui fonctionnent en projetant des faisceaux de lumière rouge, verte et bleue est basée sur la synthèse additive. Photoshop possède plusieurs fonctions de contrôle des couleurs qui permettent de gérer les différences existant entre les gammes de couleurs des périphériques, ce qui permet d'éviter les erreurs qui pourraient se manifester à l'impression.

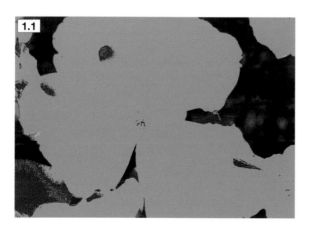

1.1

Les couleurs non imprimables sont affichées en gris.

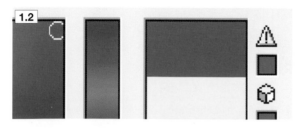

1.2

Un triangle d'alerte apparaît pour signaler que la couleur ne fait pas partie de la gamme de couleurs de l'imprimante.

Comment identifier les problèmes 1

On est souvent tenté d'augmenter la saturation des couleurs afin de rendre les images plus lumineuses, ou d'utiliser des couleurs vives pour imiter les tirages des photographies argentiques ; ces deux opérations sont bien souvent sources de problèmes. Pour identifier les couleurs incompatibles avec les paramètres des périphériques d'impression, deux options « d'alerte » peuvent être activées dans le menu déroulant Affichage. La première, l'option Couleurs non imprimables, affiche en gris les couleurs qui ne seront pas interprétées correctement à l'impression. Il faut cocher cette option dès l'ouverture du fichier, car il est plus facile de régler les problèmes de couleurs au fur et à mesure qu'ils apparaissent. La seconde option, Couleurs de l'épreuve, modifie l'apparence de l'image pour afficher les couleurs telles qu'elles seront imprimées, en CMJN par exemple. Pour que cette seconde option soit utile, il faut au préalable régler, dans le même menu, le Format d'épreuve, en cochant une option dans le sous-menu Personnalisé.

Modifier les couleurs non imprimables 2

Lorsque l'on est confronté à un problème d'incompatibilité de gammes de couleurs, signalé par l'affichage de gris à la place d'une couleur, il faut ouvrir la boîte de dialogue Remplacement de couleur (Image>Réglages>Remplacement de couleur). Après avoir coché, sous l'aperçu, la case Sélection, il faut cliquer sur la zone grise de l'image et faire glisser le curseur Tolérance pour identifier la zone de couleur concernée. On commence par réduire la saturation et, si ce n'est pas suffisant,

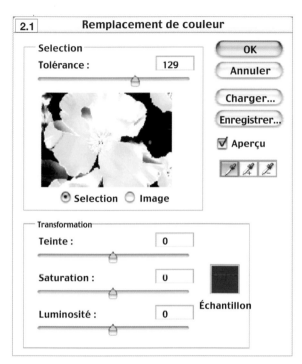

Remplacement de couleur

2.1

Selection

Tolérance : 129

○ Selection ○ Image

Transformation

Teinte : 0

Saturation : 0

Luminosité : 0

Échantillon

OK
Annuler
Charger...
Enregistrer...
☑ Aperçu

La boîte de dialogue Remplacement de couleur peut permettre de résoudre une incompatibilité de gammes.

on modifie légèrement la teinte. Mais il faut savoir que les images ayant subi des manipulations de couleurs trop importantes sont difficiles, voire impossibles, à corriger.

Problèmes d'impression

Si les couleurs de l'image imprimée ne correspondent pas à ce que vous attendiez, vérifiez le calibrage du moniteur, ainsi que les paramètres de réglage des couleurs dans Photoshop (Édition>Couleurs).

Voir aussi Calibrage d'un moniteur p. 110-111 / Choisir une couleur p. 174-175 / Faire des corrections de couleur p. 182-183

Avant modification de la couleur.

Désaturer la couleur a permis de retrouver des détails.

Faire des retouches

Grâce au Tampon de duplication, on peut éliminer des détails dont la présence nuirait à la composition.

Le Tampon de duplication [1]

Le Tampon, outil commun à Photoshop et Photoshop Elements, nous fait pénétrer de plain-pied dans l'univers magique de la photographie numérique. Il copie des pixels dans une section de l'image et les colle dans une autre, et tout cela en temps réel. Tenter de remplir de couleur une zone après avoir chargé l'Aérographe de la couleur choisie ne donne pas des résultats aussi satisfaisants, parce que les images sont composées d'un mélange de dégradés de couleurs, difficile à reproduire. Contrairement aux autres outils de peinture présents dans la boîte à outils, le Tampon de duplication n'est pas inspiré d'une quelconque technique de peinture ; c'est comme si on peignait avec un pinceau non pas chargé de couleur, mais « chargé d'image ». La finesse du résultat dépend plus de la qualité des pixels copiés que de l'opération de duplication. Cet outil est très utile pour masquer des rayures, ainsi que des traces de poussière ou de cheveu apparues lors de la numérisation ; son utilisation est plus efficace que l'application d'un filtre de bruit (Flou intérieur ou Antipoussière).

Comme pour tous les autres outils de peinture et de dessin de la boîte à outils, on peut choisir la taille, la forme et l'opacité du Tampon, ainsi que son mode de fusion, sachant que les meilleurs résultats sont obtenus en mode normal.

Utilisation du Tampon [2]

Pour sélectionner l'échantillon de couleur à prélever, il faut placer le Tampon de duplication sur la zone choisie, maintenir la touche Alt (Option) enfoncée et cliquer. Ensuite, on déplace le pointeur de la souris vers la zone à retoucher et on clique pour déposer la couleur. Les formes à contour flou sont plus faciles à utiliser au début, mais les formes à contour net préservent mieux la netteté de l'image.

Image d'origine avant retouche.

La retouche a éliminé les branches d'arbre gênantes.

Option Aligné

3

Cette option est activée par défaut. Une fois la première retouche effectuée, si l'option est cochée, la distance entre le point où sont prélevés les pixels, signalé par une croix, et le point d'application, signalé par un cercle, reste fixe. Elle a été déterminée par la première duplication de pixels. Il est donc essentiel de surveiller l'emplacement de ces deux repères et éventuellement de renouveler le prélèvement de couleur.

Option Aligné désactivée

4

Quand l'option Aligné n'est pas cochée, on peut déposer plusieurs fois les pixels prélevés. C'est une bonne technique pour retoucher des zones aux caractéristiques proches, comme les nuages ou l'herbe, mais qui fonctionne moins bien avec les dégradés de couleur.

Sélectionner la zone à retoucher

Pour faire des retouches précises et éviter qu'elles ne concernent d'autres zones de l'image, il faut commencer par effectuer une sélection qui délimitera la zone à retoucher. Cette formule est adaptée à la retouche des formes qui ont des bords nets et notamment aux formes géométriques.

Voir aussi La boîte à outils *p. 166-169* / Faire une sélection *p. 172-173*

Corrections partielles de densité

Les outils Densité – et Densité + sont adaptés au travail fait à l'agrandisseur pour retenir ou faire monter des parties de l'image.

Retravailler une image

Lorsque des tirages d'une qualité irréprochables sont requis, même s'il ne s'agit pas de photographies d'art, les épreuves subissent une étape supplémentaire dans la chambre noire où des zones de l'image sont assombries ou éclaircies, parfois à la recherche d'effets spéciaux. Ni la lumière naturelle ni un éclairage de studio ne peuvent faire ressortir toutes les parties d'une image ; il faut donc les retravailler dans l'obscurité du laboratoire. En photographie numérique, les outils Densité – et Densité + sont utilisés pour donner du relief à une image. Densité + assombrit et peut servir à mettre en retrait une partie peu intéressante de l'image, ce qui a pour effet de mettre en valeur le sujet principal. Densité –, au contraire, éclaircit et peut être utilisé pour corriger des erreurs d'exposition.

Les outils Densité – et Densité +   1

Photoshop propose deux outils pour effectuer des corrections sélectives de densité : Densité – et Densité +. Malheureusement, ces deux outils fonctionnent avec les caractéristiques des pinceaux ; ils ont les formes régulières et les propriétes de ces derniers. Ils sont parfaits pour intervenir sur des zones réduites, mais si la partie à retoucher est étendue, l'utilisation excessive de retouches de forme circulaire peut devenir visible.

Sélectionner la zone à retoucher   2

On peut procéder différemment en effectuant une sélection manuelle de la zone à retoucher. La sélection peut prendre n'importe quelle forme pour s'adapter à la zone sur laquelle on souhaite

Avec une densité légèrement poussée, cette image a plus de caractère.

1.2

Image originale non retouchée.

1.3

Les outils Densité peuvent laisser des marques visibles.

intervenir. On utilisera, par exemple, le Lasso avec un contour progressif. La zone sélectionnée sera assombrie ou éclaircie dans la boîte de dialogue Luminosité/Contraste en déplaçant le curseur de luminosité. La commande Luminosité applique le même taux de modification à chaque pixel de la

sélection, le risque de postérisation est pratiquement nul. Pour retrouver l'aspect d'une photo retravaillée en laboratoire, il est préférable de procéder par touches progressives. Si le contour pointillé de la sélection vous gêne, déroulez le menu Affichage et masquez les extras.

Les bases de la correction de densité

Qu'il s'agisse d'images en couleur ou en noir et blanc, le fait d'assombrir les bords d'une photo contribue à attirer le regard vers le centre. Cette retouche doit être légère, toute exagération risquerait de nuire au résultat final. Les zones trop lumineuses peuvent être légèrement assombries pour ne pas focaliser l'attention ; effectuez des sélections de plus en plus réduites dans la zone concernée. Les photographes qui ont passé de longues heures dans une chambre noire à retravailler leurs images à l'aide de masques bien souvent improvisés connaissent ce processus sur le bout des doigts

2.1

D'excellents résultats sont obtenus par le biais des sélections.

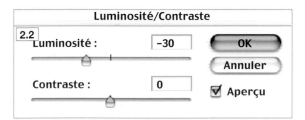

2.2

Luminosité/Contraste		
Luminosité :	−30	OK
		Annuler
Contraste :	0	☑ Aperçu

En déplaçant le curseur de luminosité, on peut assombrir ou éclaircir la zone sélectionnée.

Voir aussi La boîte à outils *p. 166-169* / Faire une sélection *p. 172-173*

Accentuer la netteté

Les filtres de renforcement permettent de faire ressortir des détails. En aucun cas, ils ne peuvent corriger des erreurs de mise au point ou le flou dû au bougé de l'appareil.

L'action des filtres de netteté

Les filtres de netteté augmentent le contraste entre les pixels de couleur différente. Lorsqu'une image est légèrement floue, le passage d'une couleur a une autre est estompé, alors que les couleurs d'une image nette ont des bords francs. Les appareils photo numériques produisent des images peu contrastées à cause du filtre anti-alias placé entre l'objectif et le capteur, dont le but est de lisser les pixels, qui sont carrés. La netteté des images numériques doit toujours être accentuée avant leur impression. Mais pour maîtriser les effets de cette correction sur le résultat final, elle doit être effectuée à la fin du processus de retouche, juste avant l'impression. La netteté doit toujours être renforcée, lorsqu'une image est interpolée, car l'ajout ou la suppression de pixels entraîne une perte de netteté. Photoshop dispose de quatre filtres de renforcement (Accentuation, Contours plus nets, Encore plus net et Pus net). Tous peuvent être appliqués à toute l'image ou à une partie seulement. Seul le filtre Accentuation est doté de plusieurs réglages.

Le filtre Accentuation   [1]

La boîte de dialogue du filtre Accentuation (Filtre>Renforcement>Accentuation) permet d'intervenir sur trois valeurs : gain, rayon et seuil. Le gain détermine le pourcentage d'augmentation de contraste des pixels. Le Rayon détermine la quantité de pixels affectés entourant les pixels concernés : si la valeur choisie est basse, seule une bande étroite de pixels sera modifiée. Le seuil détermine la différence entre un pixel et ceux qui l'entourent qui sera prise en compte. À 0, tous les pixels de l'image sont modifiés, avec pour résultat une image aux couleurs beaucoup trop saturées. Une valeur plus haute entraînera moins de défauts.

> **Voir aussi** Réglage des fonctions : couleur p. 14-15 / La boîte à outils p. 166-169

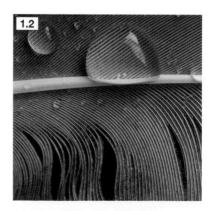

Image d'origine non retouchée.

Utilisation du filtre de renforcement Accentuation, avec neuf réglages différents.

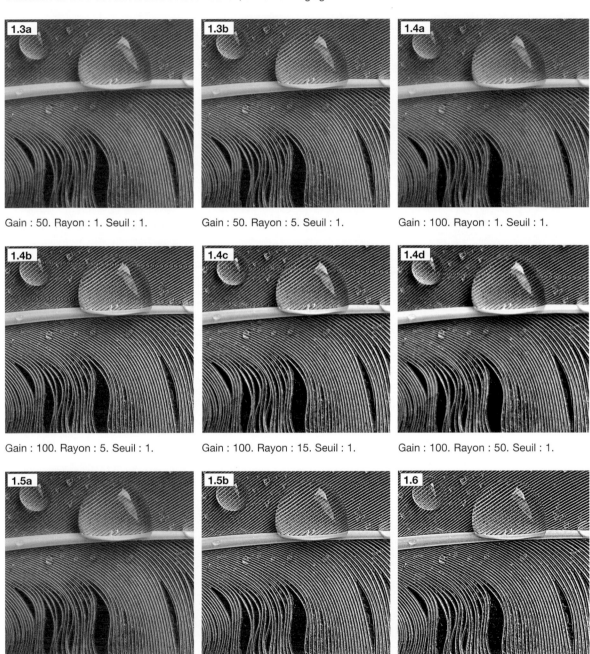

Gain : 50. Rayon : 1. Seuil : 1.

Gain : 50. Rayon : 5. Seuil : 1.

Gain : 100. Rayon : 1. Seuil : 1.

Gain : 100. Rayon : 5. Seuil : 1.

Gain : 100. Rayon : 15. Seuil : 1.

Gain : 100. Rayon : 50. Seuil : 1.

Gain : 200. Rayon : 1. Seuil : 1.

Gain : 200. Rayon : 5. Seuil : 1.

Gain : 400. Rayon : 5. Seuil : 1.

8 Effets artistiques avec Photoshop

Appliquer une teinte

Une photo en couleurs, en mode RVB, peut être transformée en une image monochrome du plus bel effet.

De la couleur au ton sépia

Il y a plusieurs façons de ramener à une seule couleur une photo numérique, mais la commande Redéfinir, de la boîte de dialogue Teinte/Saturation, est de loin la solution la plus facile. Pour les photos prises avec un appareil numérique, il n'est pas nécessaire de changer le mode RVB en Niveaux de gris ; en revanche, s'il s'agit d'un scan monochrome en mode Niveaux de gris, il faut commencer par convertir l'image en mode RVB. Les corrections de contraste et de luminosité doivent être effectuées dans la boîte de dialogue Niveaux avant l'application de la nouvelle couleur, et les détails doivent être visibles dans les tons foncés et les tons moyens.

La boîte de dialogue Teinte/Saturation   1

Accessible par le menu Image>Réglages, la boîte de dialogue Teinte/Saturation permet d'effectuer différents réglages. Dans le menu déroulant Modifier, il faut conserver le choix Global, sélectionné par défaut, pour appliquer une teinte à la totalité de l'image plutôt qu'à une seule couche. En cochant les deux options Redéfinir et Aperçu (en bas et

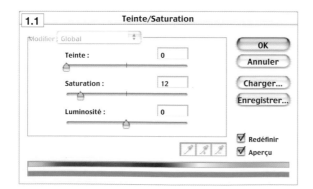

Cette boîte de dialogue est la clé de la transformation.

L'image d'origine est en RVB.

L'image après application de la commande Redéfinir.

à droite), l'image devient monochrome. Si la couleur semble trop saturée, déplacez le curseur Saturation pour baisser l'intensité de la couleur. Choisissez un réglage entre 15 et 25, sachant que le chiffre le plus bas donne une couleur douce et qu'une saturation excessive peut provoquer l'apparition d'artefacts. Après avoir réglé la saturation, vous pouvez définir la couleur, le ton sépia est un bon choix qui met en valeur les images. Si le contraste a été réglé auparavant, il n'est pas nécessaire d'agir sur le curseur Luminosité.

La boîte de dialogue Balance des couleurs 2

Une autre procédure plus complexe pour appliquer une teinte monochrome à une image consiste à utiliser les commandes de la boîte de dialogue Balance des couleurs. Cette méthode donne la possibilité d'exercer des contrôles supplémentaires, puisqu'elle permet d'appliquer des quantités différentes de couleur sur les tons clairs, les tons moyens et les tons foncés. Premièrement, l'image doit être vidée de sa couleur à l'aide de la commande Image>Réglages>Désaturation. Le résultat est une image monochrome dans un espace colorimétrique RVB ; l'étape suivante consiste à ouvrir la boîte de dialogue Balance des couleurs. La nouvelle couleur est appliquée en déplaçant les trois curseurs, en commençant par régler les tons moyens, puis les tons clairs et, pour finir, les tons foncés.

Voir aussi Modes colorimétriques p. 80-81 /
La boîte à outils p. 166-169 / Choisir une couleur p. 174-175 /
Le mode Bichromie p. 196-197

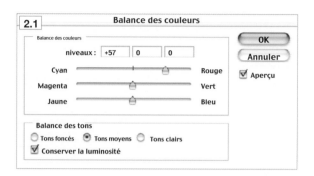

Différentes couleurs peuvent être attribuées, successivement, aux tons foncés, aux tons moyens et aux tons clairs.

Le choix judicieux de couleurs délicates donne de la présence à ce paysage.

Le mode Bichromie

Le mode Bichromie permet d'exercer un contrôle plus important sur la couleur et les tons de l'image.

La bichromie est sans doute la meilleure façon d'appliquer une teinte à une image numérique. Le procédé s'inspire de la technique utilisée en imprimerie pour obtenir une reproduction de qualité des photographies en niveaux de gris. Photoshop propose plusieurs formules de bichromie préétablies qui peuvent être appliquées à n'importe quelle image et imprimées sur toutes les imprimantes numériques. Comme son nom l'indique, la bichromie est basée sur l'utilisation de deux couleurs (en général le noir, plus une seconde couleur), mais en fait le mode Bichromie offre la possibilité de créer des images en Niveaux de gris à une, deux, trois ou quatre couleurs. L'intérêt d'imprimer avec plusieurs encres une image en niveaux de gris est d'obtenir plus de nuances dans les tons clairs, moyens et foncés.

Images à deux, trois ou quatre couleurs

L'image doit d'abord être convertie en Niveaux de gris, puis Bichromie sélectionnée dans le même menu (Image>Mode). Lorsqu'on sélectionne Bichromie dans le menu déroulant Type, le noir est établi par défaut

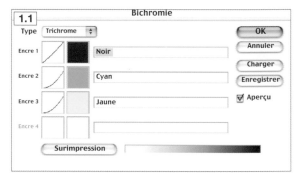

La boîte de dialogue Bichromie.

La trichromie fait bien ressortir les différences de tons.

Sur cette image, la présence de l'encre orange dans les tons clairs a été réduite.

Pour cette version, la présence de l'orange a été renforcée, comme le montre la courbe.

Les déformations infligées à la courbe créent une atmosphère irréelle.

comme couleur de base. Pour choisir la seconde couleur, il faut cliquer sur la case vide sous le noir : la boîte de dialogue Couleurs personnalisées s'affiche, vous pouvez également avoir accès au Sélecteur de couleur. Le changement est plus facile à voir avec les couleurs vives.

Utiliser les courbes 1

Il est possible de modifier l'apparence de cette seconde couleur en cliquant sur l'icône de sa courbe. La courbe qui accompagne la couleur est divisée en dix secteurs, chaque carré représentant une augmentation de 10 % de la valeur tonale. Le blanc équivaut à 0 % et le noir à 100 %. Une ligne diagonale signifie que chaque valeur originale de niveaux de gris a été remplacée par le même pourcentage de la nouvelle couleur. On peut changer ces valeurs soit en cliquant sur n'importe quel point de la diagonale et en tirant la courbe vers le haut, pour augmenter l'intensité, ou vers le bas, pour obtenir l'effet inverse ; soit en changeant l'intensité de la couleur, en rentrant des valeurs directement dans les cases situées à droite de la courbe, la seconde méthode étant réservée aux utilisateurs expérimentés de Photoshop.

Variations sur une seule couleur 2

Les trois images ci-contre montrent les changements que l'on peut obtenir en agissant sur la courbe d'intensité de la couleur.

Voir aussi La boîte à outils *p. 166-169* / Choisir une couleur *p. 174-175* / Appliquer une teinte *p. 194-195*

Le Mélangeur de couches

Cette commande de Photoshop permet d'obtenir des résultats analogues aux couleurs irréelles produites par les négatifs infrarouges.

D'abord saturer les couleurs

En photographie argentique, les films infrarouges noir et blanc transforment le vert terne d'un feuillage en blanc brillant, créant ainsi un paysage irréel. Le Mélangeur de couches permet d'obtenir un résultat analogue, à condition d'avoir au préalable augmenté la saturation des couleurs. Une image d'herbe ou de feuillage vert se détachant sur un ciel bleu se prêtera bien à cette transformation. Il faut commencer par augmenter la saturation de toutes les parties vertes de l'image. Pour cela, il n'est pas nécessaire de sélectionner les zones de couleur verte ; il faut choisir Image>Réglages>Teinte/Saturation, puis sélectionner Verts dans le menu déroulant Modifier de la boîte de dialogue Teinte/Saturation, seule la saturation des verts est modifiée. Il ne faut pas dépasser +50 en saturation, sinon l'image risque de se postériser.

Passage en noir et blanc [1]

Le Mélangeur de couches va permettre d'appliquer à l'image un effet infrarouge. Grâce aux commandes de cette boîte de dialogue, il est possible de redéfinir la quantité exacte de chaque couleur dans sa propre couche, pour que le vert apparaisse plus sombre ou plus clair qu'après une simple conversion du mode RVB en mode Niveaux de gris. Pour obtenir ce résultat, il faut cocher l'option Monochrome et, par exemple, augmenter la quantité du vert jusqu'au maximum de 200 %, tout en ramenant le rouge et le bleu à – 50. Il n'y a pas de règles strictes pour l'utilisation de la fonction Mélangeur de couches, mais au final, lorsqu'on additionne les valeurs, le total obtenu doit égaler 100.

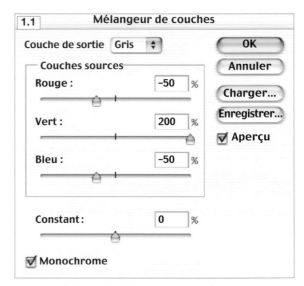

Boîte de dialogue du Mélangeur de couches.

Couleurs irréelles [2]

On peut effectuer des réglages colorimétriques créatifs en agissant sur le mélange des couches de couleur. Le principe consiste à remplacer chaque couleur source par une autre couleur, ce qui crée des effets irréalisables en photographie argentique. La couleur des nuages et du ciel a complètement changé sans poser de problème de gamme de couleurs ni créer d'artéfacts. Des modifications légères sont toujours préférables à des transformations importantes qui risquent de donner des résultats médiocres à l'impression. Des formules peuvent être enregistrées pour être appliquées à d'autres images, en cliquant sur Enregistrer avant de valider par OK les transformations de couleurs.

Voir aussi La boîte à outils *p. 166-169* / Gammes de couleurs *p. 184-185* / De la couleur au noir et blanc *p. 200-201*

1.2

1.3

Image RVB d'origine.

La même image modifiée avec le Mélangeur de couches.

2.1

2.2

Image originale aux couleurs peu contrastées.

L'image monochrome a plus de présence.

De la couleur au noir et blanc

Passer de la couleur au noir et blanc en utilisant le mode Niveaux de gris est peu satisfaisant, il existe heureusement d'autres solutions.

Certaines photos numériques auraient beaucoup plus de caractère en noir et blanc, mais comme l'option Niveaux de gris n'est pas disponible pour la prise de vue, les images RVB devront être converties par la suite. Les logiciels de traitement d'images offrent d'autres possibilités de réinterpréter les images couleur en version monochrome que le simple changement de mode. Des conversions complexes de la couleur au noir et blanc peuvent intervenir sur les couches individuelles d'une image, en assombrissant ou en éclaircissant les couleurs de l'image d'origine.

Conversion en Niveaux de gris   1

Convertie du mode Couleurs RVB en mode Niveaux de gris, l'image est terne et plate. Les couleurs claires d'origine ont mal été traduites, ce qui donne au résultat un aspect délavé et décevant avec des tons peu contrastés. On peut comparer cette photo qui a perdu ses qualités et son originalité à un tirage industriel en série effectué sur du mauvais papier. Un résultat aussi décevant serait obtenu en utilisant la commande Image>Réglages>Désaturation pour convertir l'image RVB.

Voir aussi Modes colorimétriques *p. 80-81* / La boîte à outils *p. 166-169* / Le Mélangeur de couches *p. 198-199*

Image d'origine RVB.

La même image convertie en Niveaux de gris.

Utiliser le mode Couleurs Lab   2

Une façon d'éviter des résultats ternes consiste
à convertir l'image RVB en mode Couleurs Lab,
un espace colorimétrique théorique, sans lien avec
les périphériques d'entrée ou de sortie, qui
fonctionne en séparant deux couches de couleur
d'une couche Luminosité. Après avoir effectué
la conversion de mode, supprimez, dans la palette
Couches, les couches a et b en les faisant glisser dans
la corbeille de la palette. Il ne reste que la couche
Luminosité. L'image aux tons lumineux doit être
reconvertie en mode Niveau de gris ou en RVB pour
que tous les outils de Photoshop soient accessibles.

Utiliser le Mélangeur de couches   3

Le Mélangeur de couches représente la façon
la plus sophistiquée de faire une conversion de tons.
Accessible par Image>Réglages>Mélangeur de
couches, cette boîte de dialogue permet de modifier
l'intensité des couleurs originales. Les résultats
peuvent aller d'une image noir et blanc très
contrastée avec un fort impact visuel au choix d'une
image douce qui privilégie les tons intermédiaires.
La clé de la boîte de dialogue repose sur les nouvelles
valeurs sélectionnées. Pour effectuer une conversion,
cliquez sur l'option Monochrome et choisissez
la couleur à rehausser. Diminuer sa valeur va
l'assombrir, l'augmenter la rendra plus lumineuse.
Pour chaque réglage effectué, il ne faut pas oublier
que les valeurs additionnées du rouge, du vert
et du bleu des couches sources doivent égaler 100.

La même image convertie en couleurs Lab.

La même image convertie avec le Mélangeur de couches.

Rehausser les couleurs

Si on n'utilise pas les bons outils et les bonnes commandes, les changements de couleurs peuvent être désastreux.

Réchauffer les couleurs [1]

L'utilisation du flash par temps sombre et nuageux engendre des images aux couleurs froides et bleutées. Ces images sont moins attrayantes que les photos prises en lumière du jour par une belle journée ensoleillée. En photographie argentique, pour pallier ce problème on peut fixer sur l'objectif de l'appareil un filtre légèrement orangé. En photographie numérique, on dispose des outils de correction des couleurs qui se trouvent dans le menu Image>Réglages. Si les couleurs d'une image sont à dominante froide, sélectionnez l'option Balance des couleurs et augmentez les valeurs des jaunes et des rouges jusqu'à ce que la photo affiche des tons visiblement plus chauds. À titre indicatif, la valeur du changement ne doit pas dépasser 20.

Correction sélective des couleurs

La boîte de dialogue Correction sélective permet de contrôler les couleurs d'une image sans avoir à effectuer une sélection précise qui prend du temps. La commande Correction sélective agit sur les pixels de la couleur choisie. Ce réglage permet par exemple de rendre le ciel encore plus bleu, mais un changement de couleur trop brutal ne sera pas convaincant.

La boîte de dialogue Teinte/Saturation [2]

La boîte de dialogue Teinte/Saturation permet de faire des corrections sélectives de couleur plus fines que la commande Correction sélective. Après avoir sélectionné une couleur dans le menu déroulant Modifier, des réglages de teinte, saturation et luminosité peuvent être effectués en déplaçant des curseurs sur la gauche ou sur la droite.

1.1

Image originale non retouchée.

1.2

La même image après correction de la Balance des couleurs.

2.1

Image originale non retouchée.

2.2

Les bleus ont été transformés en violets.

2.3

La saturation des couleurs a été réduite.

Les calques de réglage

Quand on hésite à effectuer un changement de couleur, et si on veut s'assurer de pouvoir revenir en arrière, sans compter sur la seule palette Historique, il est recommandé d'appliquer la modification à un calque de réglage. Ce type de calque ne contient pas de pixels, mais donne accès à différents réglages. Un calque de réglage peut être créé dans le menu déroulant Calque ou directement dans la palette Calques. Le réglage est gardé en tant que calque dans la palette Calques, il peut être affiché ou masqué et peut être modifié en double-cliquant sur l'icône du calque. Des trous peuvent même être effectués avec l'outil Gomme, permettant de voir les calques placés en dessous.

Voir aussi La boîte à outils *p. 166-169 /* Les calques *p. 170-171 /* Faire des corrections de couleur *p. 182-183*

Mise en couleur manuelle

Quelques commandes faciles à utiliser, présentes dans la plupart des logiciels, permettent de retrouver l'aspect des photos colorisées.

Préparation

Le point de départ doit être une image RVB désaturée. Donc une image en couleur doit être vidée de ses couleurs d'origine en choisissant Image>Réglages> Désaturation. Si l'image est en Niveaux de gris, il faut la transformer en effectuant Image>Mode>Couleurs RVB. Il ne faut pas que l'image soit trop sombre sinon la colorisation manuelle aura un aspect terne et plat. Les corrections de luminosité nécessaires devront être effectuées dans la boîte de dialogue Niveaux, avant la mise en couleur. Il est recommandé de faire une copie du calque Fond et d'effectuer les changements sur la copie.

Sélectionner les couleurs ⬜ 1

Activez l'outil Pinceau et choisissez une forme au contour flou. Le mode de fusion de l'outil est, par défaut, Normal, remplacez-le par Couleur, et ramenez l'opacité à 10 %, en déplaçant le curseur vers la gauche. Le mode de fusion Couleur permet d'appliquer une teinte tout en préservant les détails de l'image, contrairement au mode Normal qui estompe les détails en étalant la couleur. Le réglage de l'opacité permet d'appliquer des couleurs plus délicates, à la présence discrète. Garder la palette flottante Nuancier affichée permet d'accéder plus rapidement aux couleurs.

La palette Nuancier permet de sélectionner une couleur plus rapidement qu'avec le Sélecteur de couleur.

Image désaturée.

La même image colorisée en mode de fusion Couleur.

Appliquer les couleurs

Appliquez la couleur choisie en vous limitant aux zones de tons moyens de l'image, sachant que la couleur ne sera pas visible sur les tons foncés. Les erreurs sont faciles à corriger en peignant par-dessus avec une autre couleur ; en effet, quand on travaille en mode fusion Couleur, les couleurs ne se mélangent pas entre elles, la dernière couleur efface tout simplement la précédente.

Utiliser l'outil Forme d'historique

La Forme d'historique est un outil très utile qui permet de rétablir une étape précédente, conservée dans la palette Historique ou sur un Instantané. Un Instantané est une étape de l'image qui a été enregistrée et qui peut être récupérée si on souhaite visualiser plusieurs versions de l'image ou pour faire partie d'une séquence d'animation qui regroupe plusieurs états d'une image. La Forme d'historique peut également être utilisée pour rétablir la couleur originale dans une zone dont on a modifié la couleur ou après une conversion monochrome, dans le but de créer un mélange entre les deux états. L'outil fonctionne comme une gomme qui efface les commandes précédentes plutôt que des couches de pixels.

Voir aussi Modes colorimétriques *p. 80-81* / La boîte à outils *p. 166-169* / Les calques *p. 170-171*

Choisir un fond

Pour accentuer un effet Aquarelle ou pour imiter un manuscrit ancien, on peut « tricher » en scannant une feuille de papier.

Scanner une feuille de papier [1]

Choisissez une feuille de papier texturée ou imprimée et numérisez-la avec un scanner à plat. Pour garder les couleurs originales, il faut scanner en mode RVB, mais si le papier ne comporte qu'une seule couleur, s'il s'agit d'une lettre par exemple, utilisez le mode Niveaux de gris. La numérisation doit être faite en haute résolution et le fichier doit permettre une impression en A3 (29,7 x 42 cm) qui pourra éventuellement être recoupée. Réglez la résolution d'entrée à 300 dpi et n'effectuez aucun réglage de contraste.

Corriger ou utiliser les imperfections [2]

Les imperfections, même si elles affectent des zones importantes de l'image, peuvent être corrigées avec l'outil Tampon. Le format du papier a peu de chance de correspondre exactement à celui de l'image numérique, mais l'outil Recadrage résoudra le problème. La couleur du papier peut également être changée grâce à la commande Redéfinir de la boîte de dialogue Teinte/Saturation. L'image ci-dessous a été détachée d'un livre acheté au marché aux puces. Après numérisation, elle a été retouchée dans la boîte de dialogue Niveaux, pour la rendre plus lumineuse tout en faisant ressortir l'état du papier.

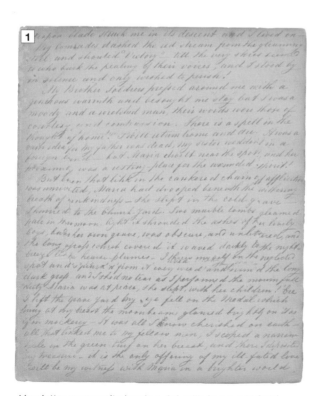

Une lettre manuscrite jaunie a été utilisée pour le fond.

L'état de cette image convenait au projet de montage.

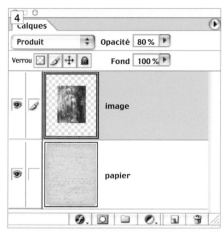

Voir aussi Modes colorimétriques *p. 80-81* /
Pilotage d'un scanner à plat *p. 124-125* /
Les calques *p. 170-171* / Recadrage et taille
de l'image *p. 176-177*

Résultat de l'assemblage des deux images.

Coller l'image sur le fond 3

Avant de placer l'image sur le fond, il faut effectuer
tous les réglages de couleur et de contraste
nécessaires. Il est préférable de choisir une image
ayant des zones de tons très clairs, sur lesquelles
les couleurs et la texture du papier scanné seront
bien visibles. En copiant/collant l'image sur le fond,
on crée un nouveau calque. Les deux images n'ont
pas nécessairement les mêmes dimensions,
la commande Transformation, accessible par le menu
Édition permet de réduire la photo pour la placer
au centre du papier texturé en prévoyant une marge
confortable.

Finaliser l'assemblage 4

La dernière étape consiste à fusionner l'image
et le fond texturé. Il faut commencer par régler
le mode de fusion des calques sur Produit, dans
le menu déroulant en haut et à gauche de la palette.
Ce qui a pour effet immédiat de créer une
transparence dans les tons clairs de l'image
qui laissent apparaître le fond texturé. Le calque
du papier et celui de l'image sont alors parfaitement
fusionnés. Si le résultat n'est pas complètement
satisfaisant, il est possible d'améliorer la fusion
en réduisant la saturation du fond et en ramenant
l'opacité de l'image à 80 %.

Mise au point sélective

Quelques retouches simples à effectuer permettent de mettre en valeur un sujet en imitant une mise au point sélective, effectuée à la prise de vue.

L'outil Goutte d'eau

L'outil le plus simple pour créer des zones de mise au point sélective est la Goutte d'eau. Cet outil est doté des réglages standards du Pinceau ; il permet d'effectuer des corrections mineures sur l'arrière-plan quand il est nécessaire d'atténuer des détails qui risquent de distraire l'attention du sujet principal. La Goutte d'eau, qu'il faut éviter d'utiliser sur des zones étendues, atténue le contraste entre des pixels voisins. Cet outil est particulièrement utile pour estomper les détails trop présents dans un portrait.

Plus facile à utiliser que le Tampon de duplication, la Goutte d'eau garde les couleurs d'origine des pixels et corrige les erreurs de prise de vue.

Le filtre Flou gaussien

Pour rendre floues des zones étendues, de meilleurs résultats sont obtenus en utilisant le filtre d'atténuation Flou gaussien. L'application du Flou gaussien à des zones sélectionnées simule la faible profondeur de champ due au choix d'une grande ouverture de l'objectif. La clé de cette technique

Les zones correspondent aux différents plans de l'image.

Le personnage se détache sur un arrière-plan flou.

est de sélectionner des zones qui correspondent aux différents plans de l'image et de moduler l'effet de flou, en réglant le rayon dans la boîte de dialogue du filtre.

Sélectionner les zones ☐1

Il faut commencer par examiner la photo pour isoler au moins trois plans à l'arrière du sujet principal. Chaque zone identifiée peut être sélectionnée et enregistrée en choisissant Sélection>Mémoriser la sélection. Les sélections mémorisées peuvent être rechargées avec la commande Récupérer la sélection.

Estomper les zones d'arrière-plan ☐2

La meilleure façon d'appliquer le filtre Flou gaussien à plusieurs zones d'une image est de couper/coller chaque sélection sur un calque individuel au lieu d'essayer d'appliquer le filtre sur plusieurs zones du même calque. Les signes révélateurs de l'application

d'un filtre – l'effet légèrement différent sur les bords de la sélection – seront moins visibles et le résultat plus réaliste. Il faut réorganiser les calques pour que le calque de fond soit en haut de la pile, et la sélection contenant le plan le plus éloigné du sujet placée à l'emplacement normalement réservé au calque de fond. Chaque calque doit porter un nom qui permet d'identifier facilement son contenu. Les calques étant classés, il faut appliquer une quantité croissante de Flou gaussien à chaque plan pour simuler la faible profondeur de champ. Si certains contours de sélection s'harmonisent mal avec le reste de l'image, il faut les effacer avec la Gomme pour révéler les calques sous-jacents.

Voir aussi Ouverture et profondeur de champ *p. 42-43* / La boîte à outils *p. 166-169* / Faire une sélection *p. 172-173*

Certains détails peuvent distraire le regard.

La Goutte d'eau a été utilisée pour estomper le fond.

Effets de filtres

Les filtres que l'on peut appliquer à une image numérique sont d'une grande diversité et, à l'inverse d'un filtre fixé sur un objectif, leur effet est réversible.

Tous les logiciels de traitement d'images sont dotés d'une série de filtres qui peuvent être appliqués aux images, aux calques individuels, voire à des sélections. Les filtres attribuent une formule mathématique très précise à chaque pixel de la grille, changeant ainsi sa couleur ou sa position.

Les résultats obtenus manquent parfois de finesse, comme les effets aujourd'hui démodés qui étaient appliqués aux photos argentiques en vissant un filtre sur l'objectif. Mais, utilisés judicieusemnt, les filtres peuvent améliorer la qualité de vos photos numériques. Certains filtres, comme Xenofex et Corel KPT, sont des plug-ins de Photoshop et autres logiciels de traitement d'images, ils s'adressent aux utilisateurs avertis.

Filtre Aquarelle [1]

Le filtre Aquarelle est un des nombreux filtres artistiques qui simulent sur les photos numériques les traces de pinceau visibles sur une aquarelle. Les commandes, faciles à utiliser, de sa boîte de dialogue permettent de varier les traces de pinceau, l'intensité des ombres et les textures. Sur l'image, en bas à gauche de cette page, l'effet Aquarelle a été renforcé par une bordure Aquarelle effectuée avec PhotoFrame.

Voir aussi Modes colorimétriques *p. 80-81* / La boîte à outils *p. 166-169* / peinture, mouvement et bruit *p. 214-215*

1.1

Paysage avec filtre Aquarelle.

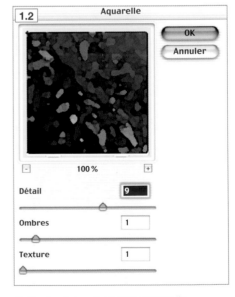

Boîte de dialogue du filtre Aquarelle.

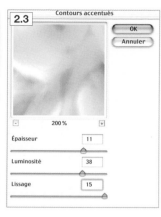

Filtres Contours [2]

Si vous aimez peindre et dessiner, les filtres Contours vous aideront à créer un lien entre graphisme et photographie. Les filtres Contours agissent sur le contour des formes, et leur effet dépend du contraste présent sur la photo originale. Selon l'image, ils donnent des résultats très différents. Si l'original est très net, commencez par l'estomper en appliquant un Flou gaussien. L'exemple ci-dessus est un plan rapproché, légèrement flou, auquel on a appliqué le filtre Contours accentués.

Filtres Textures [3]

Les filtres Textures appliquent une trame texturée à l'image originale. Les images sur lesquelles ils sont appliqués doivent être composées de formes simples aux contours peu accentués. En plus des textures proposées (Brique, Sac, Toile, Grès), la boîte de dialogue du filtre Placage de texture permet d'importer des textures personnalisées, contenues dans un dossier de modèles. La texture Toile convient bien à une nature morte ou à une composition florale.

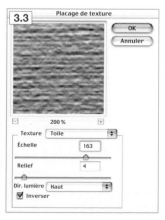

Les tons délicats de cette image…

… ont été rehaussés grâce aux réglages de la commande Atténuer.

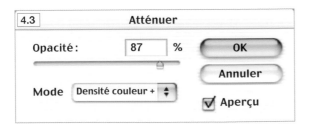

Boîte de dialogue de la commande Atténuer.

Atténuer l'effet des filtres 4

La commande Atténuer du menu Édition permet d'estomper l'effet d'un filtre. Elle est également accessible par le menu Filtre, juste après l'application d'un filtre. Dans la boîte de dialogue Atténuer, on retrouve le curseur d'opacité et les modes de fusion présents sur la palette Calques. À gauche, l'application du filtre Barbouillage a ajouté un effet de composition abstraite à l'image en gros plan d'une fleur. Ensuite, l'opacité du filtre a été réduite dans la boîte de dialogue Atténuer et le choix du mode de fusion Densité + a permis de raviver les couleurs.

Problèmes de filtres

Tous les filtres sont disponibles quand on travaille en mode RVB, mais le choix est moins étendu quand on passe en mode CMJN, Niveaux de gris, Lab ou Couleurs indexées. Aucun filtre n'est utilisable sur une image de 16 bits par couche. Si vous n'arrivez pas à accéder aux filtres, vérifiez que le calque actif n'est pas un calque vectoriel ou un calque de texte.

Appliquer un filtre à une sélection

Pour appliquer un effet à une zone sélectionnée, il est recommandé de coller la sélection sur un nouveau calque. Si des zones de l'image sont redondantes, supprimez-les avec la Gomme et laissez le calque de la sélection «flotter» librement au-dessus du calque de fond. Pour terminer et obtenir le meilleur résultat, choisissez un mode de fusion et réglez l'opacité.

Fusion des effets de filtres 5

Les effets de filtres peuvent être modulés par la commande Atténuer ou en réglant le mode de fusion dans la palette Calques. Les modes de fusion peuvent participer à la création d'effets très originaux en modifiant l'effet appliqué à une sélection ou à un calque.

On peut appliquer un effet de filtre à une petite sélection plutôt qu'à la totalité de l'image.

Peinture, mouvement et bruit

L'avantage des filtres numériques sur ceux que l'on fixe sur l'objectif d'un appareil photo est que l'on peut varier l'intensité de leur effet.

Filtres artistiques

Ils regroupent quinze façons d'appliquer à une image une touche artistique. Des pinceaux, des crayons, des pastels, servent à estomper les détails de compositions aux formes simples telles que des natures mortes ou des paysages. La plupart de ces filtres donnent accès à plusieurs réglages, comme la taille du pinceau, la longueur du trait et la texture de l'arrière-plan, dans une boîte de dialogue.

Filtres Contours   1

Comme les filtres artistiques, les filtres Contours offrent une gamme d'effets de peinture. Ils sont particulièrement utiles pour réaliser des bordures irrégulières ; pour cela il faut les appliquer à une sélection qui épouse sur une petite largeur le périmètre de l'image. Le filtre Sumi-e crée un contour fortement texturé avec un effet de décor peint.

Filtres d'atténuation   2

Ces filtres qui fusionnent les couleurs des pixels peuvent être utilisés aussi bien pour donner une touche artistique à une image que pour la retoucher. Les filtres Flou gaussien et Flou directionnel permettent de créer des effets de profondeur de champ et de mouvement, et tous deux peuvent être utilisés sur des calques de texte pixellisés. Sur la page de droite, un ciel statique a gagné une apparence de mouvement avec l'application de Flou directionnel à la partie supérieure de l'image. Dans la boîte de dialogue Flou directionnel, le contrôle Angle permet de définir la direction du mouvement ; on peut ainsi reproduire l'effet obtenu par une vitesse d'obturation lente ou par la technique du filé.

Voir aussi La boîte à outils *p. 166-169* / Mise au point sélective *p. 208-209*

1.1

1.2

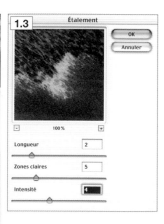

1.3

Filtre Antipoussière 3

Les films négatifs ou positifs peuvent être marqués par des traces de poussière ou de doigts qui vont ressortir à la numérisation. Sur un scan haute résolution, la poussière se manifeste par des taches blanches ou noires qui imposent de faire des retouches délicates avec le Tampon de duplication. Si les dégâts sont importants, une méthode plus efficace consiste à utiliser le filtre Antipoussière. Il atténue les couleurs des pixels adjacents pour estomper les marques noires et blanches. Ce processus créant un léger flou, son utilisation doit être limitée aux zones qui, comme le ciel, ne comportent pas de détails précis. Il est donc préférable de l'appliquer à une sélection, en augmentant la valeur du rayon jusqu'à ce que toutes les marques disparaissent.

Appliquer les filtres à un double du calque

Si vous avez un doute sur l'effet que va produire un filtre, pensez à créer un double du calque sur lequel vous souhaitez l'appliquer. Pour faire des comparaisons vous pouvez faire des trous avec la Gomme pour révéler des zones du calque sous-jacent auxquelles le filtre n'a pas été appliqué.

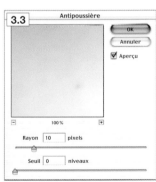

Cadres simples

Photoshop offre différentes possibilités de créer des cadres simples
mais originaux pour personnaliser les images.

Sélectionner le cadre de l'image   1

Le périmètre d'une image peut être transformé en
bordure, de taille et de couleur variables. Choisissez
Sélection>Tout sélectionner, puis réglez la couleur
de premier plan sur noir. Choisissez ensuite
Édition>Contour et appliquez une largeur de cinq
pixels pour créer une bordure noire simple.

Cadre biseauté   2

Pour créer un cadre biseauté, il faut intercaler
la commande Sélection>Modifier>Cadre entre
Sélection>Tout sélectionner et Édition>Contour.
En appliquant le mode de fusion Différence ou
Produit la bordure se fond parfaitement dans l'image
qu'elle encadre.

Création d'un cadre biseauté.

Application d'une simple bordure noire.

Cadre de couleur   3

On peut imiter le montage d'une photo sur un
support en créant des cadres à l'extérieur de l'image.
Choisissez Image>Taille de la zone de travail,
et augmentez la taille de la zone de travail en veillant
à créer des marges identiques. Les extensions
de la zone de travail prennent automatiquement
la couleur d'arrière-plan. En effectuant plusieurs
augmentations de la taille de la zone de travail après
avoir changé la couleur d'arrière-plan, vous pouvez
créer l'illusion d'un collage sur un fond de couleur.
Pensez à utiliser la Pipette pour sélectionner
une couleur présente sur l'image.

Cadre créé en augmentant la taille de la zone de travail.

Ombre portée 4

Ajouter une ombre portée crée un effet 3D ; cette illusion de relief nécessite la présence de deux calques. Commencez par renommer le calque de fond en double-cliquant sur son icône et en écrivant le mot «Image»

dans la case prévue. Créez ensuite un nouveau calque vide et faites-le glisser en dessous du calque Image dans la palette. Cliquez sur Image>Taille de la zone de travail pour augmenter la largeur et la hauteur d'un centimètre, puis remplissez le calque vide de blanc (en choisissant Édition>Remplir>Blanc). L'image est désormais entourée d'un cadre blanc. Cliquez sur l'icône du calque Image et choisissez Calque>Style de calque>Ombre portée. Dans la boîte de dialogue, des réglages par défaut sont appliqués, mais il est possible d'intervenir sur les contrôles Distance, Grossi et Longueur jusqu'à l'obtention d'un résultat satisfaisant. L'effet Ombre portée peut être modifié à l'infini en double-cliquant sur le petit f dans un cercle noir qui indique qu'un style est appliqué au calque.

Voir aussi La boîte à outils *p. 166-169* / Les calques *p. 170-171* / Recadrage et taille de l'image *p. 176-177* / Bordures insolites *p. 218-219*

Ajout d'une ombre portée.

Bordures insolites

Si vous en avez assez des photos à bords droits et coins carrés, créez des bordures originales, adaptées aux thèmes de vos images.

D ans une chambre noire, on peut vieillir artificiellement une photo en lui faisant subir divers traitements ; on peut également faire le tirage d'une image aux bords irréguliers en appliquant une émulsion au pinceau. En créant une bordure irrégulière autour d'une photo numérique, on obtient une image qui représente une transition entre la photo et la peinture ; les paysages donnent de bons résultats.

et choisissez un pinceau qui laisse des traces grossières. Sélectionnez le noir comme couleur de premier plan et réglez l'opacité du pinceau sur 100 %. Créez un nouveau document dans lequel vous allez tracer au pinceau la forme d'une bordure au contour interne irrégulier. Pour déterminer les caractéristiques de cette bordure, pensez à l'image que vous allez encadrer.

Créer la bordure   1

Commencez par charger la série des pinceaux à sec dans la bibliothèque de formes des pinceaux,

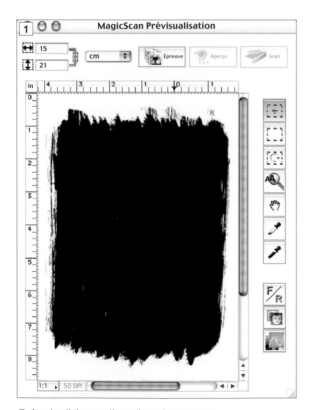

Boîte de dialogue d'un pilote de scanner.

Sélectionner la bordure créée

Choisissez Sélection>Plage de couleurs. La boîte de dialogue Plage de couleurs comporte une pipette. Cliquez avec la pipette sur une zone noire de l'image et déplacez le curseur Tolérance, afin d'inclure la totalité de la bordure dans la sélection. En choisissant Sélection>Généraliser, puis Sélection> Modifier>Dilater>1 pixel, vous vous assurerez que tous les noirs et les gris non liés sont bien inclus dans la sélection.

Inclure l'image dans la bordure   2

Ouvrez l'image photographique sur le bureau et effectuez la commande Sélection>Tout sélectionner, puis Édition>Copier pour stocker une copie de l'image dans le presse-papier. Activez l'image de la bordure, choisissez Sélection> Intervertir, puis Édition>Coller dedans, ce qui place la photo à l'intérieur de la bordure et non pas par-dessus. En utilisant l'outil Déplacement, vous pouvez déplacer l'image à l'intérieur de son cadre. La bordure noire fonctionne comme un pochoir (ou un masque) qui délimite le contour de l'image.

2.1

La combinaison des deux calques simule une bordure appliquée à larges coups de pinceau.

Voir aussi La boîte à outils *p. 166-169* / Les calques *p. 170-171* / Cadres simples *p. 216-217*

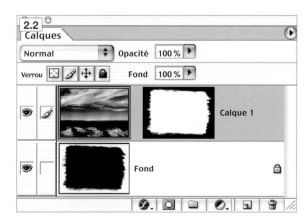

Palette Calques de l'image avec bordure personnalisée.

Ajuster la taille de l'image

Il est possible d'ajuster la taille de l'image à l'intérieur de la bordure en choisissant Édition>Transformation> Homothétie. Pour éviter une distorsion, maintenez la touche Majuscule enfoncée lorsque vous déplacez les poignées d'angle, l'image conservera son homothétie. Si vous maintenez les touches Alt + Majuscule enfoncées, l'image se modifie à partir de son centre. Pousser les poignées vers l'intérieur réduit la taille de l'image, les tirer vers l'extérieur l'agrandit. Cet ajustement fournit une bonne occasion de recomposer l'image.

9 Photomontage avec Photoshop

Détourage

Photoshop propose toute une gamme d'outils pour isoler des éléments d'une image : c'est la première étape de tout projet de montage.

Éditer/Couper

La façon la plus simple d'éliminer une partie de l'image que l'on ne souhaite pas conserver est d'utiliser la commande Éditer>Couper. Un trou apparaît sur les calques à la place de l'élément coupé, seul le calque de fond reste intact. La commande Éditer>Coller copiera la zone découpée dans un nouveau calque par défaut. On peut de la même façon couper une partie d'une image pour la coller dans une autre image.

Sélectionner et faire glisser

Une autre façon de transférer une partie d'une image est d'utiliser l'outil Déplacement. Il faut placer les deux images côte à côte sur le bureau, sélectionner la zone que l'on veut copier et la faire glisser sur l'image de destination. La zone sélectionnée donne l'impression d'être supprimée de l'image source pendant le temps de la copie, mais elle s'affiche à nouveau à son emplacement original une fois la copie terminée.

L'outil Gomme

Utile uniquement pour effectuer des détourages à bords flous, la gomme est trop approximative pour les formes précises. En lui attribuant les réglages d'un pinceau à contour flou, la Gomme peut être utilisée pour révéler des détails présents sur les calques inférieurs, mais une fois les trous percés, la partie gommée ne pourra être restituée.

Utiliser les masques

Pour plus de souplesse, on peut utiliser l'outil Gomme en l'appliquant à un masque. Le masque est comparable à un pochoir, qui permet de faire apparaître les calques en totalité ou partiellement.

Pour créer un masque et le lier au calque actif, il faut cliquer sur l'icône Masque en bas de la palette Calques. Il faut ensuite cliquer sur l'icône du masque et sélectionner Blanc comme couleur de premier plan avant d'utiliser la Gomme qui va découper des trous dans le masque. Si vous choisissez ensuite Noir comme couleur de premier plan, les trous peuvent être réparés pour faire revenir les détails d'origine. L'avantage du masque est de laisser le calque intact alors que le Masque est découpé, comme un pochoir.

La commande Extraire   [1]

La commande Extraire, présentée dans une fenêtre de prévisualisation plein écran, est un outil sophistiqué qui permet de découper des éléments sur un calque. Découper des objets au contour complexe – bordés de franges ou de cheveux, par exemple – est une opération très délicate, qui n'est pas facile à réaliser avec l'outil Plume. Avec la commande Extraire, il est facile d'identifier les couleurs de l'arrière-plan et celles de l'objet à découper ; le contour de l'objet est tracé avec l'outil Sélecteur de contour. Le tracé délimite la frontière entre les couleurs qui doivent rester et celles qui sont à supprimer. En cliquant sur Aperçu, on obtient une prévisualisation du résultat : l'arrière-plan est éliminé et les contours sinueux de l'objet sont préservés. Cette commande fonctionne bien si la couleur et le contraste de l'objet à isoler se détachent nettement sur le fond.

Voir aussi La boîte à outils p. 166-169 / Les calques p. 170-171 / Faire une sélection p. 172-173 / Utiliser l'outil Plume p. 224-225

L'outil Plume permet de suivre avec précision le contour d'une forme qui pourra être transformée en sélection.

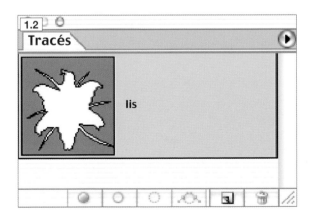

La palette Tracés.

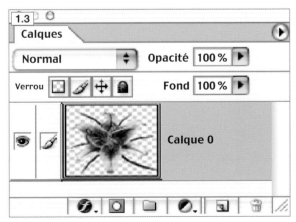

Un motif en damier entoure l'élément découpé.

Utiliser l'outil Plume

La Plume et la Plume libre sont les outils grâce auxquels on peut effectuer les sélections les plus précises.

Effectuer la sélection précise du contour d'un objet complexe est une tâche ardue. Plusieurs outils proposent un mode de sélection rapide, mais le résultat n'atteint pas une qualité suffisante pour répondre aux exigences des professionnels. Avec l'outil Plume on crée un contour vectoriel, appelé Tracé ; la Plume a les caractéristiques des outils de tracé de lignes et de courbes des logiciels de dessin, comme Illustrator ou Freehand. Les outils tracent un périmètre de points d'ancrage autour d'une forme, de petites courbes de Bézier permettent ensuite d'ajuster avec précision le tracé au contour de la forme. Effectuer le tracé ne représente donc que la moitié du travail. Des Tracés peuvent être enregistrés et stockés avec le fichier image, ce qui permettra de les utiliser ultérieurement. Les Tracés peuvent également être convertis en sélections et vice versa : grâce à la quantité infime de données qu'ils génèrent, ils représentent une façon idéale de stocker le masque d'une forme complexe.

Principes de base   1

Il faut obligatoirement utiliser la version haute résolution d'une image, car les imperfections seront atténuées lorsque vous sous-échantillonnerez l'image. Ouvrez l'image et affichez-la à 200 %. Sélectionnez l'outil Plume dans la boîte à outils et commencez à déposer des points légèrement à l'intérieur de la forme pour éviter que certains détails de l'arrière-plan ne soient présents sur la sélection.

Établir le tracé   2

Les lignes droites sont faciles à tracer avec l'outil Plume, mais quand le contour s'incurve, il faut cliquer et faire glisser le curseur de la souris pour créer des inflexions dotées de lignes directrices tangentielles qui peuvent être déplacées pour que le tracé épouse fidèlement le contour de la forme. Pour créer un tracé fermé, joignez le dernier point au premier. Dans la palette Tracés, double-cliquez sur l'icône du tracé pour l'enregistrer en lui donnant un nom correspondant à l'utilisation que vous prévoyez.

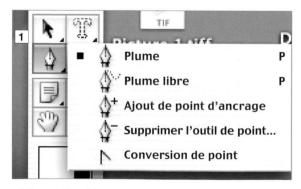

L'icône de l'outil Plume regroupe cinq outils.

Une fois enregistré, le tracé peut être modifié jusqu'à l'obtention du résultat souhaité.

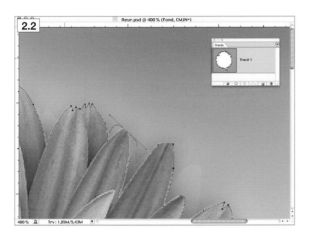

En gros plan les points d'ancrage du tracé peuvent être ajustés avec précision.

Il faut afficher l'image au moins à 200 %.

Éliminer l'arrière-plan 3

Pour pouvoir supprimer des zones, il faut déverrouiller ou renommer le calque de fond. Sélectionnez ensuite le tracé enregistré et choisissez Resélectionner dans le menu déroulant Sélection. Le contour de la zone sélectionnée est signalé par une ligne pointillée animée. Dans le menu Sélection, choisissez Intervertir pour sélectionner l'arrière-plan, puis dans le menu Édition choisissez Couper pour l'enlever. Une fois que l'arrière-plan est supprimé, une forme aux contours nets est prête à être imprimée ou incluse dans un montage.

Voir aussi La boîte à outils *p. 166-169* / Les calques *p. 170-171* / Faire une sélection *p. 172-173* / Détourage *p. 222-223*

3

Détourage précis effectué avec la Plume.

Position des calques

L'intérêt des calques pour un projet de montage est qu'ils permettent de séparer les éléments que l'on pourra utiliser individuellement.

Calque de fond

Une image numérique est composée d'un seul calque, appelé calque de fond ou d'arrière-plan ; lorsqu'on ajoute des éléments à l'image, de nouveaux calques se créent. Le calque de fond est verrouillé et placé en bas de la pile de calques. Pour être déplacé, il doit être déverrouillé et renommé.

Changer l'ordre des calques

Chaque nouveau calque créé se place au-dessus du précédent, mais cet ordre peut être modifié en faisant glisser l'icône d'un calque vers le haut ou vers le bas de la pile dans la palette Calques, sachant que le contenu du calque peut être masqué par son nouvel environnement.

Afficher/Masquer un calque

En cliquant sur la petite icône, qui représente un œil, à gauche du calque, on masque et/ou on rend visible le contenu du calque. Masquer un calque n'équivaut pas à le supprimer ; cela permet de faire apparaître un élément de l'image masqué par ce calque.

Calque lié/non lié

Si deux ou plusieurs calques doivent être groupés pour être déplacés ou affectés par une transformation, il vaut mieux les lier. Pour lier des calques au calque actif (signalé par un pinceau), cliquez dans la case blanche à droite de l'œil : une petite chaîne apparaît. Pour annuler cette liaison, cliquez à nouveau. Pour des projets complexes, les calques peuvent être organisés en groupes au sein d'un dossier.

Supprimer des calques

Il est facile de supprimer un calque en le faisant glisser dans la corbeille en bas à droite de la palette Calques. Si vous n'êtes pas sûr de vouloir le supprimer, il vaut mieux le masquer.

Créer et dupliquer des calques

Des calques vierges peuvent être créés en cliquant sur l'icône Nouveau Calque en bas de la palette, à côté de la corbeille. Pour dupliquer le calque actif, faites glisser son icône sur l'icône Nouveau Calque. On peut également créer et dupliquer des calques en passant par le menu déroulant Calque.

Calque de réglage

Un calque de réglage permet de faire des essais de couleurs et de tons sans modifier de façon irréversible les pixels de l'image. Les réglages affectent les calques sous-jacents. Pour créer un calque de réglage, cliquez sur le petit cercle blanc et noir en bas de la palette ou passez par le menu déroulant Calque.

Calques de texte

L'outil Texte crée automatiquement un calque de texte, signalé par l'icône T. Le texte peut être pixellisé en choisissant Calque>Pixellisation>Texte ; le calque de texte devient alors un calque ordinaire et il n'est plus possible de modifier le texte.

Réglage de l'opacité des calques

On peut attribuer à chaque calque un taux d'opacité, pour qu'il se fonde dans son environnement. À 100 %, le calque est opaque et masque tout ce qui se trouve en dessous ; à 20 %, il permet d'apercevoir les détails sous-jacents.

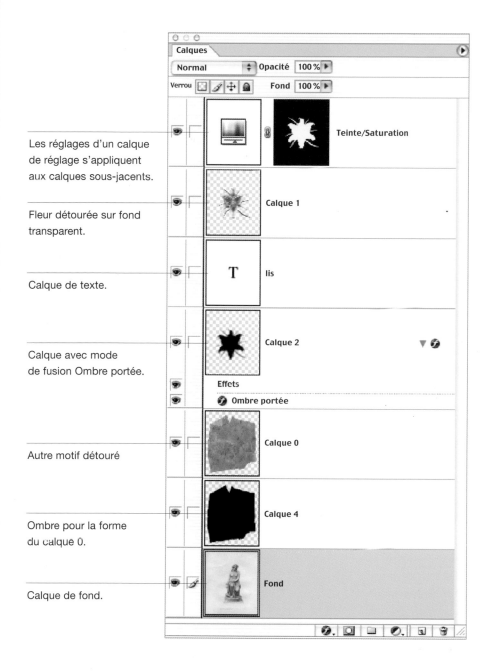

Les réglages d'un calque de réglage s'appliquent aux calques sous-jacents.

Fleur détourée sur fond transparent.

Calque de texte.

Calque avec mode de fusion Ombre portée.

Autre motif détouré

Ombre pour la forme du calque 0.

Calque de fond.

Les calques sont empilés comme des feuilles d'acétate dans la palette Calques. Le calque de fond est toujours en bas de la pile.

Mode de fusion du calque

Chacun des modes de fusion définit comment un calque réagit à celui qui est en dessous, et montre comment les couleurs et le contraste se mélangent, avec souvent des résultats imprévisibles.

Voir aussi La boîte à outils *p. 166-169* / Les calques *p. 170-171* / Opacité et transparence *p. 232-233*

Prises de vue pour photomontages

Si vous avez envie de faire des montages, stockez des images que vous pourrez inclure dans vos compositions.

Prévoir le montage dès la prise de vue

Lorsqu'on fait des photos, on ne pense pas forcément que certains éléments des images pourront être intégrés dans un montage. Si vous avez pour objectif de faire des photomontages, préparez-les dès la prise de vue, en choisissant avec soin l'échelle, l'angle de vue et la direction de la lumière, surtout si vous êtes amené à assembler des éléments provenant de sources disparates. Pensez à effectuer plusieurs prises de vue avec des réglages différents. Ces principes de base sont appliqués par les photographes qui travaillent pour la publicité ; les images que nous voyons sont bien souvent le résultat de l'assemblage d'un sujet principal, d'un décor et d'effets spéciaux.

Choisir l'arrière-plan   1

Si un détourage est envisagé, il vaut mieux photographier le sujet sur un fond de couleur unie qui n'influencera pas l'éclairage du sujet. Des couleurs vives faciliteront le détourage, mais elles peuvent laisser des traces autour du sujet. En studio, les fonds blancs ou gris moyen sont le meilleur choix ; sur le terrain, il faut privilégier les arrière-plans simples et clairs et éviter ceux qui comportent des motifs. Le détourage est impossible si le sujet est flou. La mise au point doit être précise et, si la lumière naturelle est insuffisante, il faut utiliser un flash pour faire ressortir les détails.

Stocker des sources

C'est un bon exercice de style de penser à prendre en photo des motifs qui pourront servir de fond : des nuages, des textures naturelles ou artificielles, par exemple. Ces images fourniront un arrière-plan original lorsque vous aurez besoin de remplir ou de modifier les parties d'une composition.

1

Voir aussi Les objectifs et leurs caractéristiques *p. 46-47* / Composer une image *p. 54-55* / Observer les formes *p. 56-57* / Perspective et lignes de fuite *p. 68-69*

Ne pas tronquer le sujet

Il est difficile d'inclure dans un montage un sujet dont il manque un morceau. Pieds coupés, chapeau tronqué, bâtiment incomplet : autant d'erreurs qui peuvent compromettre l'utilisation ultérieure du sujet. Il faut toujours prendre le temps de composer une image et se concentrer sur les bords du viseur ou de l'écran de prévisualisation. Même si les fils électriques, les antennes et les paraboles peuvent être ôtés plus tard, il vaut mieux ne pas les inclure dans le cadrage.

Objectifs et distorsion 2

Tous les objectifs créent une distorsion, mais inclure dans un montage des images prises avec des objectifs de longueur focale très différente peut donner des résultats peu cohérents. Ce sont les courtes focales (objectifs grands-angulaires) qui provoquent les déformations les plus importantes. Photoshop dispose d'outils pratiques pour modifier la taille, la forme et la perspective des éléments présents sur une image.

Il peut être difficile d'inclure dans un montage un sujet déformé par la prise de vue.

Effets de fusion

La plupart des logiciels de traitement d'images possèdent des modes de fusion qui permettent d'amalgamer plusieurs photos numériques.

À la différence des photos argentiques, les images numériques peuvent être amalgamées et leurs couleurs originales modifiées pour créer des effets originaux. Bien plus sophistiqués que la simple superposition de deux négatifs, les modes de fusion offrent un moyen facile de créer un photomontage, et ce, beaucoup plus rapidement qu'en détourant et copiant des éléments de montage.

Modes de fusion des calques   1

Par défaut, les calques sont complètement opaques et leur mode de fusion est réglé sur normal. En attribuant à un ou plusieurs calques l'un des seize modes de fusion disponibles dans le menu déroulant placé en haut et à gauche de la palette, et en modulant l'opacité des calques, on peut créer des effets de couleur inattendus sans mélanger le contenu des calques.

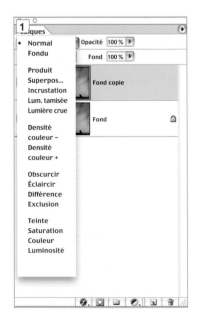

Fusion d'un calque dupliqué   2

On peut obtenir des résultats intéressants en fusionnant deux calques identiques. Cette technique est particulièrement efficace pour augmenter l'intensité des couleurs fades. La première étape consiste à dupliquer le calque de fond en faisant glisser son icône sur l'icône Nouveau calque en bas de la palette. Il faut ensuite appliquer à ce duplicata du calque de fond le mode de fusion Incrustation. L'image affichera des couleurs plus intenses avec un contraste légèrement renforcé.

Image d'origine à un seul calque

Calque dupliqué avec mode de fusion Incrustation.

Calque dupliqué, inversé, avec mode de fusion Teinte.

Inversion d'un calque dupliqué

Un calque inversé, ou négatif, affiche des couleurs
et des valeurs tonales opposées à celles du calque
d'origine. Le négatif devient positif, le bleu devient
orange et le noir devient blanc. Une image numérique
inversée est semblable à un négatif de photo couleur
argentique. On peut également ajouter à cet effet
d'inversion un mode de fusion. Après avoir dupliqué
le calque de fond, choisissez Image>Réglages>
Négatif pour inverser les couleurs de l'image.
Appliquez ensuite le mode de fusion Teinte
et observez comment l'image négative et l'image
positive se combinent.

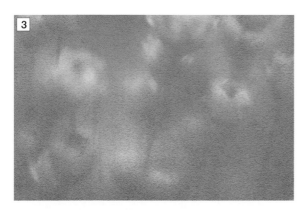
Réduire l'opacité adoucit les couleurs.

Jouer sur l'opacité

Le réglage de l'opacité effectué en déplaçant un
curseur affecte la totalité du calque. Diminuer
l'opacité équivaut à diluer une peinture en ajoutant
de l'eau. Cet effet est réversible et peut être modifié
à tout moment. L'opacité de l'image en bas à gauche
a été réglée à 50%, le contour des formes est à peine
perceptible et on devine une texture sous-jacente.

Atténuer les hautes lumières

Cette image est le résultat de l'amalgame d'une
partition avec une photo de fleurs. La partition a été
scannée et intégrée dans une image à deux calques.
La couleur blanche du papier était trop voyante.
Le calque de la partition étant actif, le mode de
fusion Produit a été appliqué. Les deux calques
sont maintenant réunis sans raccord apparent.
Cette technique est très utile pour les compositions
qui incluent du papier blanc, par exemple les dessins,
le texte imprimé ou les signatures apposées sur
une feuille de papier blanc.

Le mode de fusion Produit peut atténuer les blancs.

Voir aussi Les calques *p. 170-171* / Rehausser les couleurs
p. 202–203 / Position des calques *p. 226-227* / Opacité
et transparence *p. 232-233*

Opacité et transparence

On peut régler l'opacité de calques individuels ou groupés afin de créer des effets de transparence.

Les calques transparents sont très utiles pour assembler les éléments d'un photomontage. Une fois détouré et placé sur un calque individuel, chaque élément peut être modifié pour s'intégrer dans la composition. L'opacité est réglée par défaut à 100 %, la réduire atténue à la fois le contraste et la saturation des couleurs.

Masques de calque   1

Les masques sont des images en niveaux de gris dont les zones blanches permettent de voir les détails sous-jacents, les zones noires les masquant et les zones grises étant plus ou moins transparentes. Les masques de calque peuvent être créés à l'aide des outils de peinture et de dessin, alors que l'outil Dégradé peut être utilisé pour appliquer une zone d'ombre. Les masques permettent d'exercer un contrôle supplémentaire sur les éléments du montage si le réglage de l'opacité n'est pas suffisant. Les masques sont toujours modifiables.

Masques de fusion   2

Les masques de fusion déterminent quel calque définit une forme de pochoir laissant voir les détails présents sur les calques inférieurs. Les propriétés du masque de fusion peuvent être appliquées à un calque ou à un groupe de calques, mais la découpe doit être au sommet de la pile des calques. Les masques de fusion sont analogues à des pochoirs.

Groupe de masques associés   3

Un groupe de masques associés permet d'appliquer une gamme d'effets d'opacité et de fusion à un groupe de calques avant qu'ils soient cachés par un calque d'arrière-plan. Les calques de ce groupe sont identifiés par des icônes en retrait et l'icône du calque d'arrière-plan est entourée d'un filet.

Voir aussi La boîte à outils *p. 166-169* / Les calques *p. 170-171* / Position des calques *p. 226-227*

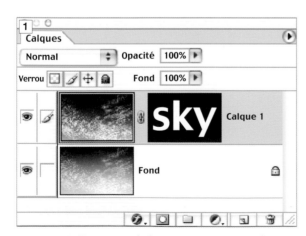

La partie de l'image protégée par le masque noir n'a pas été affectée par la modification de couleur.

Un masque de calque permet de faire des pochoirs.

Opacité 20 %.

Opacité 80 %.

Opacité 40 %.

Opacité 100 %.

Opacité 60 %.

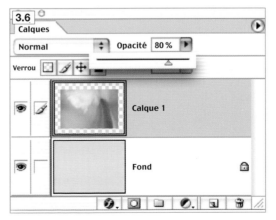

Des effets de transparence peuvent être obtenus
en réglant l'opacité des calques d'une image.

Calques de réglage inversés

Les calques de réglage inversés permettent de mélanger des couleurs et leur contraire sur la même image.

Inversion de couleurs

1

Les couleurs d'une image peuvent être inversées en créant un calque de réglage et en l'inversant (Calque>Nouveau calque de réglage>Inverser). Inspiré du procédé de solarisation, cet effet permet de fusionner les couleurs négatives et positives sur la même image. Chaque calque placé sous un calque de réglage inversé est modifié : le noir devient blanc, le rouge devient vert, etc. Pour que cet effet ne s'applique pas à un calque, il faut le faire glisser au-dessus du calque de réglage dans la palette. En jouant sur cet effet, on peut obtenir plusieurs versions d'une même image comportant plusieurs calques.

1.1

Image d'origine.

1.2

La même image après application d'un calque de réglage inversé.

Inversion d'une image monochrome 2

En appliquant un calque de réglage inversé
à une image monochrome, on peut obtenir un effet
de solarisation partielle, rappelant l'effet Sabattier.
En utilisant un masque, on peut créer l'illusion
d'une image négative flottant sur un arrière-plan
positif. Choisissez le blanc comme couleur de premier
plan et réglez l'outil Gomme sur pinceau rond
à bord flou, opacité faible, pour estomper le calque
de réglage inversé. Basculez régulièrement entre
le blanc et le noir pour ne laisser aucun trou
sur le masque au cours de l'opération.

Voir aussi La boîte à outils *p. 166-169* / Les calques
p. 170-171 / Position des calques *p. 226-227*

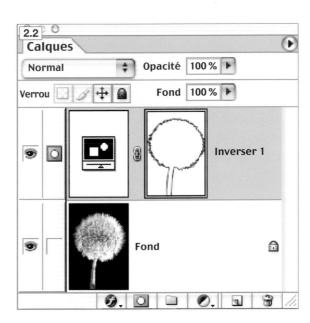

La palette Calques de l'image.

Image d'origine monochrome.

Résultat de l'application d'un calque de réglage inversé.

Notions de typographie

Photoshop permet de gérer les polices de caractères aussi bien qu'un logiciel de traitement de texte et même mieux !

Les familles de caractères [1]

Un certain nombre de polices de caractères de base sont fournies avec chaque ordinateur. Les polices ont été conçues par des typographes pour des utilisations spécifiques, mais elles peuvent également être détournées de leur usage premier pour être incluses dans un projet artistique. On classe généralement les polices de caractères en deux familles. Les polices sans empattement (Helvetica, Arial, Futura) sont utilisés, dans la presse et l'édition, pour les titres plutôt que pour le texte courant et sur les affiches publicitaires et les panneaux d'information. Les polices à empattement (Times, Garamond) sont utilisées pour composer le texte des livres et des journaux parce que les empattements – triangles ou traits – présents à la base et au sommet des lettres représentent un lien visuel qui facilite la lecture d'un texte.

Voir aussi La boîte à outils *p. 166-169* / Effets spéciaux appliqués aux lettres *p. 238-239*

Les lettres dans Photoshop [2]

Toutes les polices de caractères disponibles sur l'ordinateur sont utilisables dans Photoshop. Lorsque le texte est saisi, on peut appliquer aux lettres toutes sortes d'effets spéciaux soit en appliquant un mode de fusion au calque texte, soit en pixellisant le texte, ce qui multiplie les effets applicables, puisqu'on peut alors utiliser les différents filtres.

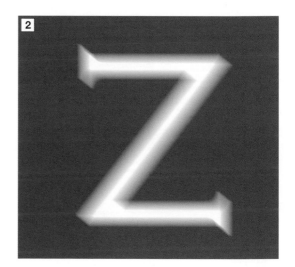

Police sans empattement.

Police avec empattement.

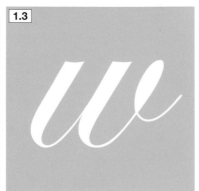

Police script.

La palette Caractère 3

Pour insérer du texte dans une image, il faut sélectionner l'outil Texte. Les lettres vont s'inscrire sur un calque de texte. Certains paramètres attribués aux lettres – police, corps, couleur… – peuvent être réglés dans le menu contextuel placé en haut de l'écran, mais des réglages supplémentaires peuvent être effectués dans la palette Caractère. Lorsque le texte est définitif, pour le valider, il faut cliquer dans la case du menu contextuel contenant la lettre v (✓). Tant que le texte n'est pas pixellisé, il peut être modifié.

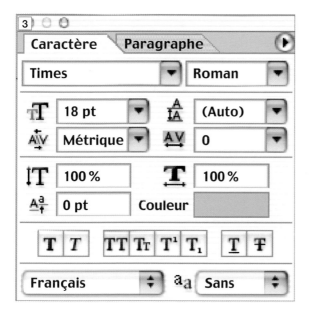

Le corps des caractères

Le corps d'un caractère correspond à la hauteur de la lettre, il est mesuré en points (pt), un système qui date de l'époque où des lettres en plomb étaient moulées en des tailles prédéfinies et assemblées à la main pour composer des lignes de texte. La force du corps est l'espace vertical occupé par une ligne de texte isolé. Le corps 72 équivaut à 2,5 cm.

L'interlignage 4

C'est l'espace qui sépare deux lignes de texte. Dans un texte composé en typographie, les lignes étaient séparées par de minces bandes de métal. L'interlignage doit faciliter la lecture et procurer à une page de texte un équilibre visuel. En général, on choisit un interlignage ayant une valeur supérieure de deux points au corps des caractères, par exemple : corps 8, interlignage 10.

Crénage, Approche, Échelle horizontale 5

L'espace qui sépare les lettres dépend de leur forme ; le i et le w, par exemple, sont très différents. Dans Photoshop, deux commandes permettent de régler cet espace : Crénage, en plaçant le curseur entre deux lettres, et Approche, en sélectionnant les deux lettres dont on veut modifier l'approche. Quant à l'Échelle horizontale, elle étroitise ou élargit les lettres sélectionnées. Il faut savoir que les modifications appliquées à ces commandes déforment les lettres et perturbent l'équilibre qu'elles ont entre elles au sein de la police.

Effets spéciaux appliqués aux lettres

Une composition peut inclure des lettres auxquelles on a appliqué différents effets.

Utilisation du mode Masque   1

Au lieu d'appliquer une couleur à une lettre, on peut la remplir avec une image en utilisant le mode Masque de la boîte à outils. Il faut choisir un caractère bold (gras) et utiliser au moins du corps 72. Une fois que la lettre est créée, placez-la sur la zone que vous avez choisie en tant que remplissage et cliquez sur la case de validation. La lettre est entourée d'une ligne pointillée animée, faites Édition>Copier, puis Édition>Coller; la lettre est sur un nouveau calque, vous pouvez régler son opacité, mais vous ne pouvez pas la modifier.

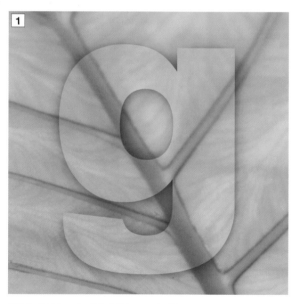

Effet obtenu en utilisant le mode Masque.

Styles de calque   2

Il est possible d'appliquer aux lettres un contour et d'en choisir l'épaisseur et la couleur en sélectionnant Contour parmi les styles de calque. Cet effet peut être obtenu sur un calque de texte ou sur un nouveau calque créé en mode Masque. D'autres effets peuvent être réalisés grâce aux styles de calque dont : Ombre portée, Ombre interne, Incrustation en dégradé, Incrustation de motif.

Effets de filtre   3

Lorsqu'un calque de texte est pixellisé ou fusionné avec des calques pixellisés, un effet de filtre peut être appliqué aux lettres, permettant d'obtenir des effets inattendus. Il est préférable de garder le texte pixellisé sur un calque séparé ou d'appliquer des filtres à des lettres sélectionnées pour mieux contrôler l'effet obtenu.

Effets d'éclairage

On peut éclairer une lettre : comme dans un studio, on module l'éclairage du sujet que l'on veut photographier, pour mettre en lumière des reliefs. Il faut commencer par sélectionner la lettre en mode Masque, puis l'enregistrer en choisissant Sélection>Mémoriser sélection. Il faut ensuite revenir à l'image et choisir Filtre>Rendu>Éclairage. La sélection est mémorisée dans la palette Couche en bas de la pile. Les lettres apparaissent dans la fenêtre de prévisualisation ; on peut alors leur appliquer différents effets de lumière.

Voir aussi La boîte à outils *p. 166-169* / Effets de filtres *p. 210-215* / Notions de typographie *p. 236-237*

Ombre portée.

Relief.

Ombre interne.

Dégradé.

10 Imprimer et diffuser des images

Imprimantes à jet d'encre

C'est le type d'imprimantes privilégié par les photographes pour l'impression des images numériques.

Fonctionnement

Les imprimantes à jet d'encre utilisent des trames de demi-teintes, avec les quatre couleurs d'encre CMJN. L'épreuve couleur qui est produite est constituée de millions de gouttelettes de couleur séparées les unes des autres par un espace fixe ; vues à une certaine distance, elles se fondent entre elles pour donner l'impression d'une couleur continue.

Résolution

C'est le nombre réel de gouttelettes projetées sur le papier, elle est exprimée en dpi (dot per inch), par exemple 5 760 x 1 440 dpi. Plus ce nombre est élevé, plus la qualité des épreuves sera bonne. Certaines imprimantes haut de gamme génèrent des gouttelettes d'encre de tailles variées, mais si vous imprimez en basse résolution, ce procédé crée des amas de taches, malgré la résolution de l'image. La boîte de dialogue du pilote de l'imprimante permet d'effectuer différents réglages concernant la résolution, le type de papier, la balance des couleurs. Les résultats seront décevants si vous n'avez pas sélectionné le bon type de papier.

Supports et encres

La plupart des imprimantes acceptent les formats de papier personnalisés en plus des tailles standards (10 x 15 cm et 21 x 29,7 cm). Les meilleurs modèles disposent d'un adaptateur pour le papier en rouleau et peuvent imprimer les CD et DVD imprimables. Évitez les cartouches génériques, moins chères, mais qui donnent des résultats de qualité médiocre. Des cartouches d'encre monochromes à quatre ou à six tons permettent d'imprimer des photos noir et blanc de très grande qualité sur des imprimantes professionnelles.

Connexion

L'imprimante est connectée à l'ordinateur *via* un port USB, série ou parallèle. Pour fonctionner, elle nécessite l'installation d'un logiciel de pilotage. Certaines imprimantes récentes sont équipées d'un lecteur de cartes mémoire, ce qui permet de transférer directement les photos de l'appareil numérique sans passer par un ordinateur.

Imprimantes de bureau [1]

Les imprimantes à jet d'encre quatre couleurs offrent une bonne qualité d'impression des graphiques et du texte, mais elles sont incapables de rendre de façon satisfaisante les tons subtils des images photographiques. Avec une seule cartouche CMJN, des points seront visibles dans les zones blanches, même si les images sont en haute résolution.

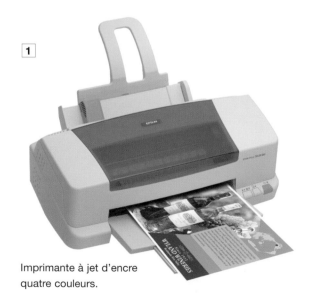

[1]

Imprimante à jet d'encre quatre couleurs.

Imprimantes qualité photo 2

Elles impriment en CMJN, mais avec deux couleurs
supplémentaires (cyan clair et magenta clair)
qui permettent un meilleur rendu des tons chair.
Le prix de celles qui utilisent des encres qui résistent
à la lumière, comme les cartouches Epson Intellidge,
est légèrement plus élevé, mais elles assurent
une durée de vie des épreuves plus longue.

Imprimantes professionnelles 3

Destinées aux photographes professionnels,
elles assurent qualité de reproduction et durée
de vie des épreuves. Utilisant des encres pigmentées
qui donnent des couleurs plus stables, mais
moins saturées, elles sont plus chères à l'achat
et à l'utilisation, mais elles fournissent des
résultats d'une excellente qualité. Leurs pilotes
sont compatibles avec les paramètres des profils
de couleurs gérés par les logiciels de traitement
d'images.

Imprimante à jet d'encre
professionnelle.

Voir aussi Supports d'impression *p. 244-245* / Paramétrer
une impression *p. 246-247* / Les encres *p. 260-261*

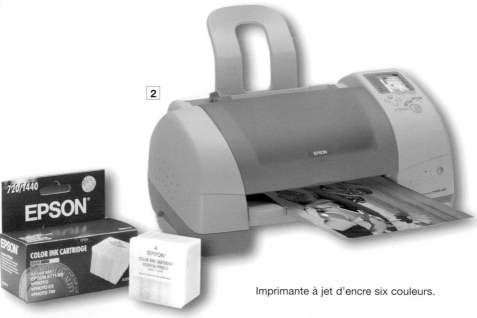

Imprimante à jet d'encre six couleurs.

Supports d'impression

Les imprimantes à jet d'encre offrent la possibilité d'imprimer sur différents types de papier et autres supports.

Papier de marque

Un débutant a tout intérêt à faire ses premiers essais d'impression avec le papier et les cartouches d'encre de la marque de son imprimante (Epson, Canon, etc.). Les réglages seront plus faciles à effectuer et il aura plus de chances d'obtenir un résultat conforme à ses attentes.

Papier jet d'encre standard

Vendu en ramettes de 500 feuilles, on le trouve dans les papeteries et les magasins de fournitures de bureau. Malgré son nom, il donne des résultats à peine supérieurs au papier pour photocopieur. Il faut limiter son utilisation à l'impression du texte, des graphiques et des photos basse résolution, d'ailleurs on l'appelle également papier 360 dpi ou papier basse résolution.

Papier couché mat qualité photo   1

Plus cher que le précédent et appelé parfois papier haute résolution, il est commercialisé par les marques connues comme Ilford, Epson et Canon. Couvert d'une fine couche de kaolin, il préserve la position exacte des minuscules points d'encre, sans diffusion. Ce papier est imprimable à 720 dpi et plus et il permet l'impression des graphiques et des photos avec une grande netteté, même si les couleurs sont légèrement plus ternes que sur le papier brillant.

Papier photo brillant   2

Le papier photo brillant est destiné aux imprimantes à six couleurs ou plus. Sa surface, lisse et brillante, est capable de reproduire une gamme de tons plus étendue. Le noir et les couleurs saturées ressortent

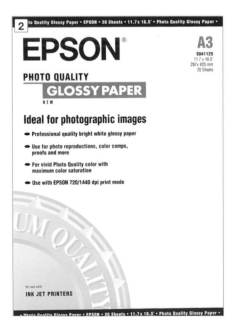

Papier photo mat.

Papier photo brillant.

bien sur le papier brillant. Les moins chers peuvent présenter des problèmes de compatibilité avec l'encre, responsables d'un allongement du temps de séchage des épreuves.

Papier photo épais brillant

Le papier brillant à grammage élevé se rapproche du papier photo traditionnel, imprégné de résine synthétique. Il est recommandé d'utiliser ce type de papier plus rigide si les photos doivent être souvent manipulées. Il est fabriqué par les marques traditionnelles de papier photo : Ilford, Kodak et Agfa, entre autres.

Film photo brillant   3

Il s'agit d'un support polyester, indéchirable et infroissable. Il permet des impressions de qualité, même si la résolution des images n'est pas excellente. Il est idéal pour les couvertures de rapports et les supports de communication.

Papiers d'art   4

Les papiers d'art pour impression à jet d'encre ont une finition plus agréable au toucher que le papier brillant. Les meilleures marques, Somerset et Lyson, assurent une reproduction fidèle des détails et une bonne saturation des couleurs. Ils atteignent un grammage élevé, jusqu'à 300 g, et peuvent alors être utilisés pour des tirages d'exposition.

Papier aquarelle

À première vue, il semble identique au précédent, mais, s'il est utilisé avec les réglages standards de l'imprimante, il donne des images manquant de netteté et aux couleurs détrempées. Les papiers Rives, Fabriano et Bockingford sont chers, mais d'excellente qualité. Il est préférable d'acheter le papier aquarelle à la feuille plutôt qu'en bloc.

Voir aussi Imprimantes à jet d'encre *p. 242-243* / Calibrer le support d'impression *p. 250-251* / Faire des essais d'impression *p. 252-253* / Papiers d'art *p. 258-259*

Papier photo épais brillant.

Papier d'art pur coton.

Paramétrer une impression

La dernière étape à respecter pour imprimer des images numériques de qualité est le réglage des paramètres de l'imprimante.

Réglages concernant le support   1

Il est important de sélectionner le bon type de papier dans le menu déroulant de la boîte de dialogue du pilote de l'imprimante. Ce choix détermine la quantité d'encre qui est déposée sur le papier. Trop d'encre donne des impressions sombres sur un papier détrempé. Pas assez d'encre donne des couleurs délavées et tachetées. Ce réglage influence également la balance des couleurs de l'épreuve finale.

Résolution de l'imprimante   2

Sur la plupart des imprimantes, il existe un réglage Brouillon ou Basse définition, qui permet d'effectuer des tirages rapides et économiques d'épreuves en basse définition. Réglée sur 360 dpi, l'imprimante dépose moins d'encre sur le papier, même si l'image est en haute résolution. La qualité photo est obtenue avec des résolutions de 1 440 ou 2 880 dpi, mais les impressions prennent plus de temps et consomment plus d'encre. Il ne faut jamais sélectionner un mode d'impression

rapide si vous souhaitez obtenir des tirages qualité photo. Certaines résolutions ne sont parfois pas disponibles parce qu'elles sont incompatibles avec le support choisi.

Paramètres de gestion des couleurs   3

La plupart des imprimantes disposent d'un menu qui permet de régler l'imprimante sur le même espace colorimétrique qu'un logiciel, Adobe RVB (1998) par exemple. Ce réglage évite les mauvaises conversions de couleurs, mais ne doit pas être considéré comme une méthode pour intervenir sur la balance des couleurs ou la qualité de l'impression. Les problèmes liés à l'impression doivent être réglés autrement.

Voir aussi Imprimantes à jet d'encre p. 242-243 / Supports d'impression p. 244-245 / Utiliser les profils colorimétriques p. 248-249 / Les encres p. 260-261

Le réglage du type de support est très important.

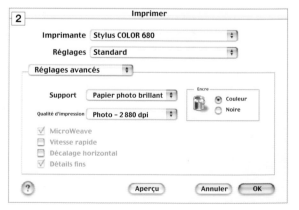

Les réglages avancés permettent de définir la qualité de l'impression.

Les contrôles concernant les couleurs permettent d'éviter les dominantes dues à la combinaison encre-papier.

Diffusion et trame de motif

L'utilisation de trames de demi-teintes permet de simuler les tons continus des photos et de reproduire une gamme étendue de couleurs avec un nombre limité d'encres. Il existe différentes méthodes de tramage et les imprimantes à jet d'encre ont leur propre système de juxtaposition des gouttelettes d'encre. La diffusion aléatoire de gouttelettes est le tramage à choisir pour l'impression des tons continus des photos. La juxtaposition de points selon un motif uniforme est plus approprié aux graphiques. Pour atténuer l'effet de bandes d'encre visibles, utilisez Microweave ou Super Microweave.

Mode automatique

De nombreux pilotes d'imprimante proposent un mode d'impression automatique qui se charge de préparer les images pour l'impression, sans que l'on puisse intervenir. Ce mode Auto est à éviter sauf

lorsqu'on imprime à partir de l'appareil photo sans passer par un logiciel de traitement d'images.

Mode manuel ou personnalisé

Les problèmes liés à l'impression peuvent, la plupart du temps, être réglés en faisant fonctionner l'imprimante en mode manuel. Le mode personnalisé permet d'enregistrer des réglages et des formats de papier personnalisés qui pourront être utilisés pour de nouvelles impressions.

Choix de l'encre

Il est bien sûr possible d'imprimer les photos noir et blanc avec une seule encre. Cependant, même les images en niveaux de gris seront d'une qualité bien supérieure si elles sont imprimées avec des encres CMJN ou avec quatre encres correspondant à quatre intensités de noir.

Utiliser les profils colorimétriques

Quand des images numériques sont échangées entre différents périphériques et logiciels, des problèmes de concordance des couleurs se posent. Un système de gestion des couleurs permet de contrôler les changements éventuels.

Gestion des couleurs   1

Le mode RVB utilisé par les appareils photo, les scanners, les moniteurs et les imprimantes peut présenter de légères différences par rapport au standard, par exemple sRVB. Ces petites variations représentent ce que l'on appelle

Termes techniques

Profil : Paramètres de gestion des couleurs qui déterminent l'apparence d'un pixel de couleur, que ce soit sur un scanner, un moniteur ou une imprimante.

Moteur de gestion des couleurs : Petit logiciel qui prend en charge la conversion des couleurs, par exemple : Adobe ACE et ColorSync.

Espaces de travail : Éléments essentiels de la procédure de gestion des couleurs, ils représentent les profils colorimétriques qui produiront les couleurs les plus fidèles en fonction des paramètres de sortie liés au choix de l'imprimante de l'encre et du papier.

des espaces de travail distincts, dont les spécificités précises ont été développées par des fabricants : ColorMatch RVB par ColorMatch et Adobe RVB (1998) par Adobe, qui a tendance à s'imposer comme standard. La plupart des ordinateurs sont dotés d'un système de gestion des couleurs (SGC) qui compare l'espace colorimétrique dans lequel les couleurs ont été créées et l'espace dans lequel elles vont être utilisées. Pour qu'elles soient représentées aussi fidèlement que possible sur les différents périphériques, un moteur ou module de gestion des couleurs, tel que ColorSync ou Adobe ACE, est chargé de lire et de convertir les couleurs entre des espaces colorimétriques différents. Une mauvaise conversion des couleurs provoque des changements visibles, ainsi qu'une perte de saturation et de contraste.

Image RVB, sans correction de profil.

L'image, après synchronisation des profils colorimétriques.

Adopter un profil colorimétrique ▢2

Si vous n'êtes pas amené à échanger régulièrement des fichiers avec des personnes travaillant sur d'autres systèmes, quelques réglages de base suffiront. Il est recommandé d'adopter l'espace colorimétrique Adobe RVB (1998) universellement reconnu. Pour le faire, dans Photoshop, choisissez Édition>Couleurs et sélectionnez Adobe RVB (1998) dans le menu déroulant Espaces de travail. Ce profil sera désormais appliqué à toutes vos images au moment de leur enregistrement.

Choisir l'espace de travail

Quand vous recevez des images créées dans un profil différent de celui que vous utilisez, vous avez le choix entre plusieurs attitudes. Les trois options qui s'offrent à vous sont les suivantes : convertir le profil étranger à votre propre espace de travail ; préserver le profil intégré au fichier ; désactiver la fonction Gestion des couleurs. Dans la plupart des cas, c'est la première option qui est retenue, car c'est celle qui garantit les meilleurs résultats à l'impression. Lorsque l'on intervient sur des images dans un cadre professionnel, il est recommandé que tous ceux qui participent au projet utilisent le même profil colorimétrique.

Le mode avancé donne accès aux options de conversion.

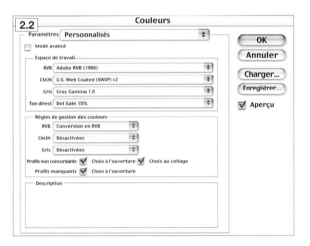

Boîte de dialogue Couleurs de Photoshop.

Voir aussi Appareils photo, réglage des fonctions *p. 14-15*

Calibrer le support d'impression

Des ombres bouchées et des tons clairs absents sont les principaux problèmes liés
à l'impression de photos ; un bon calibrage du papier devrait y apporter une solution.

Calibrer le papier et l'imprimante   1

Des réglages de l'imprimante correspondent aux
différents types de papiers, mais l'impression de
certaines images nécessite des réglages supplémentaires.
Tester le papier peut sembler une perte de temps,
mais à long terme c'est rentable. Les essais permettent
de déterminer le point exact où le papier n'arrive plus
à distinguer le gris foncé du noir et le blanc pur du gris
clair. Les réglages adéquats devraient permettre
à vos épreuves de ne plus souffrir de l'absence de tons
clairs et de zones d'ombres bouchées.

Tester le papier   2

Choisissez un type de papier et imprimez une gamme
de contrôle des couleurs, après avoir sélectionné,
dans la boîte de dialogue du pilote de l'imprimante,
les options de réglage correspondant le mieux au
papier. Après l'impression, il est important de noter
ces réglages au dos de la feuille de papier. Examinez
soigneusement les tons foncés dans la gamme des
gris et repérez le point où les différents pourcentages
ne sont plus identifiables. Pour la plupart des
imprimantes, les tons foncés se transforment en noir
à partir de 94 %. Repérez ensuite le seuil d'apparition
des tons les plus clairs.

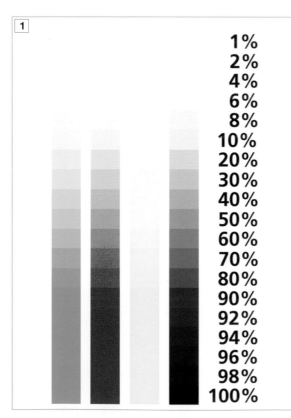

Gamme de contrôle des couleurs.

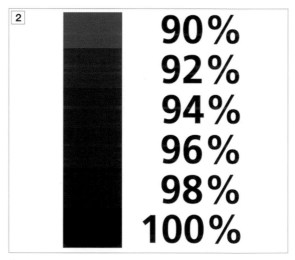

À partir de 94 %, les tons foncés sont transformés en noir.

Voir aussi Supports d'impression p. 244-245 /
Faire des essais d'impression p. 252-253

Préparer une image en niveaux de gris avec la commande Courbes [3]

Une fois que la limite des tons clairs et des tons foncés a été déterminée, les images numériques peuvent être retouchées pour correspondre à ces paramètres. Pour une image en niveaux de gris, si le gris clair apparaît à 6 % et si le gris foncé se confond avec le noir à 94 %,

il faut modifier la courbe, dans la boîte de dialogue Courbes, de façon à ce que la sortie des tons clairs soit réglée à 6 % et celle des tons foncés à 94 %.

Préparer une image en couleur avec la commande Niveaux [4]

Pour effectuer la même retouche sur une image RVB, il faut modifier la couche composite RVB dans la boîte de dialogue Niveaux. Comme la couleur n'est pas décrite par un pourcentage mais par une échelle de 0 à 255, les valeurs devront être converties. Si 1 % équivaut à 2,55, il faut régler la sortie des tons foncés sur 15 au lieu de 0 et la sortie des tons clairs sur 240 au lieu de 255.

Enregistrer la formule des réglages

Lorsque vous avez trouvé les bons réglages, vous pouvez enregistrer les paramètres correspondants fixés dans les boîtes de dialogue Courbes et Niveaux en donnant au fichier créé le nom du type de papier. Ces réglages pourront être appliqués à d'autres images en cliquant sur Charger dans les boîtes de dialogues Courbes et Niveaux.

La boîte de dialogue Courbes peut être utilisée pour préparer l'impression des images en niveaux de gris.

La boîte de dialogue Niveaux peut être utilisée pour préparer l'impression des images RVB.

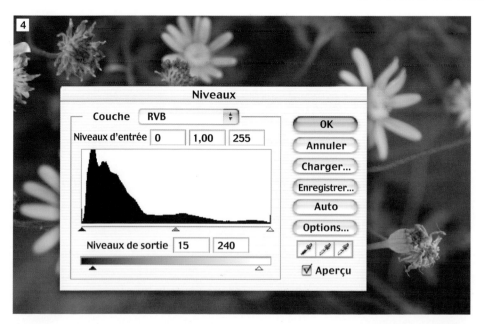

Faire des essais d'impression

Prendre le temps de calibrer les couleurs de son moniteur et de régler les paramètres d'impression ne garantit pas que l'image imprimée sera sans défaut.

Imprimer des bandes d'essai permet de résoudre rapidement des problèmes d'impression simples et évite de gaspiller de l'encre et du papier. En photographie argentique, les bandes d'essai permettent au photographe de choisir parmi plusieurs tirages celui qui donne les meilleurs résultats. Les photographes qui utilisent le numérique font parfois trop confiance aux corrections automatiques effectuées par l'imprimante. Quand des épreuves sont trop sombres ou trop claires, ils préfèrent modifier les réglages de l'imprimante plutôt que de retourner dans Photoshop pour effectuer des corrections de luminosité.

Voir aussi Supports d'impression p. 244-245 / Calibrer le support d'impression p. 250-251 / Analyser le résultat des essais p. 254-255 / Principaux problèmes d'impression p. 256-257

Préparer le test d'impression

Il n'est pas nécessaire de copier-coller des parties d'une image dans un nouveau document pour imprimer des essais. En effet, une sélection de l'image active peut être imprimée sur une petite feuille de papier. N'importe quel format de papier peut être utilisé pour une bande d'essai, mais il est plus économique d'utiliser un format personnalisé, 10 x 15 cm par exemple. Il est rare d'avoir à imprimer plus de deux essais successifs mais, si tel est le cas, il est conseillé d'y inscrire le détail des corrections effectuées. De plus, il est important de toujours imprimer l'essai sur le papier que vous avez l'intention d'utiliser pour la sortie définitive, et il faut éviter de modifier la taille ou la résolution de l'image après les essais, ou alors il faudra tout recommencer.

Ne gaspillez pas une grande feuille de papier pour faire un essai.

Pour effectuer des tests d'impression, il faut commencer par sélectionner une zone rectangulaire contenant, si possible, une gamme de tons étendue.

Choisir la zone qui servira de test [2]

Ouvrez l'image dans Photoshop et activez l'outil Rectangle de sélection, en vous assurant que le Contour progressif est réglé sur zéro. Sélectionnez, si possible, une zone qui contient des tons clairs, des tons moyens et des tons foncés. Pour déplacer la sélection, il n'est pas indispensable d'utiliser l'outil Déplacement, il suffit de placer le curseur à l'extérieur de la sélection et de la faire glisser vers sa nouvelle destination. Enregistrez ensuite la sélection pour pouvoir y retourner une fois que la couleur ou la luminosité auront été corrigées. L'essai est désormais prêt à être imprimé.

Imprimer la bande d'essai [3]

Pour que seule la sélection soit imprimée, cochez l'option Imprimer la sélection dans la boîte de dialogue de l'imprimante. Cette commande imprimera la sélection exactement au centre de la feuille de papier. Si les résultats sont trop sombres ou trop clairs, retournez à l'image, annulez la sélection et effectuez les modifications nécessaires. Dans le menu Sélection, cliquez sur Récupérer la sélection pour replacer la sélection au même endroit pour le deuxième essai, puis imprimez.

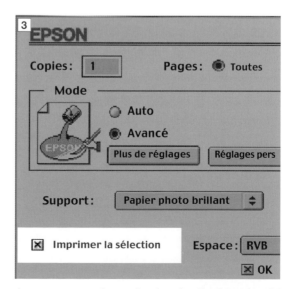

Assurez-vous que la case Imprimer la sélection est cochée.

Analyser le résultat des essais

Qu'est-ce qu'une épreuve parfaite ? Quels sont les défauts à traquer pour améliorer la qualité des images ? Il faut apprendre à identifier les principaux problèmes.

En photographie numérique, la prise de vue ne représente que la moitié du travail. En tirer le meilleur parti et parvenir à des tirages de qualité n'est jamais le fruit du hasard. Que vous fassiez de la photo numérique ou argentique, les qualités d'une image réussie sont les mêmes : des noirs profonds et des blancs purs séparés par une gamme de tons riche et variée ; une finesse et une richesse de détails ; un sujet principal bien mis en valeur. Une mauvaise photo manque de contraste et présente des couleurs ternes ; les détails sont enterrés soit dans les tons foncés bouchés, soit dans les zones claires surexposées.

Comparer les essais

Quand les bandes d'essai sortent de l'imprimante, il est indispensable de les laisser sécher avant d'analyser les résultats, car certains papiers comportant une couche supérieure plastifiée peuvent mettre quelques minutes à absorber l'encre. Il faut comparer les essais de préférence en lumière naturelle, près d'une fenêtre par exemple, ou avec un éclairage fluorescent lumière du jour qui garantit la correction des couleurs. Évitez de vous placer en plein soleil ou à proximité d'un mur très coloré.

Problèmes de luminosité 1

Les impressions des images monochromes ou teintées ont tendance à être sombres, à cause de la manière dont les encres traduisent les couleurs RVB. C'est notamment le cas des bichromies, que les encres CMJN n'interprètent pas avec exactitude. Si le résultat est décevant, il vaut mieux retourner à la boîte de dialogue du mode Bichromie pour choisir une autre couleur. Dans une image sombre, si les tons foncés sont bouchés, masquant les détails, il faut

L'image est trop sombre.

L'image est trop claire.

La qualité de l'impression est bonne.

effectuer des corrections de luminosité dans la boîte de dialogue Niveaux. En améliorant la luminosité d'une image sombre, on rehausse ses couleurs et on atténue les dominantes.

Manque de netteté

Des images nettes qui sortent sombres et floues indiquent que les réglages de l'imprimante ne sont pas adaptés. Trop d'encre a été déposé sur le papier et les gouttelettes se sont mélangées, au détriment de la finesse des détails. La solution consiste à modifier les réglages de papier dans la boîte de dialogue du pilote de l'imprimante, puis de lancer une nouvelle impression.

Voir aussi Faire des essais d'impression *p. 252-253* /
Principaux problèmes d'impression *p. 256-257*

L'image est trop sombre.

L'image est trop claire.

La reproduction des couleurs est fidèle.

Principaux problèmes d'impression

Cette double page résume et illustre les principaux problèmes d'impression.

Pâtés d'encre. Les réglages de l'imprimante ne sont pas adaptés au papier utilisé. Même en affinant les réglages, il ne sera pas possible d'obtenir de bons résultats avec certains papiers bon marché.

Bavures d'encre. Les réglages de l'imprimante ne sont pas adaptés au papier plastifié ou brillant, trop d'encre est déposé à la surface du papier. Essayez d'appliquer à l'imprimante un réglage inférieur pour résoudre le problème.

Manque de netteté. Sur un papier non surfacé, un excès d'encre entraîne une perte de netteté. Il faut augmenter la luminosité dans la boîte de dialogue Niveaux et, si le problème persiste, réduire la résolution de l'imprimante.

Division de l'image en bandes. Ce phénomène apparaît lorsqu'on imprime une image en haute résolution (1 440 ou 2 880 dpi) sur du papier non surfacé, du papier aquarelle par exemple.

Encre épuisée. Lorsqu'une cartouche d'encre est vide, une image en cours d'impression peut être affectée par un changement soudain de couleur, ici le jaune manque dans la moitié inférieure de l'image.

Encre épuisée. Le problème est identique, mais ici c'est la cartouche cyan (bleu-vert) qui est épuisée, affectant la partie supérieure de l'image.

Encre épuisée. Le manque de noir altère le contraste des couleurs de l'image.

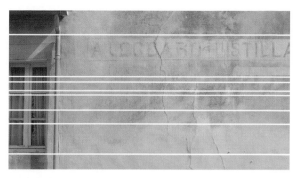

Lignes blanches horizontales. Elles se manifestent lorsqu'une des buses de la tête d'impression est bouchée. N'intervenez pas manuellement, mais lancez la procédure prévue par le pilote de l'imprimante.

Impression en noir. Les images monochromes donneront de meilleurs résultats si ellles sont imprimées avec des encres de couleur plutôt qu'avec le noir seul.

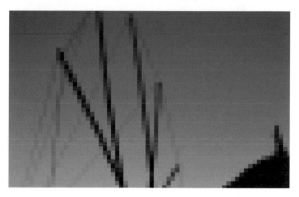

Image pixellisée. Si les pixels sont visibles, c'est parce que l'image est en basse résolution (72 ppp). Choisissez un format d'impression plus petit, ou alors refaites un scan ou une prise de vue.

Détails peu nets. Les images JPEG faible qualité ne supportent pas l'agrandissement. Choisissez un format d'impression plus petit ou refaites un scan ou une photo.

Effet moucheté. Ici, le manque de netteté est dû à une impression en basse résolution. Essayez de passer de 360 dpi à 1 440 dpi.

Papiers d'art

Les papiers pur coton, destinés aux peintres et aux graveurs, permettent
de réaliser des impressions originales d'images numériques.

Caractéristiques du papier

Les papiers d'art – pur coton, aquarelle ou sans acide
– ne se comportent pas de la même façon que
le papier couché ou le papier photo ; ils sont plus
absorbants et, par conséquent, réfléchissent moins
la lumière. Les essais risquent de vous surprendre
par leur manque de luminosité et leurs couleurs
moins saturées par rapport à l'image affichée à
l'écran. La texture ou le grain du papier ont tendance
à masquer les détails et à atténuer les contrastes.
Les papiers d'art sont rarement blancs, mais plutôt
blanc cassé, jaune ou rose saumon. Les zones
blanches de l'image seront donc remplacées,
à l'impression, par la couleur du papier.

Préparation des images

Les limites inhérentes aux caractéristiques du
support d'impression déterminent la façon dont
il faut préparer les images. Il est inutile d'enregistrer
une image en très haute résolution pour une
impression sur du papier d'art, puisque ce type de
papier ne peut pas gérer une résolution supérieure à
720 dpi. L'encre a tendance à s'étaler légèrement sur
les papiers non surfacés, l'impression doit être réglée
à 150 ppp au lieu du réglage standard de 200 ppp.

Luminosité et couleur

Il faut augmenter la luminosité de l'image pour éviter
la perte de détails dans les tons moyens. Cette
correction est à effectuer dans la boîte de dialogue
Niveaux, en déplaçant le curseur des tons moyens
vers la gauche jusqu'à ce que l'image soit plus
lumineuse. Pour pallier la perte de saturation
des couleurs, il faut les rehausser dans la boîte
de dialogue Teinte/Saturation. Il faut faire glisser
le curseur Saturation vers la droite pour obtenir
des couleurs plus intenses.

Chargement du papier

À priori, les imprimantes à jet d'encre ne sont pas
faites pour imprimer des papiers d'un grammage
supérieur à 300 g, ce qui est parfois le cas des papiers
d'art. Les imprimantes Epson ont, sous le capot, une
option de réglage (de 0 à +) qui facilite le chargement
des papiers épais. Les bourrages sont fréquents
avec ce type de papier ; une option de la commande
Alimentation papier permet de bien positionner
le papier avant de lancer l'impression.

Régler l'imprimante

Ne lésinez pas sur le nombre d'essais, pour trouver
les paramètres les plus adaptés au type de papier
choisi. Commencez par un test en basse résolution,
360 dpi, et augmentez progressivement jusqu'à
720 dpi pour trouver la résolution idéale. Notez tous
les réglages et enregistrez la meilleure formule de
résolution, type de support et balance des couleurs
pour pouvoir l'appliquer à d'autres tirages effectués
sur un papier identique.

Voir aussi Supports d'impression *p. 244-245*

Une image monochrome peut être mise en valeur par la texture d'un papier d'art.

Les encres

Le choix de l'encre est aussi important pour un photographe que le choix d'une bonne peinture à l'huile pour un artiste peintre.

Les encres pour imprimantes à jet d'encre sont fabriquées avec des colorants bon marché, qui résistent mal à la lumière. Une encre bas de gamme, un papier bon marché, donneront des impressions qui résisteront mal au temps. Une meilleure qualité d'impression et des tirages résistant mieux à la lumière sont obtenus en préférant les encres à base de pigments à celles à base de colorants ; si les couleurs des tableaux que nous voyons dans les musées ne sont pas altérées, c'est parce que les peintres ont utilisé des peintures à pigments.

Encres premier prix

Les imprimantes sont réglées pour donner les meilleurs résultats avec les papiers et les encres de la même marque ; papiers et encres premier prix donnent souvent des résultats décevants. Les logiciels de pilotage des imprimantes programment le dépôt d'une quantité précise de couleur sur le papier. Une dominante de couleur due à l'utilisation d'encres bas de gamme ne sera pas forcément corrigée. Les cartouches rechargeables ou recyclées ne sont pas chères parce qu'elles sont confectionnées avec des colorants qui se dénaturent rapidement.

Voir aussi Imprimantes à jet d'encre *p. 242-243* / Supports d'impression *p. 244-245*

Encres de qualité

Les encres Intellidge d'Epson ou Fotonic Archival de Lyson promettent une durée de vie de 25 à 30 ans des images imprimées. Il est recommandé d'utiliser des encres du type Archival pour les photos de famille que l'on prévoit de conserver dans un album.

Cartouches individuelles [1]

Une cartouche qui regroupe plusieurs couleurs revient cher, puisqu'il faut la renouveler dès qu'une couleur est épuisée. Ce qui peut arriver rapidement si on imprime des images comportant de grands aplats de couleur saturée. Les cartouches contenant une seule couleur sont bien plus économiques.

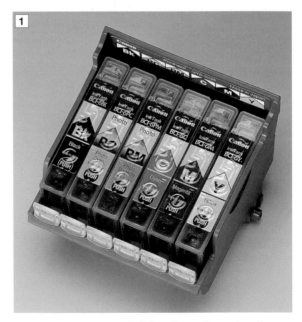

Les cartouches d'encre individuelles reviennent moins cher, car on peut changer une seule couleur.

Encres pour images en niveaux de gris ☐2

Les encres Quad Black et Small Gamut de Lyson sont innovantes. Les cartouches Quad Black remplacent les couleurs standards CMJN par quatre intensités d'encre noire : noir, gris foncé, gris moyen et gris clair. Ainsi les tirages ne souffrent pas de dominante de couleur et présentent une gamme de gris très étendue. Les encres Lysonic Small Gamut permettent, grâce à un contrôle précis de la teinte et à une coloration très fine, de reproduire sur des images monochromes, bichromes, trichromes ou quadrichromes les effets photographiques traditionnels. Le nombre des imprimantes qui acceptent les encres Lyson augmente d'année en année.

Site Internet à consulter

Pour obtenir des informations récentes et impartiales sur la résistance à la lumière des nouvelles encres ou sur la résistance au temps d'un papier, rendez-vous sur le site web de Wilhelm Imaging Research Inc. : www.wilhelm-research.com

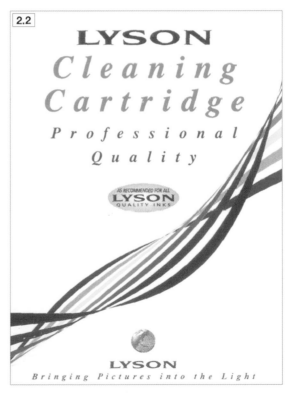

2.1

La gamme Quad Black de Lyson permet d'imprimer des images en niveaux de gris sans dominante de couleur.

2.2

Les cartouches de nettoyage Lyson permettent de rétablir une excellente qualité d'impression.

Kiosques d'impression libre service

Si vous n'avez pas d'ordinateur, vous avez la possibilité de transférer vos photos sur la borne d'un kiosque d'impression. De nombreux magasins en sont maintenant équipés.

Des bornes de développement libre service se trouvent dans tous les magasins de photos importants ; elles permettent de commander des tirages de photos numériques. Constituées d'un ordinateur, d'un moniteur et d'un scanner à plat, le tout relié à un service d'impression numérique, ces bornes proposent tous les outils et services que l'on attend d'un laboratoire photo professionnel. Les photos étant imprimées sur du papier photo traditionnel, ce service allie les avantages du traitement numérique à la longévité et à la stabilité des photos argentiques.

Accessibilité et compatibilité

Les bornes de développement acceptent la plupart des supports de stockage amovibles : CD-R, CD Kodak Photo, Zip et disquettes 3.5". Certaines peuvent lire les cartes CompactFlash et SmartMedia des appareils numériques. De nombreux photographes qui travaillent en numérique utilisent ces bornes après une prise de vue, ce qui leur permet de visionner immédiatement le résultat. Les supports de stockage et les cartes mémoire moins courants ne sont pas toujours acceptés.

Outils de retouche

Pour utiliser ces bornes, il n'est pas nécessaire d'avoir des connaissancs photographiques ou informatiques particulières. Une fois que le support contenant les photos a été inséré dans le lecteur, plusieurs outils informatiques sont disponibles pour retoucher les photos. Comme tout logiciel de traitement d'images, le logiciel intégré permet d'effectuer des corrections de couleur, de luminosité et de contraste, voire de corriger les yeux rouges. Le pilotage s'effectue *via* un écran tactile, et les explications sont faciles à comprendre par des débutants. Il est possible de réaliser des agrandissements et des recadrages, à condition que le nouveau format coïncide avec les dimensions du papier utilisé. Particulièrement destinées aux images brutes chargées directement à partir d'une carte mémoire, des commandes automatiques permettent de régler le contraste, la balance et la saturation des couleurs, ce qui permet d'éviter les tirages aux couleurs délavées.

Rapidité et qualité

Une fois les images retouchées, les fichiers sont envoyés par un réseau interne ou par Internet à un minilaboratoire numérique qui les imprime avec une qualité optimale. Comparés aux laboratoires photo professionnels, les kiosques offrent un service ultrarapide à un prix compétitif.

Numérisation d'images

Ces bornes permettent également de numériser des images grâce à un scanner à plat intégré. Cette fonction est très utile si vous avez perdu des négatifs mais qu'il vous reste les tirages. Le scanner se pilote également *via* l'écran tactile.

Voir aussi Prestations des laboratoires *p. 138-139* / Services d'impression en ligne *p. 264-265*

Les bornes d'impression numérique Fuji FDI permettent d'effectuer la commande de tirages sur un écran tactile.

Services d'impression en ligne

Tout comme on peut faire des achats sur Internet, on peut commander des tirages photographiques en ligne, ils sont ensuite livrés à domicile.

S i vous êtes à l'aise avec Internet et adepte des achats sur le web, vous serez sans doute tenté de confier vos tirages à un laboratoire photo en ligne. Il faut transférer les photos sur le site d'un laboratoire, comme www.ofoto ou www.phox.fr. Elles seront imprimées automatiquement sur du papier photographique traditionnel, puis soit envoyées par courrier, soit à retirer dans un magasin relais.

Comment ça marche ?

Les fichiers numériques sont reçus par un serveur relié à un minilabo automatique, identique aux machines utilisées dans les laboratoires. Les images sont chargées dans ce minilabo 24 heures sur 24. Les équipements haut de gamme tels que le Fuji Frontier sont dotés d'un laser fin qui projette les images sur du papier photographique traditionnel. Comme le processus n'utilise pas d'objectif pour l'agrandissement, les problèmes de poussière, d'égratignures ou de mauvaise mise au point ne se posent pas. Ce type de service permet d'obtenir des tirages de qualité professionnelle à un prix tout à fait concurrentiel.

Modalités de transfert 〔1〕

Les laboratoires photo en ligne sont souvent des entreprises internationales. On y accède par Internet Explorer ou Netscape Communicator, navigateurs qui fonctionnent aussi bien sur PC que sur Mac. On envoie les photos comme un fichier attaché joint à un e-mail. Un service plus sophistiqué et plus facile d'utilisation

Voir aussi Prestations des laboratoires *p. 138-139 /* Kiosques d'impression libre service *p. 262-263*

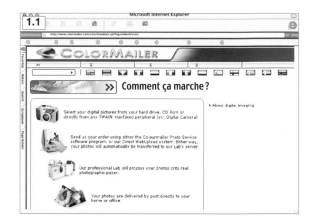

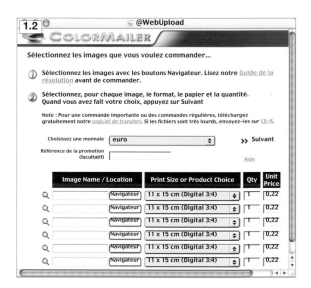

est proposé par le laboratoire international ColorMailer, qui utilise son propre logiciel Photo Service. Ce logiciel est gratuit, facile à télécharger et à installer, et il donne accès à une gamme d'outils plus étendue que les deux navigateurs traditionnels. Photo Service propose des outils de recadrage et de rotation ainsi que des options de bordures très utiles ; il indique quand les paramètres de la commande dépassent la qualité du fichier image.

Page d'accueil de Fotango.

Commander des tirages : une expérience d'achat en ligne.

Comme le réseau Kodak de laboratoires en ligne, ColorMailer propose de choisir le laboratoire vers lequel les photos sont transférées – il y en a dans pratiquement tous les pays. Cela permet de faire effectuer les tirages par le laboratoire le plus proche du lieu de résidence du destinataire des photos.

Compression des fichiers

Transférer des fichiers lourds avec une connexion Internet lente peut prendre beaucoup de temps, sachant que toute compression des images pour accélérer leur transfert se fera aux dépens de la qualité. Si vous devez compresser des images, faites le en JPEG, la plupart des laboratoires n'acceptent que ce format. Choisissez une compression de qualité maximale ou élevée.

L'album photo en ligne Fotango.

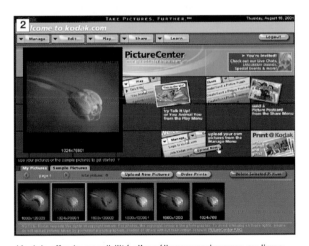

Kodak offre la possibilité d'améliorer ses images en ligne.

Les images doivent avoir une résolution de 200 ppp, sinon des pixels carrés seront visibles sur les tirages.

Albums en ligne

Les laboratoires photo en ligne proposent également le stockage des images protégé par un mot de passe ce qui permet de créer un album photo en ligne. Une fois les photos chargées dans l'album, vous pouvez en donner l'accès à vos amis et à votre famille : ils pourront commander des tirages directement.

Images JPEG pour Internet

Comprimer les images numériques génère des fichiers de petite taille qui peuvent être téléchargés rapidement sur Internet.

Comprimer les images

Grâce à l'Internet haut débit et aux supports de stockage de grande capacité, on a moins besoin de comprimer les images numériques, si ce n'est pour les utiliser sur Internet. Les photos numériques génèrent des fichiers beaucoup plus lourds que ceux qui contiennent du texte, chaque pixel ayant besoin d'un code à 24 chiffres pour déterminer sa couleur. Pour prendre conscience de l'étendue du problème, il suffit de penser à une image de six millions de pixels ou plus capturée par un appareil photo numérique! Pour réduire la quantité de données contenues dans une image, un codage commun peut être attribué à un groupe de pixels plutôt qu'à chaque pixel.

Voir aussi Appareils photo, réglage des fonctions *p. 12-13* / Formats de fichier *p. 86-87* / Compression *p. 88-89* / Choisir un format *p. 90-91*

Le format JPEG créé par le Joint Photographic Experts Group [1]

JPEG est le format d'enregistrement et de compression le plus courant des photos numériques. Il attribue une formule approximative de couleur à un bloc de pixels de couleur proche. La réduction du nombre de données entraîne une perte de qualité, mais si le processus est bien contrôlé, la perte sera à peine perceptible. La compression peut être effectuée avec la commande Enregistrer sous ou, pour ceux qui préfèrent avoir un aperçu du résultat final, avec la commande Enregistrer pour le web. Le taux de compression proposé est étalonné de 0 à 12 ou de 0 à 100; dans les deux cas, 0 correspond à un fichier compact qui contient une image de faible qualité et le chiffre le plus élevé à un fichier volumineux contenant une image de qualité maximale.

Image enregistrée en JPEG qualité faible (0).

Image enregistrée en JPEG qualité moyenne (30).

Nature de l'image et compression

La compression JPEG ne réduit pas les dimensions en pixels d'une image, mais les données requises pour la reconstruire. C'est la nature même de l'image, plutôt que ses dimensions, qui déterminera le taux de compression qu'elle peut supporter. Une photo riche en couleurs et en détails a besoin de plus de données que l'image d'un ciel bleu, même si toutes les deux ont été prises avec le même appareil photo t les mêmes réglages. Le gain sera moindre pour la première parce que les couleurs et les contours nets exigent plus de données que les formes diffuses aux couleurs uniformes et peu contrastées.

Compression avec perte

Le format JPEG est un mode de compression avec perte, chaque fois que l'image est ouverte et réenregistrée sa qualité est altérée. Les dégradés d'une image qui a subi un taux de compression trop élevé sont moins bien définis. La boîte de dialogue de la commande Enregistrer pour le Web permet d'afficher le résultat de plusieurs taux de compression ce qui permet de choisir le meilleur compromis. Le format JPEG ne convient pas à l'enregistrement d'images contenant du texte ou des graphismes, car la netteté des contours et des lignes sera atténuée. Les fichiers JPEG ne subissent pas de détérioration quand ils sont utilisés sur Internet, puisque les images sont visionnées mais non réenregistrées.

Options de téléchargement

Deux options supplémentaires d'enregistrement concernent le téléchargement des images sur Internet : Ligne de base et Progressif. Pour accélérer le téléchargement, l'option Ligne de base charge une image JPEG en l'affichant ligne par ligne. L'option Progressif, qui n'est pas prise en charge par tous les navigateurs, affiche rapidement une image basse résolution, et ajoute des détails au fur et à mesure que le téléchargement progresse.

Image enregistrée en JPEG qualité élevée (60).

Image enregistrée en JPEG qualité maximale (100).

Images GIF pour Internet

Le fomat GIF est le standard de compression des dessins, logos et illustrations contenant du texte, en revanche, il convient mal à la compression des photos.

GIF (Graphics Interchange Format)

Le format universel GIF est couramment utilisé pour préparer pour Internet les images graphiques aux contours nets et aux couleurs uniformes. La plupart des pages web comportent des graphismes simples, tels que des boutons d'aide à la navigation, qui évitent d'avoir des pages rébarbatives, remplies de texte. Les logos et les bannières contenant du texte et des couleurs vives sont également des fichiers GIF. Toutes les images graphiques créées dans Photoshop peuvent être enregistrées en GIF avec la commande Enregistrer pour le web. La boîte de dialogue offre la possibilité d'afficher quatre vignettes auxquelles on peut attribuer des réglages différents.

Compression

Le format GIF réduit de façon significative la taille des fichiers. Un graphique utilisé sur une page web peut ne peser que 5 ko ! L'enregistrement en GIF ne convient pas aux photos, même les petites qui sont utilisées dans les bannières. Le format GIF compresse les images en ramenant la palette des couleurs à 256 ce qui correspond à une image 8 bits et représente une perte importante de définition pour une image en 16 milions de couleurs (image 24 bits). Cependant, certaines images supportent bien ce passage de 24 bits à 8 bits. Les images peuvent être enregistrées en GIF avec des palettes réduites de 32, 16 ou même 8 couleurs ; des couleurs peuvent être individuellement supprimées de la palette ou déplacées dans une autre palette.

Voir aussi Appareils photo, réglage des fonctions *p. 12-13* / Formats de fichier *p. 86-87* / Compression *p. 88-89* / Choisir un format d'enregistrement *p. 90-91*

Algorithmes de tramage [1]

Le choix de la palette de couleurs d'un fichier GIF se fait en fonction de la destination de l'image. La palette web utilise 216 couleurs et convertit les couleurs des pixels à la valeur web la plus proche. D'autres options de palettes (perceptive, sélective et adaptative) proposent d'établir un nuancier personnalisé dans le cadre d'une palette de 256 couleurs maximum, mais le résultat est moins sûr pour l'utilisation sur Internet. Le format GIF propose également le choix de palettes de couleurs réduites accompagné de l'utilisation d'un algorithme de tramage (motif, diffusion et bruit), ce qui créent des effets très différents sur la même image. Les photos enregistrées en GIF souffrent d'une perte de détails et se postérisent : plus la palette est réduite, plus les défauts sont évidents.

Image enregistrée en GIF avec une palette de 64 couleurs.

Image enregistrée en GIF avec une palette de 32 couleurs.

Image enregistrée en GIF avec une palette de 16 couleurs.

Image enregistrée en GIF avec une palette de 8 couleurs.

Image enregistrée en GIF avec une palette de 4 couleurs.

Compression sans perte de données

Le format GIF est un mode de compression sans perte de données ; les images sont réenregistrées sans baisse de qualité, la palette de couleurs n'est pas réduite à chaque nouvel enregistrement. Il comporte certaines variantes, telles que le format GIF89a qui prend en charge la transparence d'arrière-plan, ce qui permet de donner pour fond à une image détourée la couleur de la page web. Le GIF entrelacé correspond au JPEG progressif, c'est-à-dire qu'il affiche dans un premier temps une image basse résolution dans le navigateur pendant que le téléchargement progresse.

Créer des cartes-images

Il est possible de créer des cartes-images, images interactives qui, grâce à un lien hypertexte, renvoient vers d'autres pages web.

Les sites Internet contiennent souvent des liens hypertexte dans lesquels sont impliquées des images. C'est souvent une ou plusieurs parties de l'image et non pas l'image tout entière qui renvoient vers d'autres pages web. Une image comportant un lien hypertexte peut être créée dans n'importe quel format compatible avec Internet. Une fois que l'image a été traitée dans Photoshop, il est recommandé de créer le lien dans Dreamweaver ou tout autre logiciel professionnel de conception de pages web.

Créer une carte-image dans Photoshop et ImageReady   1

Ouvrez l'image, réduisez la résolution à 72 ppp et définissez une dimension en pixels adaptée à la page web sur laquelle elle sera affichée. Sélectionnez une couleur web pour l'arrière-plan afin qu'elle corresponde à la couleur de fond de la page web dans Dreamweaver. Après avoir placé chaque zone réactive de l'image sur un calque séparé, basculez dans ImageReady et choisissez Calque>Nouvelle zone de carte-image d'après un calque. Affichez la palette Carte-image et ajoutez l'adresse URL à laquelle la carte-image renvoie lorsqu'on clique dessus dans la navigateur et répétez la procédure pour chaque calque. Enregistrez et prévisualisez le fichier html dans votre navigateur.

Voir aussi Logiciels de création de pages web *p. 156-157 /* Effets spéciaux appliqués aux lettres *p. 238-239*

Utiliser Dreamweaver   2

Une autre solution consiste à créer des graphismes et des images dans un logiciel de traitement d'images, puis d'ajouter des zones réactives dans Dreamweaver. Placez le fichier image dans le dossier du site avant de lancer l'application. Ouvrez le fichier html dans lequel vous souhaitez utiliser l'image et importez-la. Cliquez sur l'image, trois outils permettant de créer des cartes-images s'affichent. On peut attribuer aux zones réactives une forme d'ellipse, de rectangle ou de polygone. Lorsqu'une zone réactive est prête, indiquez l'adresse URL à laquelle elle renvoie.

Internet et la typographie

Une carte-image peut servir à expérimenter l'intégration d'éléments de typographie dans une image. L'affichage du texte dépend des caractéristiques du navigateur Internet à moins que les lettres aient été transformées en images. Le contour des caractères utilisés sur Internet doit être atténué pour éviter l'effet de crénelage des courbes affichées à 72 dpi.

Diviser une image en tranches

Diviser une image en tranches a pour but de réduire le temps de téléchargement. En revanche, les tranches ont une forme rectangulaire et elles peuvent être longues à télécharger si elles ont la taille de la pleine page web. La division d'une image en tranches a pour intérêt de permettre l'attribution de taux de compression et de paramètres différents à chaque tranche individuelle d'une image qui comprend du texte, des graphismes et des photos.

Un fond texturé
peut être le point
de départ
d'une carte-image.

Un mot est écrit, puis les lettres sont ombrées ; le mot
peut ensuite être doté d'un lien hypertexte.

Inséré dans une zone réactive, ici un rectangle, le mot
renvoie vers une autre page web lorsqu'on clique dessus.

Créer des animations pour Internet

Les animations visibles sur Internet ont pour base des séquences d'images fixes.

GIF animés

1

Les animations que l'on peut voir dans un navigateur web sont appelées des GIF animés. Elles sont réalisées en séquençant une série d'images dans un logiciel tel que GIFBuilder ou ImageReady. Les GIF animés sont compatibles avec tous les navigateurs quelle que soit leur version, les fichiers sont légers, le téléchargement est rapide et la lecture instantanée. Une fois que vous avez réalisé la séquence d'images, vous pouvez définir le temps qui sépare chaque image et le temps d'affichage. Lorsque l'animation est

enregistrée, il n'est plus possible d'intervenir sur le minutage de la séquence. Dans un logiciel d'animation pour le web plus sophistiqué, comme ImageReady, les images de la séquence peuvent être générées à partir des calques d'un fichier Photoshop, afin de créer des animations plus complexes. ImageReady propose également la fonction Trajectoire qui permet de créer automatiquement une série d'images entre deux images existantes ce qui facilite la création d'une animation. Enregistrées et visionnées dans un navigateur web, les animations GIF défileront en boucle.

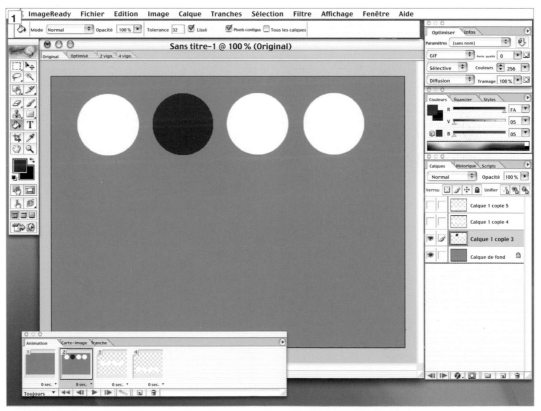

ImageReady peut créer des animations à partir d'une image multicalque de Photoshop.

Images survolées (rollover) 2

Certains sites web contiennent des images survolées (rollover). Il s'agit d'images qui changent chaque fois que le curseur de la souris passe au-dessus. Le rollover est le plus souvent constitué de deux images presque identiques qui s'affichent alternativement chaque fois que le curseur passe au-dessus. Pour réaliser une image survolée simple,

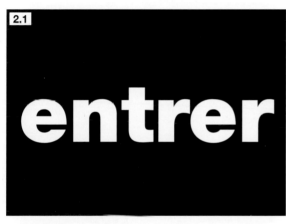

Image rollover : état 1.

Image rollover : état 2.

dans Photoshop, créez deux calques de texte identiques, mais attribuez à chacun une couleur différente. Enregistrez séparément les deux versions et transférez-les vers le logiciel de conception de pages web. Les images survolées sont gérées par une petite application interactive qui utilise le langage Javascript. Quand le curseur s'éloigne du rollover, l'image originale reprend sa place. Les deux images sont téléchargées, mais une seule est visible à la fois.

Séquences pilotées par Javascript

Alors qu'il est impossible d'intervenir sur une animation GIF qui est affichée, des animations et des séquences sophistiquées peuvent être contrôlées par Javascript. Le codage Javascript est disponible sur Internet et peut être facilement copié et collé dans un code html. Javascript permet d'effectuer une grande diversité de créations interactives pour le web, par exemple de moduler le temps d'affichage de chaque image d'un diaporama ou de changer l'ordre des images chaque fois que le diaporama est visionné sur le web. Les séquences gérées par Javascript sont infiniment plus souples que les animations GIF et elles peuvent utiliser des fichiers JPEG. Les fichiers des images individuelles qui entrent dans la composition des animations de ce type sont contrôlés par un script et il est facile de modifier la sélection d'images en incluant de nouveaux fichiers dans le script.

Voir aussi Images JPEG pour Internet *p. 266-267* / Images GIF pour Internet *p. 268-269*

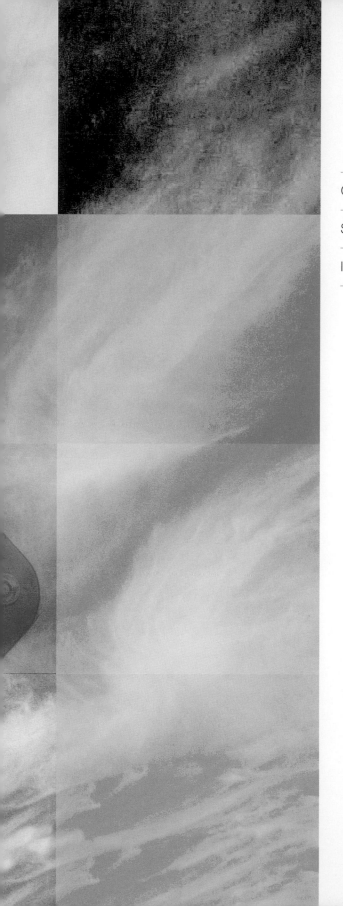

Glossaire

Artéfacts

Tout ce qui intervient au cours du processus de numérisation au détriment de la qualité de l'image : bruit, taux de compression élevé…

Balance des blancs

Les appareils photo et les caméscopes numériques ont une fonction de contrôle de la balance des blancs qui permet d'éviter les dominantes de couleur. Pour les prises de vue effectuées avec une lumière artificielle, les appareils numériques n'ont donc pas besoin de filtres spéciaux, à l'inverse des appareils argentiques.

Bannière

Sur une page web, c'est une animation, du texte souvent, qui défile en boucle à l'intérieur d'un rectangle.

Basse définition

Les images basse définition occupent peu de mémoire de stockage ; elles conviennent à l'affichage sur un écran d'ordinateur, mais permettent uniquement des impressions de qualité médiocre.

Basses lumières

Partie la plus sombre de l'image, correspondant à 0 dans une palette de 256 couleurs.

Bichromie

Image en niveaux de gris imprimée avec deux couleurs d'encre, généralement le noir plus une autre couleur. Le mode Bichromie de Photoshop permet de créer des images en niveaux de gris monochromes, bichromes, trichromes et quadrichromes (qui seront imprimées avec une, deux, trois ou quatre encres).

Bit

Unité de base binaire des données numériques.

Bitmap

Mode d'acquisition des images en noir et blanc, le meilleur choix pour les graphiques vectoriels. Les fichiers générés ne sont pas très lourds.

Bruit

Conséquence du choix d'une valeur ISO trop élevée avec un éclairage insuffisant : des pixels de couleur sont créés de façon aléatoire dans les zones sombres. C'est l'équivalent du grain en photo argentique.

CCD (Charged coupled device)

C'est le capteur optique utilisé par les appareils photo numériques et les scanners pour l'acquisition des images.

CD-R

Le compact disc inscriptible est le support le moins cher pour stocker des données informatiques et notamment des images numériques. Pour transférer des données sur un CD-R, il faut un graveur de CD. La plupart des ordinateurs actuels sont équipés d'un lecteur de CD-Rom.

CD-RW

CD réinscriptibles, pouvant être gravés et effacés plusieurs fois, comme une disquette.

Clipping

C'est une perte de détails qui se produit lorsqu'on scanne une photo et qu'au cours de l'opération les tons les plus clairs et les plus sombres se transforment respectivement en blanc et en noir.

ColorSync

Fonction de gestion des couleurs disponible sur Mac et permettant d'établir une correspondance des couleurs entre l'original, l'affichage à l'écran et la sortie imprimée, à condition que les périphériques soient compatibles avec le profil ColorSync.

CMJN

Mode de sélection des images en quatre couleurs (cyan, magenta, jaune et noir) pour l'impression en quadrichromie. La plupart des livres illustrés et magazines sont imprimés avec des encres CMJN.

Compression

Procédé consistant à réduire la taille d'un fichier numérique, pour en faciliter le stockage ou le transfert. Éliminant un groupe de pixels, la compression entraîne une diminution des détails et donc une baisse de qualité plus ou moins grande et plus ou moins visible.

Courbes

Commande permettant de modifier le contraste, la couleur et la luminosité en déplaçant un curseur des hautes lumières vers les basses lumières.

CPU (Central processing unit)

C'est le microprocesseur de l'ordinateur. Il gère les opérations longues et complexes qui ont lieu lorsqu'on effectue des retouches sur une image.

Définition

Concerne la qualité d'une image. Les images haute définition offrent la meilleure qualité de reproduction, elles contiennent des milions de pixels appartenant à une palette de milions de couleurs. Les images basse définition contiennent peu de pixels et conviennent seulement à l'affichage sur un écran d'ordinateur.

Dessin au trait

Un dessin au trait n'utilise qu'une seule couleur en un seul niveau de gris.

Détramage

Fonction disponible sur les logiciels de pilotage des scanners et les logiciels de traitement d'images permettant d'éviter l'effet de moirage produit par la numérisation de documents imprimés.

Disque de travail

Secteur du disque dur (ou disque dur externe) qui joue le rôle de mémoire de secours lorsque l'ordinateur effectue des opérations complexes dépassant les capacités de la RAM disponible.

Dot pitch

Dimension d'un point affiché par un écran. Elle dépend du pas de masque à travers lequel passent les électrons avant d'atteindre la surface de l'écran. Les valeurs courantes vont de 0,26 à 0,47 mm.

DPI (Dot per inch)

Mesure de résolution concernant les scanners, les imprimantes et les images.
Scanner : plus le nombre est élevé, plus le nombre de données capturées est important et plus la qualité de l'image numérisée sera bonne.
Imprimante : c'est le nombre de gouttes d'encre projetées sur le papier ; plus ce nombre est élevé, plus l'impression se rapproche de la qualité photo.
Fichier image : c'est le rapport entre un nombre défini de pixels et la dimension physique de l'image.

DPOF (Digital print order format)

Standard créé par l'industrie photographique permettant d'imprimer une image en reliant directement l'appareil photo à une imprimante.

Échelle des ouvertures

L'ouverture correspond à la longueur focale divisée par le diamètre de l'objectif ; elle est exprimée en f/ : f/2,8, f/4, f/5,6, f/8, f/11, f/16, f/22. Plus le chiffre est élevé, plus l'ouverture est petite.

Encres pour impression jet d'encre

Les encres pour imprimantes à jet d'encre sont à base de colorants ou de pigments encapsulés de résine. Les encres pigmentées ont une gamme de couleurs plus restreinte. Pour obtenir une impression qualité photo, il faut que l'imprimante ait au moins six encriers.

EPS (Encapsulated postcript)

Format d'enregistrement sous forme d'image d'une illustration ou d'une page entière, compatible avec de nombreux logiciels.

Espace colorimétrique

RVB, CMJN et Lab sont des espaces colorimétriques avec leurs caractéristiques propres et leurs limites.

Exposition

Quantité de lumière admise dans l'appareil lors de la prise de vue et déterminée par le couple vitesse d'obturation et ouverture du diaphragme.

Extension de fichier

Il s'agit des trois ou quatre dernières lettres du nom d'un fichier qui donnent des indications sur son format, par exemple : «paysage.tif». Ce codage rend possible l'identification d'un document par différents logiciels et permet son transfert d'une plate-forme informatique à une autre.

Filtre Accentuation

C'est un outil précieux des logiciels de traitement d'images qui permet d'améliorer la netteté en accentuant les contours. Le manque de netteté peut être imputable à la prise de vue, à l'acquisition par un scanner, au rééchantillonnage ou à l'impression.

Filtre anti-alias

Les pixels sont carrés et ils délimitent grossièrement (en escalier) les courbes.
Les appareils photo numériques possèdent un filtre anti-alias placé entre l'objectif et le capteur.
Il corrige ce défaut en atténuant le contraste.

FireWire

Interface de transfert rapide de données entre un ordinateur et un périphérique. Présent sur les appareils numériques haut de gamme.

FlashPath

C'est un adaptateur au format d'une disquette 3.5", qui a été modifié pour accepter les cartes mémoire SmartMedia. Il est utilisé pour le transfert de données sur un ordinateur… à petite vitesse !

FlashPix

Format d'enregistrement des images numériques créé par Kodak/HP. Ne peut être utilisé que par les logiciels qui reconnaissent ce format.

Formats de fichier

Les images numériques peuvent être enregistrées en différents formats (JPEG, TIFF, PSD, PDF, EPS). Le choix est déterminé par l'utilisation future : impression, e-mail, page web…

Gamut

C'est le spectre des couleurs reproductibles par un périphérique. Le gamut des écrans étant basé sur la synthèse additive des couleurs et celui des imprimantes sur la synthèse soustractive, il est difficile d'avoir une reproduction fidèle des couleurs sans calibrage.

GIF

Format d'enregistrement des images, très utilisé pour les pages web, qui réduit la palette à 256 couleurs et génère des fichiers très légers.

Griffe porte-flash

Adaptateur universel permettant de fixer un flash additionnel sur un appareil photo.

Haute définition

Les images haute définition comportent plus d'un million de pixels et permettent de réaliser des impressions de qualité. En contrepartie, elles génèrent des fichiers très lourds qui occupent beaucoup de mémoire.

Hautes lumières

Partie la plus lumineuse de l'image, représentée
par 255 dans la palette de 256 couleurs.

Histogramme

Graphique qui représente les différents tons
présents sur une image numérique sous la forme
d'une suite de colonnes verticales.

Image Bitmap

Image numérique composée d'une mosaïque
de pixels.

Image Lab

Le mode Lab est un espace colorimétrique
théorique que Photoshop utilise comme étape
lors du passage d'un mode colorimétrique vers
un autre. Le mode Lab possède une composante
de luminosité (L), un axe vert-rouge (a) et un axe
bleu-jaune (b).

Image multicouche

Format d'image dans lequel les différents éléments
sont répartis sur des couches superposées comme
des cartes à jouer. Le format Photoshop (PSD)
en est un exemple.

Imprimante à jet d'encre

Périphérique permettant l'impression sur
différents supports par la projection de gouttelettes
d'encre de différentes grosseurs.

Imprimante à sublimation

Imprimante numérique qui utilise des rubans
imprégnés de pigments cyan, magenta, jaune et noir
pour imprimer en couleur sur un papier spécial.

Imprimer en tâche de fond

Cette fonction permet à l'utilisateur d'un
ordinateur de lancer une impression tout
en continuant à travailler sur le logiciel de son
choix.

Instantané

Dans Photoshop, copie temporaire d'un état de
l'image. Les instantanés ne sont pas enregistrés
lorsqu'on ferme l'image.

Interpolation

Toutes les images numériques peuvent être
agrandies (interpolées) par l'ajout de nouveaux
pixels. Une image interpolée est moins nette que
l'image originale non interpolée et ses couleurs
sont moins fidèles.

JPEG

Format de compression des images créé par
le Joint Photographic Experts Group.
Beaucoup d'appareils photo numériques
ne proposent que ce format d'enregistrement
qui permet de ne pas saturer trop rapidement
les cartes mémoire.

Kilo-octet (Ko)

Un kilo-octet équivaut à 1 024 octets.

Lecteur de carte

Les appareils photo numériques sont vendus
avec un câble permettant de les connecter
à un ordinateur. Un lecteur de carte est
un accessoire bien utile pour faciliter la
connexion.

Logiciel de pilotage (driver)

Petit logiciel qui permet à un ordinateur de piloter
un périphérique, tel un scanner ou une
imprimante. Ces logiciels sont régulièrement mis
à jour, mais les nouvelles versions sont en principe
téléchargeables gratuitement sur le site Internet
du fabricant.

Mégaoctet (Mo)

Un mégaoctet équivaut à 1 024 kilo-octets.
La taille des fichiers numériques est exprimée
en mégaoctets.

Mégapixel

Mesure exprimant le nombre de pixels que peut produire un appareil photo numérique. Une image dont la résolution est de 1 200 x 1 800 pixels contient 2,1 millions de pixels (1 200 x 1 800 = 2,1 millions) : elle a été capturée par un appareil 2,1 mégapixels.

Memory Stick

Carte mémoire équipant uniquement les appareils photo et caméscopes numériques de la marque Sony.

Microdrive

Carte mémoire de grande capacité (jusqu'à 1 Go) mise au point par IBM et utilisée par les appareils numériques haut de gamme. Il s'agit d'un mini disque dur, comme la carte PCMCIA.

Mode de fusion

Dans Photoshop, c'est la façon dont les pixels d'un calque ou d'un groupe de calques se mélangent avec les pixels placés en dessous. L'application de modes de fusion permet de créer de nombreux effets spéciaux.

Module externe

Voir Plug-in.

Moniteur CRT (Cathode ray tube)

Moniteur couleur à tube cathodique qui équipe encore de nombreux ordinateurs.

Moniteur TFT (Thin film transistor)

Moniteur couleur plat.

Netteté

Tous les logiciels de traitement d'images ont des filtres destinés à pallier la faible netteté des images numériques avant leur impression. Ce manque de netteté est dû au filtre anti-alias présent sur les appareils photo numériques.

Niveaux

Cette boîte de dialogue est présente dans Photoshop ainsi que dans d'autres logiciels de traitement d'images. Elle regroupe plusieurs outils de réglage qui permettent d'intervenir sur la luminosité de l'image et notamment de régler les zones de hautes lumières et de basses lumières.

Niveaux de gris

Mode d'acquisition des images noir et blanc. Du noir (0) au blanc (255), l'image est composée de 256 nuances, nombre minimal pour que l'œil ne décompose pas l'image.

Octet

Ensemble de 8 éléments binaires (8 bits). Un octet peut décrire 256 couleurs ou teintes sur une échelle de 0 à 255.

Opacité d'un calque

Dans Photoshop, l'opacité d'un calque ou d'un groupe de calques peut être réglée de 0 à 100. À 0, le calque est transparent, à 100, il est totalement opaque.

Ouverture

Trou circulaire dans l'objectif contrôlant la quantité de lumière qui atteint le film d'un appareil argentique ou le capteur optique d'un appareil numérique. *Voir aussi* Échelle des ouvertures.

Pantone

Système de référence internationalement reconnu et très complet de description des couleurs. À chaque couleur du nuancier Pantone correspond un mélange d'encres permettant leur reproduction fidèle en imprimerie.

Parallaxe de visée

Angle formé par l'axe de l'objectif et l'axe du viseur d'un appareil photo. Lorsqu'on fait un gros plan, l'image perçue dans le viseur est différente de celle qui sera captée par l'objectif, entraînant une erreur de parallaxe.

Parallèle

Mode de transmission des informations. Dans un ordinateur, toutes les transmissions se font en parallèle. Entre l'ordinateur et les périphériques, les transmissions peuvent se faire en parallèle ou en série.

Pas de masque

Sur un écran, c'est la distance, exprimée en mm, entre deux pixels de même couleur. Moins le chiffre est élevé, meilleure est la résolution de l'écran.

Périphériques

Scanners, imprimantes, graveurs de CD, sont des périphériques qui se connectent à un ordinateur pour former une plate-forme informatique.

Pictography

Système d'épreuvage numérique couleur haute résolution créé par Fuji et permettant l'impression sur du papier photographique traditionnel.

Pipette

Outil des logiciels de traitement d'images permettant de sélectionner une couleur présente dans l'image, afin de l'utiliser pour une retouche.

Pixel

C'est l'élément de base, carré, d'une image numérique. On peut le comparer à l'élément d'une mosaïque.

Pixellisation

Phénomène qui se produit lorsqu'on utilise une image basse résolution. Elle ne contient pas assez de pixels pour lisser le contour des formes complexes et la mosaïque de pixels est apparente.

Pixels blancs

Un excès de lumière ou une surexposition provoque la présence de pixels blancs. En photographie argentique, on peut réussir à faire monter certains détails présents dans les zones surexposées ; en revanche, en photographie numérique, les pixels blancs ne contiennent aucune information récupérable dans un logiciel de traitement d'images.

Plage dynamique

Son étendue permet de mesurer la luminosité des appareils photo et des capteurs numériques.

Plug-in

Module externe qui, ajouté à un logiciel, lui procure des fonctions supplémentaires.

Posemètre

Appareil de mesure de l'exposition, intégré ou indépendant de l'appareil photo.

Profil colorimétrique

Paramètres de gestion des couleurs d'un périphérique d'entrée ou de sortie, codés selon des normes établies et gérés par des utilitaires afin que les images conservent les mêmes couleurs lorsqu'elles passent par différents périphériques.

Profil ICC

Procédure de gestion des couleurs mise au point par un groupement d'industriels, l'International Color Consortium (ICC), afin de créer une norme reconnue par les différentes plates-formes.

Profondeur de champ

C'est la plage de netteté qui s'étend à l'avant et à l'arrière du sujet. Elle dépend à la fois de la position du photographe par rapport au sujet et du réglage de l'ouverture. Plus l'ouverture est petite, plus la profondeur de champ est grande.

Profondeur de couleur

Aussi appelée profondeur en bits, elle correspond à la taille de la palette utilisée pour créer une image numérique, par exemple : 8 bits, 16 bits ou 24 bits.

RAM

La RAM (Random Access Memory) ou mémoire vive est la partie de l'ordinateur utilisée pour l'exécution des programmes et le stockage temporaire des fichiers actifs. Si la mémoire vive est insuffisante, le traitement des données est plus long.

Rapidité entre deux photos

C'est l'indication du temps qu'il faut à un appareil photo numérique pour enregistrer une image avant d'être prêt pour la prise de vue suivante.

Résolution optique

Appelée aussi résolution réelle, c'est la résolution maximale d'un périphérique, excluant tout artifice informatique tel que l'interpolation.

RIP (Raster image processor)

Circuit électronique d'impression qui décode les données vectorielles pour les transformer en points qui seront imprimés.

RVB (RGB en anglais)

Mode standard d'acquisition et de compression des images en trois couleurs (rouge, vert, bleu). Chacune des trois couleurs est déclinée en 256 nuances.

SCSI (Small computer system interface)

Type de connexion utilisé pour relier un scanner et d'autres périphériques à l'unité centrale.

Sélection

Zone délimitée à l'intérieur de laquelle on peut procéder à des modifications qui n'affecteront pas le reste de l'image.

Sensibilité ISO

Films photographiques et capteurs sont étalonnés en fonction de leur sensibilité à la lumière. C'est la sensibilité ISO (correspondant à une norme internationale) ou sensibilité (rapidité) du film.

Slot PCI (Peripheral component interface)

Les slots PCI sont des espaces prévus à l'intérieur de l'ordinateur pour installer des barrettes de mémoire, afin d'augmenter la RAM, ou des cartes d'extension pour effectuer des mises à jour ou ajouter des ports de connexion.

Sous-exposition

Lorsque la lumière qui parvient au film ou au capteur est insuffisante, parce que l'éclairage est faible ou à la suite d'un mauvais choix d'exposition, l'image est sombre et les couleurs sont ternes.

Surexposition

Elle survient lorsque le capteur a reçu trop de lumière en raison d'une erreur d'exposition. Les prises de vue surexposées donnent des images très claires aux couleurs délavées.

TIFF (Tagged image file format)

Format standard d'enregistrement des images, reconnu par la plupart des logiciels et utilisables aussi bien sur Mac que sur PC. Il existe un format TIFF compressé, mais sa compatibilité est moins grande.

Traitement par lots

En utilisant une série de commandes enregistrées dans un script, Photoshop permet d'appliquer automatiquement les mêmes réglages prédéfinis à une série d'images.

Trames de demi-teintes

Pour simuler les tons continus des photographies, les images qui doivent être imprimées en une seule couleur ou en quatre couleurs sont converties en points de trame : une trame pour les images en une couleur (simili), quatre trames pour l'impression en quadrichromie (séparation des couleurs en cyan, magenta, jaune et noir).

TWAIN (Toolkit without an interesting name)
Protocole servant d'interface entre les périphériques de capture d'images, scanners et appareils photo numériques, et les logiciels de traitement d'images.

USB (Universal serial bus)
Interface permettant le transfert des données entre un ordinateur et un périphérique

et équipant la plupart des appareils photo numériques actuels.

VRAM
Ce type de mémoire vive vidéo influe sur la vitesse d'affichage, la profondeur de couleur et la résolution d'un moniteur. Elle est présente sur les cartes graphiques qui équipent les moniteurs haut de gamme.

Zoom numérique
Il ne rapproche pas le sujet, mais grossit un groupe de pixels pour que les détails apparaissent plus gros qu'ils ne le sont en réalité.

Sites Internet à consulter

Vous trouverez sur les sites suivants des adresses de fournisseurs et comment acheter en ligne.

Appareils photo numériques
www.nikon.com
www.canon.com
www.olympus.com
www.minolta.com
www.sony.com
www.fujifilm.com

Supports de stockage
www.nixvue.com
www.iomega.com
www.lexarmedia.com

Connectique
www.adaptec.com
www.belkin.com

Scanners à plat et de film
www.umax.com
www.microtek.com

Imprimantes à jet d'encre
www.epson.com
www.canon.com
www.lexmark.com

Ordinateurs
www.dell.com
www.apple.com
www.silicongraphics.com
www.toshiba.com

Mémoire et stockage
www.kingston.com
www.maxtor.com

Moniteurs
www.lacie.com
www.mitsubishi.com

Logiciels de traitement d'images
www.adobe.com
www.macromedia.com
www.jasc.com
www.corel.com
www.roxio.com

Filtres (plug-ins)
www.extensis.com
www.andromeda.com
www.xenofex.com
www.corel.com

Supports d'impression
www.inkjetmall.com
www.silverprint.co.uk
www.lyson.com

Index

Les noms communs commençant par une majuscule concernent les outils ou commandes des logiciels. Les numéros de page en *italique* renvoient à des légendes.